D0364078

Via Maria Sofia

In de nieuwe reeks Nederlandse romans van Uitgeverij J.H. Gottmer zijn inmiddels verschenen:

ELLA MOLEN
Getrouwd met Portugal

ANGÉLIQUE DE NOOYER
De geur van mandarijntjes

ANITA VERKERK
Rowena
Xandra
Myrthe
Jasmijn

ROOS VERLINDEN
(roosverlinden@zonnet.nl)

Ja, duizendmaal ja
Die tweede man
Liefde op Texel
Vrouwen voordewind
Eens een romance
Vier vrouwen
Een tweede kans

Roos Verlinden

Via Maria Sofia

Gottmer · Haarlem

ISBN 90 257 3931 8 / NUR 343

© 2004 Uitgeverij J.H. Gottmer / H.J.W. Becht BV,
Postbus 317, 2000 AH Haarlem
(e-mail: post@gottmer.nl)
Uitgeverij J.H. Gottmer / H.J.W. Becht BV is onderdeel van de
Gottmer Uitgevers Groep BV
Omslagontwerp: Alpha Design BV
Zetwerk: Peter Verwey Grafische Produkties bv, Heemstede
Druk en afwerking: Giethoorn ten Brink, Meppel

1

De ramen van grand café IJsbrand waren beslagen. Net was de zoveelste bui met slagregens bedaard. Opeens waren er binnen overal vrije tafeltjes. Vijf minuten eerder waren ze allemaal bezet. Silke Erenhuis zat aan het raam, vlakbij de ingang. Ze was een vrouw van begin vijftig, met dik, steil, donkerblond haar dat ze in een gewoontegebaar uit haar gezicht streek.

Ze keek naar de plas water bij de paraplubak en het spoor van voetstappen langs de bar de zaak in. Straks mijn paraplu niet vergeten, dacht ze.

Ook zij had snel willen afrekenen om tussen de buien door naar de auto terug te lopen, maar ze had zich bedacht. Waarom zou ze zich haasten? Er lag toch geen werk te wachten? Er was toch geen enkele afspraak? Ze had toch een zee van tijd?

Ze bestelde bij de serveerster een kop koffie ter afsluiting van de lunch.

'Of nee, geen koffie!' corrigeerde ze. 'Doe maar lekker jullie ijscoupe cappuccino...'

Want, dacht ze, als dit dan toch voorlopig de laatste keer is dat ik me een lunch met IJsbrands beroemde clubsandwich kan permitteren, dan moet ik het ook mooi afsluiten. Wég met het gewone bakje Hollandse koffie. Wég ook met 'gezond' en slanke lijn.

Onder dat motto had ze trouwens óók al een glas wijn gedronken... En straks dus de weelde van romig vanille-ijs met een toren van slagroom, waarover brandende koffielikeur.

Troost heb ik nodig, dacht Silke concluderend, en meteen moest ze er inwendig een beetje om lachen. Het neerslachtige gevoel van daarnet leek nu het benoemd was minder zwaar te drukken.

Maar ik bén toch ook zielig?, dacht ze. Het ís toch ook een verschrikkelijke teleurstelling? Een beetje verwennen mag wel eens. Dat moet ik mezelf gunnen. En ik moet me er dit keer nu eens níét voor schamen. Geen spijt krijgen. Want het is een soort therapie. Een thera-

5

pie voor mentaal herstel. Zoals dieren de tijd nemen om hun wonden te likken. En een wond is het.

Ze keek naar de minuscule stroompjes die de regendruppels vormden op het raam.

En na vandaag ga je gewoon weer klanten werven, sprak ze zichzelf in stilte bemoedigend toe. Vanmiddag op je gemak de Gouden Gids doorspitten. En neus maar lekker op internet. Bel wat mensen. Het is er echt weer voor. Het zal knus zijn met de regen tegen de dakramen. Elk weldenkend mens zit op zo'n dag tevreden binnenshuis. Wie weet belt er wel iemand die klant bij me wil worden.

Toch zuchtte ze. Stom, stom, stom, dacht ze voor de zoveelste keer. Eigen schuld dikke bult. Ik had het kunnen weten, en wat erger is: ik wíst het. Ik was gewaarschuwd. En een gewaarschuwd mens telt voor twee. Maar kop op, dit zal me niet meer overkomen. Een ezel stoot zich in het gemeen niet tweemaal aan dezelfde steen. Ik heb er vandaag gewoon weer een heleboel bijgeleerd...

Moest dat eigenlijk, dat bijleren, als vierenvijftigjarige? Had ze intussen niet al verschrikkelijk veel geleerd? Van het leven, van de tegenslagen, van alles wat mis was gegaan? En was het nu wel het juiste moment voor een peptalk? Het was tenslotte nog amper twee uur geleden dat de directeur van het bedrijf tegen haar zei dat ze betalingsmoeilijkheden hadden. 'We kunnen geen cent meer uitgeven. Jij hebt gelukkig nog geen kosten gemaakt, is het niet?'

Nee, kosten had ze nog niet gemaakt, maar ze had wel tijd ingepland. Op minstens twee maanden werk had ze de opdracht geschat. Een paar mogelijke andere klanten had ze afgehouden. Ze was niet op wervingstocht naar nieuwe opdrachtgevers gegaan. Het was tenslotte een droomopdracht! Een dikke productenbrochure, een paar uitgebreide handleidingen en een reeks advertentieteksten schrijven. Haar eerste echte grote klus, voor een gerenommeerde onderneming nog wel. Het ware werk, op niveau, met heuse werklunches, de glamour van...

'Hé, jij bent toch Silke?'

Silke schrok op. Bij de ingang stond een vrouw met een half in elkaar geklapte druipende paraplu.

'Ja, je bent Silke! Je achternaam weet ik niet meer, maar we zaten bij elkaar in de klas op het Rembrandt-college. De eerste vier klassen, toen verhuisde ik. Je bent het, ik herken je gezicht!'

In een flits herkende Silke de vrouw. Ze stond al half op. De stoel viel bijna omver, ze kon hem nog net grijpen. 'Maud!' riep ze. 'Maud Zwarteboer! Hoe bestaat het!'

Ze stonden tegenover elkaar. Met grote ogen namen ze elkaar op. Het leek Silke of ze een levende karikatuur voor zich zag van haar vroegere schoolvriendin. Of die zich voor de jaarlijkse toneeluitvoering had geschminkt met rimpels, wallen en kraaienpoten, en haar haren had geverfd. Zou ze zelf ook zo'n karikatuur zijn geworden?

'Hemel, het moet zo'n kleine veertig jaar geleden zijn dat we samen op school zaten,' riep ze uit. 'Hoe is het mogelijk dat je me herkende!'

'Evenhuis!' riep de andere vrouw uit. 'Ik weet opeens je achternaam weer.'

'Nee, Erenhuis,' corrigeerde Silke automatisch.

'Pardon!' klonk het luid achter hen. Het was de serveerster, die het brandende ijs op tafel wilde zetten.

'Zo, jij hebt zeker iets te vieren,' zei Maud. 'Dat ziet er fantastisch uit.'

Wat je vieren noemt, dacht Silke. 'Kom even bij mij aan tafel,' nodigde ze uit.

'Ja, dat doe ik graag. Leuk...' Ze maakte een gebaar met de paraplu. 'Even wegbrengen...'

Silke keek naar het brandende ijs. Maud Zwarteboer, dacht ze. De beste van de klas met gymnastiek. Won op sportdag bijna alle prijzen. Sterk en atletisch. Kon de strakste spijkerbroeken aan... En ik zit hier dubbeldik ijs te eten. Na een clubsandwich. Ik, met mijn dikke billen...

Maud manoeuvreerde zich tussen de stoelen bij een andere tafel door om tegenover Silke te gaan zitten. 'Meid, wat vind ik het fantastisch dat ik je ontmoet!' Slank was ook zij bepaald niet meer. Wel soepel in haar bewegingen. Het leek alsof de stoelen plaatsmaakten voor haar, in plaats van dat zij de stoelen verzette.

'Ben je nog altijd zo goed in sport?' vroeg Silke. En zonder een ant-

woord af te wachten: 'Weet je nog dat we destijds met onze spijkerbroeken aan in bad gingen, zodat ze naar de vorm van je lichaam
krompen?'

Maud schaterde het uit.

'Ja! Wat een idioten. Je kon amper ademhalen in zo'n kreng. Het
sneed in het kruis. Ik moest om de haverklap plassen.'

'Maar doe je nog aan sport? Vertel eens. Als je het niet erg vindt, eet
ik eerst mijn...'

'Ja, natuurlijk, laat 'm niet langer wachten. Maar voor ik op dreef
raak, want ik ben nog altijd een echte kletstante, kun je me iets van de
lunchkaart aanbevelen?'

Ook Maud bleek jong te zijn getrouwd. Ze had nog net haar opleiding
tot tandartsassistente afgemaakt, maar het vak nooit in de praktijk gebracht. Zo ging dat maar al te vaak destijds, constateerden de twee
vrouwen, met een gezicht alsof ze het zelf niet geloofden. Als je maar
een diploma had, dat was indertijd het motto... In noodgevallen kon je
dan het geld verdienen dat normaal gesproken je echtgenoot inbracht,
terwijl jij thuis zorgde voor de kinderen en de huishouding.

Maud had twee dochters en een zoon gekregen. Haar charmante en
veelbelovende echtgenoot bleek onverbeterlijk vreemd te gaan. Daarom was ze van hem gescheiden. Wegens de bezoekregeling van de kinderen was ze onder de grote rivieren blijven wonen, hoewel ze er in te-
genstelling tot haar ouders nooit had geaard. Nu haar ouders waren
overleden, en de kinderen volwassen waren, was ze teruggekeerd naar
de stad van haar jeugd.

'Ik woon in die nieuwe wijk aan de andere kant van de spoorbaan,
het bevalt me geweldig.'

'Ik? Je woont alleen?'

Maud keek Silke met een speciaal lachje aan.

'Ik woon met Hanneke. Mijn vriendin. En levenspartner.'

'Ah,' zei Silke. Ze hield de coupe scheef en lepelde het laatste beetje
eruit. 'Dat kan. Natuurlijk, waarom ook niet. Maar nu weet ik nog
steeds niet of je nog altijd zo goed bent in sport.'

8

Maud lachte. 'Welnee, joh. Ik heb sinds mijn trouwjurk geen sport-shirtje meer gedragen. Maar genoeg over mij. Nu jij. Vertel, wat doe je, waar woon je?'

'Wat voor werk jij doet, heb je nog niet verteld,' merkte Silke op. 'Ik ben doktersassistente in de praktijk van Hanneke. Ze is huisarts, zie je. Ze is pas op latere leeftijd gaan studeren. In haar studietijd leerden we elkaar kennen. Idiote jaren, vol emotie en bewustwording, maar het voert te ver om daar nu op in te gaan. We besloten samen verder te gaan. In de praktijk waarin Hanneke kwam te werken, viel haar liefde voor mij niet goed. En ik wilde altijd al terug naar hier. Nou, en zo'n nieuwbouwwijk is de kans bij uitstek voor een vestiging. We wonen er nu bijna een halfjaar, vandaar. Maar nu jij, Silke.'

De serveerster zette voor Maud de beroemde clubsandwich neer.

'Wat een kanjer!' riep Maud uit. 'Logisch dat die duur is. Maar vooruit, een vrouw moet zichzelf regelmatig met een kleine luxe verwennen, vind je niet?' Ze trachtte Silke over te halen ook een wijntje te nemen.

'Nee, echt, ik geen wijn meer. Koffie graag. Of thee, doe maar thee.'

Ze lachte omdat Maud de clubsandwich van alle kanten bekeek, niet wetend hoe de torenhoge stapel toast, kip, bacon, sla en tomaat soldaat te maken. Resoluut trok ze opeens de houten prikkers eruit. Ze zette het mes erin en bekommerde zich er niet om dat het een chaos op haar bord werd.

'Vertel nou,' zei ze grinnikend, met de vork halverwege haar mond. 'Je weet toch nog wel hoe nieuwsgierig van aard ik ben?'

Silke nipte van haar thee. Nieuwsgierig? Maud wist altijd opwindende roddels! Maar dan moest Maud natuurlijk ook nieuwsgierig van aard zijn! Kijk uit, die roddels kwamen ergens vandaan.

Het was oppassen geblazen bij wat ze vertelde. Ze had al te vaak spijt gehad van haar openheid. Dat Maud en zij veertig jaar geleden school-vriendinnen waren geweest, wilde toch niet zeggen dat ze nu meteen maar haar hele verleden op tafel hoefde leggen? De grote lijn van haar leven was voldoende. Zakelijk, zonder uitweidingen of emoties.

Maud maakte opeens drukke gebaren met mes en vork. 'Laat ik dit zeggen,' zei ze nog voor ze een hap nam, 'bloednieuwsgierig, ja, dat ben ik nog altijd.' Ze nam een hap. 'Maar ik heb geleerd mijn mond te houden. Vroeger kletste ik alles door. Nou, daar zullen ze mij niet meer op betrappen. Ik heb aan den lijve ondervonden hoe vreselijk het is als je onderwerp van roddelpraat bent. Door de acties van mijn ex deden over ons gezin de wildste verhalen de ronde. Of dat pijn deed! En later beleefde ik dat nog eens opnieuw toen Hanneke en ik met ons partnerschap naar buiten kwamen. Ze hoefden me echt niets meer te leren over de zwijgplicht toen ik de opleiding assistente in de huisartsenpraktijk volgde... Ik had een harde leerschool gehad.'

'Maar nieuwsgierig ben je gebleven...,' zei Silke aanmoedigend.

Maud legde even haar bestek neer. 'Ja, nieuwsgierig ben ik gebleven. Hoewel geïnteresseerd een beter woord is, besef ik nu. Weet je, ik houd van levensverhalen. Op onze leeftijd hoor je die. Levensverhalen zijn vaak specialer en indrukwekkender dan boeken of films. Ze geven me steun. Ze troosten me. Ik weet daardoor weer dat ieder mens van onze leeftijd zijn koffertje met slechts en goeds meezeult.'

Silke lachte. 'Maar dat verhaal zou veel te lang worden! Zoveel tijd heb ik vanmiddag nou ook weer niet, hoor...'

'Net als ik.'

'We moeten gewoon straks een afspraak maken om een andere keer verder te praten, vind je niet?'

'Oké,' zei Silke. De voor- en nadelen van een hernieuwde kennismaking flitsten door haar heen. Een leuke kant was dat er iemand op het toneel was verschenen met wie ze herinneringen kon ophalen.

Haar ouders waren jaren geleden overleden. Ze was het nakomertje geweest. Er waren maar weinig mensen 'van vroeger' over, ook tantes en ooms leefden niet meer. Met haar gepensioneerde broer belde ze regelmatig. Op verjaardagen en met kerst spraken ze elkaar. En sinds kort mailde ze met haar zus van tweeënzeventig in Australië. Ze vond beiden zulke oude mensen! Wat gemeenschappelijke herinneringen betreft, ze waren van een andere generatie.

En contact met oud-klasgenoten? Tja, dat was verwaterd. Zonder er spijt over te voelen, had ze hen uit het oog verloren. Die schooltijd was zo lang geleden. Er waren talloze nieuwe kennissen en leuke vrienden en vriendinnen voor in de plaats gekomen.

Maar een afspraakje met Maud hoefde niet te verplichten tot meer... Als ze uitgepraat waren, konden ze gewoon weer elk hun eigen weg gaan.

'Leuk,' zei ze dus. 'Dat doen we.'

Opeens realiseerde ze zich dat Maud Eelco, haar eerste echtgenoot, moest hebben gekend.

'Raad eens met wie ik eeuwen geleden getrouwd ben geweest? Nee, natuurlijk kun je dat niet raden. Met Eelco.'

'Eelco...?'

'Van de schoolvereniging.'

'Ja! Ik weet het! Populaire slungel met bril. Hij had lang haar, dat hij met zo'n hoofdbeweginkje uit zijn gezicht hield.'

Ze deed het precies na.

'Je moet onder de indruk van hem zijn geweest!'

'Nou en of. Hij had lef met dat lange haar. Alle jongens hadden van die keurig kort geknipte haren in een kaarsrechte scheiding. Hij niet, het zwierde en zwaaide. Maar hij was me te arrogant. Sorry, hoor.'

Dat is raak, dacht Silke. Arrogant en populair. Dat was Eelco. Daardoor wist hij iedereen voor zijn karretje te spannen. Liet hij anderen de kastanjes uit het vuur halen. En verwend was hij ook nog. Altijd overtuigd van zijn gelijk. Wist voor iedereen wat goed voor hem of haar was. Ja, ja...

'Hij is gynaecoloog geworden,' zei ze. Ze lachte. 'En toen droeg hij zijn haar gemillimeterd...'

'Hij werd vast de lieveling der vrouwen?' vroeg Maud. 'In mijn herinnering was hij een mooie jongen...'

'Hm,' deed Silke. 'We zijn toch nog veertien jaar getrouwd geweest,' zei ze. 'Hij werkt nog altijd hier in het ziekenhuis. Destijds met één collega, nu zijn ze met z'n zevenen of achten. Maar ik ben hem zelfs nooit meer tegengekomen. De stad is natuurlijk ook ongelooflijk uitgebreid. De groeikern van de provincie.'

Ze wachtte even. 'Jullie zullen misschien wel contact met hem hebben...'

'Wat is dan zijn achternaam?'

'De Vries.'

Maud maakte met schouderbewegingen kenbaar dat de naam haar niets zei.

'Daarna kwam ik Wouter tegen,' ging Silke verder. 'Hij was leraar geschiedenis, maar switchte al gauw naar historisch onderzoek. Wouter is een schat, we trouwden,' vervolgde ze. 'En we scheidden, na twaalf jaar. We bellen elkaar zeer regelmatig. Hij woont in Berlijn. Met zijn levenspartner.'

Ze keek Maud oplettend aan. Die knikte nauwelijks zichtbaar.

'Hij was homo. Hij wilde het eerst niet weten. Ik heb een heerlijke tijd met hem gehad, hij verwende me. Maar toen hij de ware liefde tegenkwam....'

Silke knikte naar de restanten van Mauds clubsandwich. 'Laat het niet koud worden, dan wordt de bacon taai. Je snapt dat ik enigszins begrijp hoe het voor jou en je vriendin is geweest.'

'Heb je kinderen?' vroeg Maud snel voor ze de hap in haar mond stak.

'Nee,' zei Silke. Dat klonk krachtig, en zo bedoelde ze het ook. 'Ik ben bewust kinderloos.'

'Sorry,' zei Maud terwijl ze haastig doorslikte. 'De keuze wel of geen kinderen is er nu al bijna een halve eeuw. En nog altijd is het zo dat een vrouw zich moet verantwoorden als ze geen kinderen wil. Terwijl het omgekeerde nooit gevraagd wordt. Nooit is het: "Waarom wilde jij kinderen?" Ikzelf had er geen steekhoudend antwoord op kunnen geven. Ik kréég gewoon mijn kinderen, punt uit. Ik dacht er niet over na. Het hoorde bij je leven als vrouw. Zoiets. Ik hou van ze, daar niet van. Maar ík heb er niet over nagedacht. Jij wel...'

'Zoals zoveel vrouwen,' zei Silke. 'Moet je de verhalen horen bij Ikkanheksen.'

'Ik kan heksen?'

Silke lachte. 'Ja, maar dan aan elkaar geschreven. Ikkanheksen. Een groep vrouwen waar ik bij hoor. Vriendinnen eigenlijk. Het nuttige met het aangename verenigen we. Ik vertel dat een volgende keer wel.

En als je erg nieuwsgierig bent, kijk dan alvast op onze website. Gewoon, aan elkaar en in kleine letters, met punt nl erachter, je weet wel. Maar laat ik mijn verhaal eerst afmaken.'

Silke vertelde puntsgewijs. Na het eindexamen een opleiding verpleging. Geslaagd maar nooit als gediplomeerde gewerkt. Want ze trouwde en werd huisvrouw, nogmaals, zo ging dat zo vaak destijds. Ze las veel boeken, deed talloze cursussen, van typen via bloemschikken tot Franse conversatie.

Ze grinnikte. 'Ik draai nog altijd graag chansons. Maar dat tussen haakjes. Goed, Eelco werkte altijd, dat hoorde bij artsen in opleiding. Uiteindelijk ben ik dus gescheiden. Mijn diploma was verouderd, herintreden bestond nog niet. Een kantoorbaantje gevonden, cursussen gevolgd. Zo snel mogelijk zonder alimentatie willen, je kent het wel. Tijdens mijn tweede huwelijk ben ik blijven werken. Ik was kantoormedewerkster op een reclamebureau. *Office manager* heet dat tegenwoordig.'

Ze stopte even met haar verhaal.

Een reclamebureau dat op de fles ging, dacht ze. Net nadat Wouter verteld had dat hij verliefd was op Hugo. Het had niet slechter kunnen uitkomen.

Maud schoof haar bord weg.

Silke besloot de periode over te slaan waarin ze als caissière in de supermarkt werkte. Dat was net als bewuste kinderloosheid een onderwerp dat altijd weer een toelichting nodig had. 'Caissière in een supermarkt? Hoe kon je dat in vredesnaam doen?' Terwijl ze het er fantastisch had gehad, met hartelijke collega's en goede sociale voorzieningen. Het was zowel sociaal als financieel het fundament geweest bij de opbouw van haar bedrijfje. Ze had er kunnen werken op de tijden die haar uitkwamen. En ze was onder de mensen geweest en had ervaren dat ze niet de enige was met breuken in de levenslijn.

'En nu heb ik mijn eigen bedrijfje,' zei ze. Ze zei het aarzelend. Was dat het gevolg van het debacle van die ochtend? Het schoot door haar heen dat ze zelfverzekerd moest praten. Dat was een van de punten die Ikkanheksen aanreikte: als je zelf geen vertrouwen toonde of je be-

13

scheiden over je bedrijf uitliet, waarom zou je gesprekspartner het dan serieus nemen?

'TipTopTekst heet het,' zei ze daarom krachtiger. 'Het is dus een tekstbureau. Ik maak brochures, handleidingen, advertenties. Columns en andere journalistieke teksten, voor in bedrijfskranten bijvoorbeeld.' En met een knipoog: 'Hebben jullie eigenlijk wel een praktijkinformatiefolder? Die maak ik ook!'

Maud lachte. 'We hebben gezien de kosten voorlopig een paar A4'tjes met informatie aan elkaar geniet,' bekende ze. 'Maar als we het eenmaal kunnen betalen, klop ik voor zo'n glanzend vierkleurendrukwerkje bij jou aan.'

De serveerster kwam de tafel afruimen. In een opwelling vroeg Silke om haar rekening. Ze realiseerde zich dat het niet alleen haar tijdsgevoel was dat haar dat liet doen – werken hoefde ze immers deze middag niet –, maar dat het wel degelijk de *input* van Ikkanheksen was die tot *output* kwam. Ze was zakenvrouw, geen theetante!

Ze pakte een servet uit de standaard en veegde een stukje raam schoon.

'Het miezert nu gelukkig alleen maar,' zei ze. 'Mijn auto staat niet zo heel ver weg. Normaal ga ik op de fiets de stad in, maar ik moest vanmorgen naar een klant.'

Maud pakte een agenda uit haar tas. 'Wat spreken we af? Ik kan eigenlijk alleen op woensdagmiddag. De praktijkruimte wordt dan gebruikt door een alternatief therapeut. Scheelt ons weer wat in de kosten. Oei, kun je volgende week misschien al? We hebben de week daarna namelijk herfstvakantie, en bij de eerstvolgende woensdagen erna staan al allerlei afspraken...'

2

Zelfs op een onstuimige en regenachtige herfstdag als deze zag het Boer Hofmanslaantje er vriendelijk uit – zelfs door Silkes nog enigszins sombere bril. Ze woonde aan het eind, voorbij de kinderboerderij en voor het laantje terugboog naar de doorgaande weg naar het centrum van de stad.

Silke had vanaf de eerste seconde van het laantje gehouden. Echt liefde op het eerste gezicht was het geweest, en daarbij een geschenk uit de hemel dat ze er een huisje had kunnen kopen – dankzij haar deel in de nalatenschap van haar ouders en de helft van de opbrengst van het huis dat Wouter en zij hadden gehad.

Het Boer Hofmanslaantje volgde de bocht in het kanaal, dat de stad doorsneed. Boer Hofman had echt bestaan. Wat eens zijn boerenbedoening was geweest, was nu een pannenkoekenrestaurant. Zijn land had hij indertijd voor veel geld aan de gemeente verkocht. En de gemeente had exploitatie van het terrein op de lange baan geschoven doordat er aan de noordkant van de stad een veel pretentieuzer uitbreidingsplan was, dat de stad een wereldse uitstraling moest geven.

De arbeidershuisjes aan het laantje ontsnapten dus aan de bulldozers en draglines, en ze wisselden van lieverlee van eigenaren. De economie was gunstig, er werd gerenoveerd, aan- en bijgebouwd. Een groepje bewoners begon een kinderboerderij op het stukje weidegrond tussen de straatweg en de huizen aan het laantje. Het gemeentelijke plan werden uiteindelijk officieel afgeblazen. In de volgende jaren van welvaart was het buurtje steeds aardiger geworden.

Neem Silkes huis. Of beter gezegd: huisje, want groot is het niet. De eerste eigenaren hadden van de twee kamertjes en keuken een open ruimte gemaakt, een grenenhouten vloer gelegd, de schoorsteen hersteld en een houtkachel geplaatst. De volgende eigenaren hadden de kozijnen en deuren vervangen, en centrale verwarming aangelegd. De bewoners daarna hadden de bovenverdieping uitgebroken, er een badkamer gebouwd, plus een slaapkamer en een kamertje dat als kast diende. Silke had op haar beurt met een stevige zoldervloer en twee dakramen op zolder een werkruimte laten creëren.

Mooi was het huis niet. Het had een gebroken daklijn en de muren waren van saaie grauwe steen. Daarom had Silke het wit laten schilderen, en het houtwerk groen. Het oogde daardoor vriendelijker. Op die manier waren alle huizen aan het laantje in een ander jasje gestoken.

Enkele waren belachelijk opgetut. Een bepaald deel van het laantje was eigenlijk echt kermisachtig. Maar de sfeer was eendrachtig, niemand was rijk en iedereen had wel zijn handen uit de mouwen gestoken. Het was een doe-het-zelfbuurt, zonder deftigheid en zonder dat men elkaar op de lip zat of op de vingers keek.

Silke parkeerde opzij van het huis. De wolk uitlaatgas achter de auto stoof met de wind mee langs de zijmuur omhoog. Ze had er geen oog voor. Wel voor de regenbui die opeens neerkletterde. Het schemerde en ze verlangde naar de kachel. Ze wachtte de bui niet af. Het had haar allemaal lang genoeg geduurd: de lunch, Maud en de tijd voor de brug over het kanaal die had opengestaan en opeens niet meer dicht wilde.

De wind smakte een boomblad tegen de voorruit toen ze zich naar buiten wurmde, want eigenlijk was er te weinig ruimte tussen de auto en de muur. Het was handiger geweest om achteruit te parkeren, zodat ze aan de kant van de heg kon uitstappen. Nu stapte ze precies in de plas die altijd op die plek ontstond. De druppels kletterden op haar hoofd en rug toen ze haar tas en jas van de achterbank graaide. Op hetzelfde ogenblik wist ze dat ze haar paraplu was vergeten. Die stond nog in de bak bij IJsbrand. Dat kwam er ook van als je zo vlot lachend en gedag wuivend de zaak verliet. Ze had ook al per ongeluk te veel fooi gegeven. Keurig tussen de buien door was ze naar de auto gelopen, dus zonder dat regenspatten haar aan een paraplu herinnerden.

Haastig stak ze het sleuteltje in het portierslot om af te sluiten, ze liep al weg terwijl ze het omdraaide. 'Krak,' klonk het.

'Stom, stom, stom!' riep ze uit. Ze stampte machteloos met haar voet. In de plas. Het water spoot haar broekspijp in. 'Getverderrie! Wat doe ik stom!'

Gedachten over troost waren opeens onbereikbaar ver weg. Kwaad beende ze naar de voordeur. Nu had ze écht iets om in de Gouden Gids en op internet op te zoeken: autoslotenmakers. Bestonden die eigenlijk? En waar in 's hemelsnaam zou ze ooit in een ver verleden de reservesleutel hebben gelegd?

Wat een dag! Grote opdracht in rook opgegaan. Autoslot gemold.

Te veel gegeten. Te duur gegeten. Paraplu vergeten. Nat haar, nat colbertje, natte schoenen, natte tas. Te laat thuis, nog een uurtje en de bedrijven zouden sluiten. De kans op nog enige effectieve contacten die dag dus verspeeld.

'Gooi maar in de vuilnisbak deze dag!' riep ze stampvoetend uit.

'Bah, bah, bah.'

Ze smeet haar jas over de kapstok en de tas op de keukentafel. Ze schopte haar schoenen uit. Een ervan verdween met een boogje precies in de mand met haardhout. Haar daardoor opwellende lach werd gekidnapt door haar slechte humeur. 'Wat een sofdag!' riep ze nog maar eens uit, maar intussen liet ze de fluitketel vollopen.

'Tja, meisje, je maakt zelf je dag,' zei intussen een stemmetje vanbinnen. 'Niet de gebeurtenissen zijn belangrijk, weet je nog? Teleurstellingen komen en gaan nu eenmaal. Laat ze niet je levensdagen vergallen. Maak er iets van, ook al is het maar voor één uurtje.'

'Hm,' gromde ze.

Ze stond een poosje tegen het aanrecht geleund. Een vrouw op kousenvoeten, met nat haar, in een colbertje vol regenspatten. Normaal van lengte was ze, normaal van bouw, hoewel ze zelf altijd beweerde een te korte romp te hebben en te lange benen met veel te dikke billen.

Toen zuchtte ze en keek om zich heen. 'Ik zou op de overvloed aan stresshormonen die er door me heen jagen in elk geval deze rotzooi kunnen gaan opruimen. Dat strijkgoed ligt er al dagen. En er liggen kranten vanaf sint-juttemis.'

Overdreven was die constatering niet. Als de zon door de kamer had geschenen, zouden de vloer en meubels een fluwelig huidje van stof hebben vertoond.

'Maar eerst thee en droge kleren!'

Boven verwisselde Silke haar zakelijke colbertje en bijpassende pantalon voor een jeans en trui. Terwijl ze haar favoriete sjaaltje vouwde tot een haarband, propte ze haar voeten in slofjes. Ze knoopte het sjaaltje om haar haar en keek in de spiegel. 'En na de thee de handen uit de mouwen,' zei ze tegen zichzelf. 'Kom op, aan de slag. Maak er wat leuks van. Iets waardoor je vanavond toch nog een beetje tevreden je bed in kunt stappen.'

Met cd'tjes van Brel, Aznavour en Piaf erbij was huishoudelijk werk best gezellig. Af en toe zong Silke mee. Bij romantische teksten dacht ze aan leuke mannen. Maar niet aan Allard, haar minnaar. Dat viel haar zelf opeens op.

De houtkachel snorde, de gordijnen gingen vroeg dicht en van het ene klusje kwam het andere. Een restje soep diende als avondmaaltijd, een mandarijn tot vitaminebron. Bij het strijkgoed waren nog zomerkleren die de berging in moesten, waar winterkleding uit kon. Dat inspireerde weer tot het experimenteren met kledingcombinaties. Sokken en kousen, schoenen en laarzen, sjaals en sieraden kwamen uit de kast. Beneden waren de chansonniers allang gestopt. Maar die leeggehaalde kast kon toch maar beter meteen even worden uitgestoft, waardoor...

Ik stop ermee, dacht ze opeens. Het is mooi geweest. Ik snak naar een stoel en de krant. Alleen nog even die twee dozen met sjaals en sieraden inruimen.

Ze ging erbij op bed zitten. Aan elk sjaaltje zat wel een herinnering. Dat wat ooit bij een deftig diner in de kreeftensoep had gehangen, gooide ze eindelijk weg. Net als knellende oorbellen en een verkleurde houten kralenketting. Naar een ketting met opengewerkte hanger bleef ze een poosje kijken, hij was van haar overgrootmoeder geweest. Ooit had het zilver geglansd. Nu was het zwart uitgeslagen, met stof en onbestemde viezigheid in de openingen.

'Maria Sofia Anna Elisabeth,' zei Silke zacht voor zich heen. 'Dochter van Sil, de rijke zeekapitein, en ene Anna Elisabeth van Zeeuwse afkomst. Gehuwd was je met Hendrik Gerritszoon, spoorwegemployé. Beneden je stand, maar je familie financierde veel voor je. Verhuizen deed je met Hendrik, van het ene stationnetje in Nederland naar het andere. Je kreeg mijn oma, kuurde jarenlang wegens tuberculose, en stierf eraan.'

Tegen beter weten in deed ze de ketting van haar overgrootmoeder om haar hals, hij was te kort. In een bloes hing de hanger te laag, op een truitje te hoog. Ze was stukken langer dan de overgrootmoeder, die ze alleen van een foto kende.

Die foto had ze, samen met een stapeltje andere foto's, een aantal jaren voor haar moeders dood laten reproduceren. Het had haar moeder gestimuleerd oude familieverhalen op te halen. Door een loep had ze naar de foto's getuurd. 'Wat lijk jij op overgrootmoeder!' had ze opeens verrast uitgeroepen. 'Als twee druppels water!'

Inderdaad, had Silke zelf ook geconcludeerd. Ze hadden dezelfde gezichtsvorm en hetzelfde dikke, steile haar. 'Maria Sofia liet het bij visites aan haar ouderlijk huis door de kleedster van haar deftige moeder onduleren en opsteken. In plaats van dat ze het netjes zoals anderen onder een kapje droeg,' herinnerde haar moeder zich weer dat verhaal. 'Een stadse nuf vond mijn familie haar. Ze droeg doordeweeks wufte violette lijfjes, in plaats van keurige zwarte.'

Samen hadden ze voor de gezichtsvorm een foto van Silke met die van Maria Sofia vergeleken. Maria Sofia's kaaklijn bleek toch wat minder hoekig dan die van Silke. Hun wangen waren wel even flink gevuld. Of ze ook blozend waren konden ze natuurlijk niet zien, en ook de kleur van hun ogen niet. Silke had blauwe ogen, met wat grijs erin. Haar ogen konden lachen, maar ook Maria Sofia's blik sprankelde.

Wat postuur betreft leek Silke wel een uitvergrote kopie van haar overgrootmoeder. Ze moest minstens dertig centimeter langer zijn, maar of ze ook haar billen had geërfd bleef in het ongewisse. Foto's van opzij waren er niet.

'Wat denk jij,' had Silke aan haar moeder gevraagd, 'droegen vrouwen van haar leeftijd toen een korset? Een wespentaille lijkt ze niet te hebben gehad.'

Haar moeder had geen idee. 'Maar verder kan ik wel een boek over haar schrijven. Wat gingen er in de familie een verhalen rond over Maria en Hendrik! Ze verhuisden van hot naar her, dat maakte hen bijzonder. Al die woonplaatsen, het was niet bij te houden. Maar voor het schrijven van een boek ben ik te oud. Onthoud mijn verhalen maar goed, jij met jouw talent zou een prachtige roman over haar leven kunnen schrijven.'

19

Silke had het weggelachen. Haar moeder had een wat te hoge pet van haar op. Een journalistiek stuk schrijven was nog wat anders dan een roman, waarbij je alles verder moest verzinnen.

Maar het is een idee, dacht ze nu, terwijl ze de dozen terugzette in de kast. Een roman schrijven voor als er weinig opdrachten zijn, zoals nu... Voorlopig kan ik ter nagedachtenis van Maria Sofia beter de ketting laten opknappen. Misschien kan een juwelier hem wel verlengen. Weer iets om in de Gouden Gids op te zoeken...

Ze ging de smalle trap met kleine treetjes naast het bergkamertje op naar de zolder. Omdat ze er de hele dag niet was geweest, was het er koud. Er was maar één radiator om het vorstvrij te houden. Verder moest een gaskachel voor warmte zorgen.

De regen tikte inderdaad tegen de dakramen. Het mocht er wat temperatuur betreft niet warm zijn, het was op een andere manier wel erg behaaglijk. De kastenwand was kleurrijk door de boeken, ordners en mappen. Op de grote werktafel stonden, onder de dakramen, twee grootbladige planten. De plankenvloer was bedekt met een zonnig geel vloerkleed. Alle kantooraccessoires waren in tomaatrood, net als de bureaustoel en het slaapbankje in de hoek.

Het had allemaal maar een krats gekost, maar was zorgvuldig bij elkaar gesprokkeld. Vooral als de twee enorme werklampen aan de zoldering brandden, hing er een heel speciaal sfeertje dat energie, werklust en creativiteit stimuleerde. Logisch dat ze het absoluut geen ramp vond er avondenlang te zitten prutsen aan teksten. Ze voelde zich er de koning te rijk, ook al kon ze van haar verdiensten maar net aan rondkomen, en snoepte ze meer en meer van het reservekapitaaltje op de speciale bankrekening.

Omdat het nu koud was op de zolder, startte Silke alleen even de computer om te kijken of er mail was. Die was er, maar helaas, allemaal privé, als je het verslag van de laatste bijeenkomst van Ikkanheksen ook onder privé schaarde. Niets zakelijks dus. Laat staan de vraag of ze tijd had voor een opdracht. Ze liet het verslag printen en pakte intussen de Gouden Gids. Nu hagelde het tegen de dakramen. Ze rilde. Het was nog maar begin oktober, maar de zomer leek een eeuw geleden en even onbereikbaar als het zonovergoten strand met de azuurblauwe zee van de brochure van een reisbureau op haar werktafel, een brochure waaraan ze had meegewerkt.

Verdorie, nu had ze geen werk en dus *plenty* tijd, en zou ze een vliegtripje kunnen pakken, maar had ze weer geen geld! Bovendien, ze moest paraat zijn om zelfs maar het kleinste graantje van werk dat voor haar snavel kwam te kunnen meepikken. Wie dacht ze wel dat ze was, met haar zonovergoten stranden?

Ze sloot de computer af, pakte het verslag bij de printer weg en knipte het licht uit. Ze verlangde nu nog meer naar de krant bij de snorrende kachel en daalde het trapje af.

3

'Je hebt iedereen een oud verslag van Ikkanheksen gemaild, Ingrid,' zei Silke door de telefoon. Ze onderdrukte haar irritatie. Ingrid deed ook zo stom met internet. Uit een soort arrogantie wilde ze geen moeite doen om iets van computers te snappen. Ze was zo'n heel speciaal gevoelsmens dat haar eigen maniertjes van communiceren wel had. Als beeldhouwster stond ze boven het efficiënte van zakendoen. Bij termen als 'winst maken' en 'commercieel denken' alleen al placht ze een vies gezicht te trekken, terwijl ze toch een cursuscentrum wilde gaan opbouwen om haar inkomen te verbeteren. In het begin schreef ze, als ze aan de beurt was voor een verslag, de tekst met de hand en liet ze het in een kopieerwinkel vermenigvuldigen. Maar door haar nieuwe vriend was ze voor de bijl gegaan. Ze had internet leren kennen, en daarmee het werk van talloze collega's *all over the world,* waardoor ze toch de voordelen van de informatietechnologie toegaf. Maar halsstarrig weigerde ze handig te worden met de pc. Daar was ze te creatief voor, beweerde ze. Integendeel dus, maar ze was er niet vanaf te brengen.

En nu had Silke de vorige avond een oud verslag zitten doornemen. Eerst nog met vraagtekens op haar gezicht. Wat kwam dit bekend voor...Vervielen de vrouwen niet in herhaling? En bij het omslaan van de pagina opeens met een kreet van afschuw. Het verslag van een lezing over het belang zorgvuldig een solide klantenkring op te bouwen! Zout in de wonde, met peper erbij ingewreven. Want precies in die lezing werd het er ingestampt niet alle aandacht te geven aan één grote opdrachtgever. Vele kleine klanten moest je hebben, om risico's te spreiden. Een 'waterhoofd' noemde de vrouw van de lezing zo'n grote klant. En een lawine waarin je werd meegesleurd als er financieel iets misging bij zo'n groot bedrijf. Voorbeelden waren er te over.

Nou, sinds een dag kon Silke alles wat ze las volmondig beamen. Maar dat was ze helemaal niet van plan geweest! Ze had na alle sores en gedoe even wat gezelligs willen lezen bij de kachel.

'Je hebt het vorige verslag van jouw hand gestuurd,' herhaalde Silke. 'Dat van voor de zomer. Dus toen je de voorlaatste keer aan de beurt was. Kijk maar naar de datum.'

'O gut,' zei Ingrid. 'Dat is toch wat. Zou ik het nieuwe dan hebben weggegooid? Wat erg!'

'Nou, dat valt wel mee. Klik eens op "verwijderde items". Of nee, het was een bijlage, dus... Ach, vraag je vriend er maar naar. Verdwenen kan het niet zijn.'

Na wat gesputter van Ingrid en haar uiteindelijke belofte iedereen alsnog het goede verslag te mailen, beëindigde Silke het gesprek.

Ze temperde de gaskachel, ze had het er warm van gekregen. Of was het buiten misschien minder koud?

Ach nee, het is een opvlieger, dacht ze laconiek. Sinds het bestaan van Ikkanheksen maakte ze zich niet langer druk om opvliegers. Ze wisselden wel tips uit om de ongemakken van de overgang te verzachten, maar de tip die haar het beste beviel was om maar gewoon lekker aan de slag te blijven.

Ikkanheksen had overigens wel een klein beetje haar bestaan te danken aan de overgang. De aanvankelijke doelstelling was tegengas te geven tegen de ondermijnende gedachten die veel vrouwen over hun leeftijd hebben. De zes vrouwen van het eerste uur waren destijds namelijk allemaal zo'n beetje tegen de vijftig. Twee waren ex-collega's van

Silke uit de supermarkt, twee kende ze van het reclamebureau, en één vrouw had ze ooit bij IJsbrand aan de leestafel leren kennen. En ze zaten stuk voor stuk vaak geforceerd lollig over hun leeftijd te doen. 'Dat moeten we eigenlijk niet doen,' hadden ze op een goed moment vastgesteld. En bepaald strijdlustig: 'We zijn vrouwen die van wanten weten. We hebben levenservaring en durf. We hebben onze energie gegeven aan tal van kleine baantjes, en aan ons gezin. Nu is de tijd gekomen waarin onze ervaringen zijn uitgekristalliseerd tot Kunnen en Weten. Met hoofdletters, ja! Wij gaan ons ontplooien. We moeten ons alleen niet door aangeprate gevoelens van inferioriteit laten nekken. We zijn goed verzorgde, aantrekkelijke vrouwen. We kunnen nota bene op vele fronten heksen, dat hebben we in ons leven wel geleerd en we bewijzen het iedere dag.'

Intussen telden ze bijna zestig leden. Iedere vrouw van het eerste uur had een nieuwkomer uitgenodigd. Die moest aan een paar eisen voldoen. Ze moest zo'n beetje van dezelfde leeftijd zijn. Ze moest zichzelf de vraag willen stellen: 'wat kan ik de anderen bieden?' En ze moest de doelstelling onderschrijven om van de nieuwe fase in haar leven iets heel speciaals te gaan maken. Een nieuwe baan? Een eigen bedrijf? De kop moest in de wind! De handen uit de mouwen! Het mocht niet bij dromen blijven, vrijblijvend was het allemaal dus niet.

Ikkanheksen organiseerde lezingen van deskundigen, in het zijzaaltje van grand café IJsbrand. Of een van de leden vertelde over haar werk. Als je merkte dat je een clubgenote iets kon adviseren of leren, deed je dat gevraagd of ongevraagd. Die adviezen beperkten zich bepaald niet tot het onderwerp overgang. Integendeel, ze overstegen de ups en downs van die levensfase. Het ging om een nieuwe toekomst. Daarin stimuleerden ze elkaar. Ze vormden een netwerk en hielpen elkaar daadwerkelijk. En ze hadden dus sinds kort een eigen website.

Silke was dus een van de initiatiefneemsters geweest, maar ze was allang geen bestuurslid meer. Ook daarvoor hadden ze een systeem. Nieuwkomers namen al snel een bestuursfunctie over, daar draaien vrouwen van die leeftijd hun hand tenslotte niet voor om. En zo waren ze niet alleen het snelst ingeburgerd, maar hadden ze precies als hun eigen nieuwe carrière alle tijd ging opslokken, ook weer een opvolgster. Silke had dat systeem bedacht. De jaren bij het reclamebureau hadden haar namelijk geleerd om niet te veel verschillende klussen tegelijk te doen. Ze hield van afwisseling, maar niet van chaos. Ze kon hard en gedisciplineerd werken, maar als ze over zeven sloten tegelijk moest springen, struikelde ze. En daarin dacht ze niet de enige te zijn. De lijnen naar korte- en langetermijndoelen moesten helder blijven. In navolging daarvan zette ze ook lijnen uit naar die korte- en langetermijndoelen vanuit projecten waar ze op dat moment mee bezig was. Telkens toetste ze haar activiteiten aan die lijnen. Dat toomde haar soms wat onbezonnen aanpak in. Te ondernemen nieuwe stappen rezen als vanzelf uit het lijnenspel op, daarop ging ze vertrouwen.

Rust en zekerheid gaf dat bij alles wat ze deed, hoe klein en onbelangrijk ook. Het maakte haar universele einddoel tastbaar. En dat was tot in hoge ouderdom plezier te hebben in haar werk en daardoor middenin de maatschappij te staan, zelfstandig te zijn en van haar zelfverdiende geld zonder al te grote zorgen te kunnen leven.

Mooi bedacht, maar die grote lijn was nog maar amper ontsprongen aan de basis – caissière in de supermarkt – en hij stagneerde al, precies daar waar hij door de droomopdracht een groeispurt had kunnen krijgen...

Groeien moest dus de lijn! Silke trok daarom na het telefoontje met Ingrid haar bureauagenda naar zich toe. Er waren geen opdrachten, maar genoeg klusjes om de dag mee te vullen. Onbenullige klusjes, helaas, waaronder het bezoek aan een garage voor het portierslot en aan een juwelier voor Maria Sofia's ketting. Maar de ervaring leerde dat óók het efficiënt afhandelen van een lijst onbenulligheden energie en inspiratie gaf.

'Beschouw die schijnbaar onbelangrijke klusjes gewoon als werk en niet als nietsdoen. Ga er niet vrijblijvend maar serieus mee om. Je merkt hoe energiek je stemming dan wordt,' had eens een vrouw bij Ikkanheksen als tip doorgegeven.

De tip werkte, wist Silke. Zelfs nu al, nu ze nog achter haar werktafel zat en de handigste volgorde voor de klusjes bedacht alsof ze een logistieke planning maakte. Het voelde in ieder geval als zakelijk bezig zijn. En dat weer maakte alert, scherpte de geest en creëerde prettiger gedachten.

Wat is het een onhandig gedoe om via de rechter voorstoel over de versnellingspook naar de bestuurdersplaats van de auto te manoeuvreren. Silke mopperde echter niet. Ze mocht immers van geluk spreken dat ze had geweten waar de reservesleutel was: in de map met privé-documenten, onder het tabblad 'auto', tussen de oude rekeningen en keuringsrapporten. Hij lag er echt! Het had nauwelijks een minuut tijd gekost hem te vinden.

'Wat doe jij ingewikkeld, Silke,' riep een vrouwenstem uit het laantje.

Silke hing vanaf haar plek achter het stuur inderdaad wonderlijk over de passagiersstoel gebogen om haar tassen van de straat te pakken, de auto in. Gelukkig waren de straatstenen nu droog. Er waren stukjes blauwe lucht tussen de wolken.

'Mijn autosleuteltje was afgebroken in het portierslot,' riep ze op goed geluk het laantje in.

'Maar je hebt dus wel een reservesleutel.' De buurvrouw van verderop boog de auto in. 'Kun je dat stukje er niet uitpeuteren? Je staat nu natuurlijk te dicht op de muur, maar...'

Het was het proberen waard. Silke reed de parkeerplek uit en zette de auto op de laan.

'Het is me al vaker gelukt,' zei de buurvrouw. 'Op de een of andere manier komt zo'n afgebroken stukje er dan opeens uit. Heb je soms een nagelvijl bij de hand?'

Silke zocht in haar tas. 'Ouderwets, hè,' zei ze intussen, 'een auto die je met een sleuteltje moet openen. Hij is ook al oud. Maar hij rijdt prima en bij de keuring kwamen er geen problemen aan het licht. Nou is dat wél bijna een jaar geleden... aha, hier is de vijl.'

De buurvrouw ging op haar knieën op straat zitten. 'Het lukt me vast wel...,' zei ze. 'Ik hou van peuteren... Ik had eigenlijk horlogemaker of zo moeten worden... Maar...,' zo babbelde ze door terwijl ze met toegeknepen ogen met de vijl minimale bewegingen maakte in het slot. Opeens piepte er een millimeter smal zilverkleurig randje uit het slot. 'Mijn nagels zijn eigenlijk te kort, heb je daar soms ook een pincet?'

Maar voor Silke opnieuw in haar tas kon zoeken, hield ze al triomfantelijk het brokstukje tussen de nagels van haar beide wijsvingers in de lucht. 'Hebbes! Ha, wéér gelukt! Leuk, hè?'

Het slot bleek nog goed te functioneren, nu hoefde er alleen nog een sleutel te worden bijbesteld.

'Bedankt!' riep Silke uit. Ze gaf de buurvrouw een klapzoen. 'Joh, ik voel me een ander mens. Als ik eens wat terug kan doen, moet je bij me aankloppen, hoor.'

De zon scheen toen ze even later toeterend wegreed. De takken van de knotwilgen langs het laantje wuifden in de wind. Het slootwater ernaast vuurde briljantjes zonlicht af. De bomen op de erven bloosden met hun gouden bladeren. Uitstekend weer om een bezoek te brengen aan een juwelier. Alleen waren het goud en de briljantjes dáár voor Silke heel wat minder bereikbaar.

Wat een gouden ingeving had ik bij die juwelier, dacht Silke opgetogen. Ze duwde de deur van IJsbrand open. Aanvankelijk wilde ze alleen de paraplu ophalen, maar nu installeerde ze zich aan een raamtafeltje voor koffie. In een heel wat vrolijker stemming dan de vorige dag zat ze er. Eigenlijk was ze dolenthousiast.

Het ei van Columbus had ze ontdekt! En dat door bij de juwelier ellenlang te moeten wachten door een zeur van een klant met allerlei vragen. Had die juwelier maar iets zwart op wit staan om het mens in handen te geven, had ze inwendig mopperend gedacht. Een kletstekst over zijn fantastische, fenomenale sieraden en hoe je ze moest onderhouden.

Iets zwart op wit staan? Een kletstekst over...

Woeps! Het had geleken of er daar in die chique winkel iets binnen in haar een sprongetje maakte om duidelijk te maken dat ze iets bijzonders had bedacht. Ze beleefde het aan het raamtafeltje van IJsbrand weer opnieuw. Geen kletstekst, maar een boekje! Een eenvoudig, informatief boekje over horloges en sieraden, dat de juwelier aan klanten kon overhandigen!

'Over het algemeen krijgt u vast steeds dezelfde vragen voorgeschoteld,' had ze zo terloops mogelijk opgemerkt toen ze eindelijk aan de beurt was. De juwelier had dat beaamd. Met ingehouden enthousiasme had ze haar idee geopperd.

Hij vond het niet eens zo'n gekke gedachte. 'Hm, een gratis informatieboekje... al is het maar bij wijze van reclame...'

Hij bestudeerde peinzend haar visitekaartje terwijl ze uitlegde waarom juist zij de aangewezen persoon was om de tekst ervoor te schrijven.

Kon ze over een maand of zo bellen?

Over een maand of zo? Dan pas?! Ze moest nú omzet hebben!

'Misschien zijn de komende feestdagen wel een erg geschikt moment om ermee te beginnen,' had ze geprobeerd. Maar nee, natuurlijk... Het triomfantelijk gevoel was er niet minder op geworden. Over een dag of tien zou de ketting van Maria Sofia gereedliggen. Wie weet zag de juwelier dan wél het belang van een snelle aanpak.

De koffie kwam. Terwijl ze het koekje opknabbelde, zag ze het boekje al voor zich. Het moest net zo'n omslag hebben als de luxe geschenkdoosjes van juweliers. Groen met gouden letters bijvoorbeeld. Simpel en klein. Voor de tekst moesten ze gewoon de meest gestelde vragen inventariseren. Op elke bladzij twee vragen en twee antwoorden. Voor het antwoord telkens de naam van de juwelier, met een dubbele punt net als in een krateninterview. Zo zou die naam in het geheugen van de lezer worden gegrift.

Opeens flitste er nog iets door haar heen. Dit idee was voor allerlei branches uit te werken! Voor modewinkels over stofsoorten en de verzorging ervan. Voor fietsenwinkels, stomerijen, lingeriewinkels, delicatesse en notenwinkels, ga maar door.

Een gouden idee? Briljant was het! Ze wist nu precies op welke branches ze de Gouden Gids moest gaan napluizen. Ze popelde om te beginnen. Er moest een plan van aanpak komen. Hiermee zou ze het druk gaan krijgen. Het ene na het andere boekje zou ze moeten schrijven. Ah, wat zou ze dan verlangen naar zo'n heerlijke rustige werkdag als vandaag, een dag waarop ze het zich kon permitteren *brainstormend* naar de vallende bladeren van de linden voor IJsbrand te kijken, nippend aan een kop koffie. Eigenlijk moest ze nu al krachten gaan verzamelen voor de aanstaande drukke tijden. Fit moest ze worden. Bijtijds naar bed, gezond eten, dagelijks frisse lucht en ontspanning, dat soort dingen.

Door al deze gedachten vielen haar op de route terug naar de auto de advertentieborden op van een reisbureau, met tips voor goedkope reisjes naar subtropische klimaten.

Maar ook nu weer, net als laatst bij die superzonnige brochure, al had ze het geld, naar de subtropen kon ze helemaal niet! Ze moest in de buurt blijven voor het geval de opdrachten gingen losbarsten. Voor haar gezondheid en conditie kon ze zich hooguit een vakantie in Nederland permitteren, meer zat er echt niet in. Maar wie weet, vierde ze al over een jaar vakantie in Florida of Thailand.

Ze schoot in de lach om zichzelf. Ze wist dondersgoed dat ze de huid aan het verkopen was voor ze de beer had geschoten. Maar hoe ze zichzelf ook vermanend tot realistischer denken probeerde aan te zetten, ze bleef zich triomfantelijk voelen. Die boekjes konden toch best letterlijk tot iets van goud met een piepklein briljantje leiden?

4

Het woordje vakantie bleef haantje de voorste in Silkes gedachten, zelfs tijdens enkele van de vele telefoontjes die ze voorafgaand aan de lunch met Maud voerde. Nu was haar laatste vakantie anderhalf jaar geleden, niet zo gek dus dat het idee lokte.

Overigens, ook met die laatste vakantie durfde Silke maar één week weg te gaan, en wel naar de Belgische kust, samen met Paula, de moeder van haar ex Wouter. Silke en Paula konden het uitstekend met elkaar vinden. En uitgewaaid dat ze er waren! Letterlijk, want het had bijna de hele week gestormd. Het leek wel of het in België normaal was dat het schuim je op het strand om de oren vloog. Elke dag hadden ze wel een bijzondere vondst gedaan tussen het aanspoelsel. Zelfs een keer een kunstgebit!

'Mijn vlakke land, mijn Vlaanderland' van Brel was die week hun lijflied. Ze zongen het uit volle borst, tegen de stormwind in.

Gelukkig was er in hun appartementenhotel een sauna met solarium. En het wemelde in de buurt van de eethuisjes, winkeltjes en kunstgaleries. Paula was verzot op kunst en kon er met aanstekelijk enthousiasme interessante dingen over vertellen. Silke had haar al ettelijke keren gevraagd een lezing te geven bij Ikkanheksen, maar daar had Paula met haar tachtig jaar het veel te druk voor. Ze vervulde in haar eentje zo ongeveer alle bestuursfuncties van een ouderenpartij.

'Vakantie doet een mens tot bezinning komen.'

Nu klonk er een heus stemmetje dwars door Silkes serieuze, bedrijvige gedachten heen. 'Want weet je, je moet het boekjesplan eerst goed overdenken en laten rijpen. Gun het die tijd. Overweeg de formule ervan vast te leggen, er copyright op te nemen. Het zou eeuwig zonde zijn als anderen met het idee weglopen. Neem een beetje afstand, laat het bezinken. Daar zijn vakanties trouwens voor bedoeld...'

'Hm,' deed Silke. Ze schoof werktuigelijk een kladblaadje met telefoonnummers van relaties die ze had gebeld achterin de bureauagenda.

'Je hebt nu toch de tijd. Er is geen werk. Bovendien...,' huppelde het stemmetje door, 'middenstanders hebben hun plannetjes voor de feestdagen al gemaakt. Wat dat betreft ben je te laat met je ideetje. In januari is er nauwelijks handel in de winkels, dan vind je er een beter gehoor. Wat dacht je overigens van Valentijnsdag als startmoment? Vooral juweliers, lingeriewinkels...' Het stemmetje begon vleierig te klinken. 'Zie je dat je best lekker even vakantie kunt nemen om krachten te verzamelen voor een uitermate druk en ongetwijfeld voorspoedig jaar...'

'Hm,' deed Silke opnieuw. Er klonk verdacht veel instemming in door.

Ze liep naar het dakraam en keek naar buiten. Links keek je in de kruin van een boom in de buurtuin. Hij zat nog vol met gouden bladeren. Het was nu al een paar dagen rustig en af en toe zonnig herfstweer, niet slecht voor een korte vakantie. Maar het kon natuurlijk zo omslaan, het kon weer dagenlang plensregenen...

Vast staat, dacht ze, dat ik deze laatste maanden van het jaar moet vullen met *ad hoc* opdrachten. Dingen als advertentieteksten voor sinterklaas, misschien zelfs sinterklaasrijmen, daar draai ik tenslotte mijn hand niet voor om. Brieven bij relatiegeschenken voor de kerst, dat soort dingen. Hé, ik moet adverteren. Dat ik daar niet eerder aan heb gedacht. Hoe heet dat ook alweer, een spierinkje uitgooien om een snoek te vangen...

Ze liep terug naar de werktafel. Zo akelig pietluttig netjes als nu had die er nog nooit uitgezien. Zelfs het toetsenbord van de computer was met een speciaal doekje schoongemaakt, en ook de bladeren van de planten glansden.

Ze keek er onwillekeurig wat afkeurend naar. Het hoorde daar verdorie een chaos te zijn! Overal moesten dossiermappen slingeren, hoorden ordners wijd liggen te gapen en kladblokvellen vol notities aan de lampen te bungelen. Elke leek moest kunnen zien dat er al wekenlang topdrukte heerste, dat er ademloos aan wel twintig klussen tegelijk werd gewerkt!

Maar haar werktafel was kaal, leeg, steriel. De ordners stonden in de kast. De mappen hingen in hun karretje. Nergens een memostickertje. Alle pennen gesorteerd, tijdschriften in het gelid, diskettes in doosjes, cd's in rekjes.

Bah.

En alle klanten die TipTopTekst ooit had gehad, waren gebeld – de eerste nog met een smoesje, de volgende met de directe uitnodiging de koppen weer eens bij elkaar te steken.

'Ja, ik heb nu tijd voor nieuwe opdrachten.'

Had ze ooit kunnen denken dat ze zo brutaal durfde zijn?

Maar brutaal was het niet, wist ze inmiddels. Het was zakelijk. Over de hele wereld waren er constant mannen en vrouwen bezig hun product te verkopen – en een product verkopen deed ook zij.

Maar werk hadden de telefoontjes niet opgeleverd. Het relatienetwerk was weer geolied, dat wel.

'Met het oog op het boekjesplan is dat belangrijk,' zei Silke manmoedig tegen zichzelf. 'Maar wat nu?'

Dat was een vraag voor zowel de korte als de lange termijn. Op korte termijn: het was zelfs nog te vroeg om naar de stad te fietsen voor de lunchafspraak met Maud.

Zou ze alvast haar eigen advertentietekst gaan schrijven? Onzin, die moest dan een paar weken blijven liggen, het was er nog lang geen tijd voor.

Waarover zouden Maud en zij praten? Had ze eigenlijk nog foto's van de middelbare school?

Ze keek in de kast met fototroep. Foto's had ze nooit behoorlijk opgeruimd. Onder in de kast lagen haar twee trouwalbums, erbovenop was het een chaos van enveloppen en oude schoenendozen met los spul. Ze sloot de kast. Daarin zaten vast geen schoolfoto's.

Ze kon zich alvast verkleden.

Even later stond ze voor de ook al zo keurig netjes opgeruimde kledingkast in haar slaapkamer. Haar hart ging uit naar een broek met trui, lekker makkelijk op de fiets. Maar de echo van een kledingadvies van een van de Ikkanheksen-vrouwen weerklonk.

'In vrijetijdskleding verlies je je alertheid. Trek je iets zakelijks aan, dan zie je veel meer kansen. Het is gek, maar zo werkt het nu eenmaal. Ik adviseer met klem om je, ook op dagen dat je geen afspraken buiten de deur hebt, correct te kleden. Als je dan even een boodschap om de hoek doet, maak je op de buitenwereld een andere indruk. Maar het omgekeerde geldt ook, je zíét de buitenwereld anders. En uit die buitenwereld moeten nu eenmaal je opdrachten komen.'

Gehoorzaam trok Silke haar supercolbert tevoorschijn. Super omdat het precies de goede lengte had, het viel net over de billen. Samen met de snit van de bijpassende broek zorgde het voor een slanker en langer silhouet. Het was waar, het gaf een goed gevoel zo gekleed te gaan. Ze keurde haar achterkant via een handspiegel in de spiegel. Haar billen waren zo echt niet te dik.

Op de kraag van het colbert zat nog een sierspeld van een vorige gelegenheid. Ze haalde hem eraf. Eigenlijk behoorde ze de speld nu netjes op te bergen, maar ze had tabak van opruimen en netjes zijn. Om er vanaf te zijn speldde ze hem op de col van haar truitje, maar werd daarbij gehinderd door een haarlok die het zicht op de speld belemmerde. Resoluut stak ze haar haar met een klem naar achteren vast. Ze deed een nieuwe poging met de speld. Eindelijk zat hij. Ze keek op. In de spiegel stond opeens niet zijzelf maar Maria Sofia Anna Elisabeth.

Ze was overrompeld. Ze vroeg zich niet af of de speld op de col soms ontzettend ouderwets was. Of het door haar naar achteren gestoken haar kwam. Ze zag haar overgrootmoeder. Met haar dikke haar hoog bovenop haar hoofd. Ze zag de welvingen van haar wangen, wat boers, of eilands zo je wilt. De iets te grote neus, de hoekige kaaklijn, de verraste blik in de ogen en de vage taillelijn door de coupe van het colbertje.

Door het colbertje zag ze weer zichzelf. Ze schudde het beeld van haar overgrootmoeder van zich af.

Maria Sofia heeft de 54 jaar nooit bereikt, dacht ze. Maar stel dat dat wel zo was geweest, dan zouden we in niets meer op elkaar hebben geleken. Een oude vrouw had hier gestaan. Tandeloos, met ingevallen wangen, een kromgebogen rug en grijs haar dat niet langer een sieraad was. Met nog altijd dezelfde dagelijkse werkzaamheden, hoogstens was er een dienstbode bijgekomen.

Wat mogen wij, vrouwen van nu, ons gelukkig prijzen te leven in deze totaal andere wereld en totaal andere maatschappij, waarin we juist op deze leeftijd de kans hebben opnieuw iets moois van ons leven te maken.

Zou Hendrik Gerritszoon nog steeds bij het spoor hebben gewerkt? Hij was een flink aantal jaren ouder. Had hij na haar ziekte en dood carrière gemaakt, het tot chef geschopt van bijvoorbeeld het station van een deftige stad als 's-Gravenhage? Alle eerdere stations hadden immers promotie betekend?

Er schoten nu allerlei woonplaatsen van haar overgrootouders uit de familieverhalen door haar herinnering. Van sommige plaatsen wist ze eigenlijk niet eens precies waar ze lagen. Warffum bijvoorbeeld, dat lag toch noordelijk van de stad Groningen? En Wezep, was dat niet bij Zwolle in de buurt?

Ze nam zich voor de plaatsen in de atlas op te zoeken. Ze was toch eigenlijk als achterkleindochter een beetje verplicht te weten waar ze lagen. Misschien zelfs om ze ooit eens te bezoeken, zich te verbeelden hoe de voetstappen van haar overgrootmoeder daar moeten hebben geklonken op weg naar de bakker, de slager en de kerk.

Het leek of het vakantiestemmetje op die conclusie had zitten wachten. 'Ja, bezoek die plaatsen!' riep het geestdriftig. 'Joh, maak lekker dicht bij huis een reis door het verleden. Dat is pas origineel!'

Het was niet ver fietsen van het Boer Hofmanslaantje naar het centrum. Je kon namelijk bij het pannenkoekenhuis op een fietspad komen langs het kanaal. Via een trap met een fietsgoot kon je de brug op, en dan was het centrum al onder handbereik. Het was alleen vaak waterkoud en winderig langs het kanaal. Als er een binnenvaartschip met hoge snelheid voer, spoelde het water wel eens tot op het fietspad. Het kanaal diende als boezemwater voor de omringende polders en soms was de waterstand erg hoog.

Op deze zonnige herfstochtend klotsten de golven van een sleepbootje traag tegen de keien. Er hing een sfeer van rust en bezinning, vond Silke. Ze peddelde rustig voort.

Ze snoof de geur van het water op. De westenwind droeg de klanken van het carillon van de Waag aan. Het was eigenlijk jammer dat Maud en zij straks bij IJsbrand binnenzaten, maar terrasweer was het natuurlijk niet meer.

Op de een of andere manier daagde de atmosfeer uit tot verkenning van het buitengebeuren. Of eigenlijk van het onbekende. Misschien wel doordat het kanaal verleidde met zijn klotsen en geuren, en uitnodigend een richting aangaf de stad uit, de horizon tegemoet.

Ach ja, dacht Silke relativerend, dat heb je soms, dat je zomaar zo'n soort lokroep hoort. Dat de toekomst wenkt. Dat je de neiging om het verleden in een vuilnisbak te proppen niet kunt weerstaan, en dat het heden je onverschillig laat. Zodra je in zo'n gemoedsgesteldheid je neus om het hoekje van de buitendeur steekt en de frisse wind voelt, wil je eropuit, ongeacht of er tijd voor is en er plichten roepen.

Ze grinnikte even bij de gedachte dat ze in de huidige zeer nabije toekomst met Maud ongetwijfeld voornamelijk in het verleden zou leven, door de herinneringen aan een lang vervlogen tijd. Na een flauwe bocht dook opeens de brug op achter de loods van een scheepswerf. Een groep schoolkinderen daalde met de fietsen aan de hand de trap af. Silke liet zich uitrijden.

Over lang vervlogen tijd gesproken, wat was het lang geleden dat ook zij in zo'n groep dorpskinderen van de school in de stad naar huis fietste. Veertig jaar, rekende ze uit. Was ze toen net zo baldadig en uitbundig als het meisje dat nu met veel acrobatiek op haar fiets sprong? Nee, ze was nogal bedaard geweest. Ze kon het Maud straks vragen. Wat voor indruk maakte ik? Weet jij nog...

Opeens, terwijl ze afstapte en op de laatste scholieren wachtte om de trap op te kunnen gaan, schoven er als bij een snelle diapresentatie portretten van haarzelf aan haar geestesoog voorbij. Hoe ze was op school. Schotsgeruite rok. Tijdens de verpleegopleiding. Witte sandalen over tegelvloer. Toen ze scheidde. Opgestoken haar en ellenlange oorbellen.

Ze beklom met de fiets aan de hand de trap. Wie was ze toen ze verliefd was op Wouter? Toen ze opnieuw trouwde, een huis inrichtte en uiteindelijk weer verdrietige gesprekken voerde tot diep in de nacht? Wie was ze toen ze als uitkomst van die gesprekken een paar minnaars probeerde? Wie toen Wouter en zij uiteindelijk scheidden? Toen ze achter de kassa zat?

De vragen flitsten voorbij. Ze stond intussen met fiets en al op de brug, klaar om zich in het verkeer te voegen. En opeens doorvoelde ze wat het betekende om te groeien in het leven, om vanuit de ene persoonlijkheid de volgende te worden, en die daarna en daarna tot de dood aan toe.

Een onderwerp om met Paula aan te kaarten, dacht ze. Het is trouwens de hoogste tijd om bij haar aan te wippen.

Vijf minuten later stalde ze voor IJsbrand haar fiets. Terwijl ze haar neus snoot en een kam door haar haar haalde, zag ze Maud achter het raam zitten wuiven. Ze lachte terug en stak haar hand op.

5

Maud viel meteen na hun begroeting met de deur in huis. 'Wat een leuke website heeft Ikkanheksen, Silke! Hij werkt zo aanstekelijk dat ik meteen lid wil worden. Je hoeft me al niets meer uit te leggen, het staat er zo duidelijk als wat. En wat inventief zijn de principes die jullie hanteren!' riep ze enthousiast uit. 'Neem dat punt dat je in ruil voor de hulp die je krijgt bij het realiseren van je nieuwe plannen, jouw eigen kennis en ervaring op jouw beurt weer met anderen deelt. Daarmee ben je dus meteen al zaken aan het doen. Zo'n gevoel geeft het mij tenminste.'

Silke moest lachen om haar enthousiasme.

'Begrijp ik het goed dat je iets nieuws wilt gaan beginnen?' vroeg ze terwijl ze ging zitten. 'Dat je wilt stoppen met het werk van doktersassistente? Je wilt een bedrijf opstarten of een studie doen? Want zonder zo'n plan kun je geen lid worden. Het is niet vrijblijvend.'

Maud knikte. 'Precies.'

Ze boog zich vertrouwelijk naar voren. 'Weet je, ik droom al zo lang over een eenmansbedrijfje in het aanleggen en onderhouden van tuinen. Ik voel me grandioos als ik in de tuin bezig ben. De ideeën bruisen dan gewoon door me heen. Dat werk maakt me sterk. Moe word ik nauwelijks en de echt zware klussen wil ik uitbesteden. Maar ik moet startkapitaal hebben... En mezelf ermee kunnen bedruipen, want we moeten dan natuurlijk wel een praktijkassistente aannemen. Maar goed, jullie website overtuigde me ervan dat het nu of nooit is.'

Ze keek nogal strijdlustig en zocht kennelijk naar woorden. Silke herkende opeens dat strijdlustige.

'Opeens zie ik iets terug van vroeger!' riep ze verrast uit. 'Zo keek je als er op school iets onrechtvaardigs was met proefwerken of zo. De jaren vielen zomaar weg... Maar sorry, ik viel je in de rede. O, daar komt de serveerster.'

Toen ze besteld hadden, boog Maud zich opnieuw naar voren.

'Weet je, ik heb een idee met tuinschuren. Daarmee wil ik het startkapitaal gaan verdienen.'

Ze pakte een ballpoint uit haar tas en haar agenda, waar ze een blaadje uitscheurde.

'Moet je zien.' Ze tekende een rechthoek. 'Zo zien de meeste tuinen eruit. Klein, met altijd wel een sombere hoek waar geen zon komt. Deze hoek bijvoorbeeld...' Ze tikte met de pen in de rechthoek, en tekende vervolgens een schuine lijn van de ene zijde naar de andere waardoor het leek alsof er een ezelsoor gevouwen was. 'Als je hier een driekantige schuur plaatst, zo, neemt die heel weinig ruimte in. Tegelijk verandert de vorm van de tuin. Het wordt veel speelser, niet meer zo rechttoe rechtaan.'

Ze keek op. 'Zulke schuren wil ik gaan laten timmeren. Ik ga erover praten met een patiënt uit de praktijk. Hij is timmerman en kortgeleden voor zichzelf begonnen.'

Silke knikte. Maud zette een grote krul door het tekeningetje en maakte er een propje van. Ze gooide het propje van haar ene hand in de andere.

'Snap je dat ik graag met jullie van Ikkanheksen ga praten? Door mijn werk in de praktijk spreek ik geen ondernemers. Ik ben daar maar in mijn eentje bezig.'

Silke knikte.

'Eigenlijk ga je twee bedrijven tegelijk beginnen,' zei ze. 'Het ene moet het kapitaal opleveren voor het andere.'

Maud bevestigde dat. 'Die timmerman doet allerlei soorten burgerklusjes. Samen kunnen we een bouwtekening maken. Vervolgens bouwt hij de schuren die ik op papier verkoop, tegen een bepaald percentage, snap je.'

Silke knikte instemmend. 'En voor de haken en ogen moet je praten met iemand met praktijkervaring. Iemand die denkfouten ontdekt, of iets dat je over het hoofd ziet.'

Bijvoorbeeld waar je de klanten vandaan haalt... dacht ze.

'Want weet je, we hebben wat leeftijd betreft geen tijd meer om het over te doen.'

Maud knikte. 'Hoe kan ik lid worden? Want jij mag geen leden meer introduceren.'

Silke knikte. 'Klopt, je mag als lid maar eenmaal een nieuw lid voorstellen. Mag, zeg ik. Eigenlijk is het "moet".'

'Waarom is dat eigenlijk? Jullie willen toch graag een grote club zijn?'

'We willen inderdaad graag een grote club zijn. Des te meer leden, des te meer beroepsgroepen en bedrijfstypen er vertegenwoordigd zijn en des te fijnmaziger het netwerk is.'

'Zijn jullie bang voor klieken binnen de club?'

'Dat gevaar zou er inderdaad kunnen zijn als een bepaalde vrouw allemaal kennisjes binnenhaalt. Maar dat is niet de reden.'

Ze wachtte even omdat iemand van het personeel een nieuwe kaars in de kandelaar zette.

'Waar het voornamelijk om is, Maud,' zei ze toen ze weer alleen waren, 'stel je voor, je komt als nieuw lid op een bijeenkomst binnenlopen. Je kent alleen de vrouw die je heeft geïntroduceerd. Verder sta je in een nieuwe wereld, vol onbekenden. Dat is precies wat je ook tegemoet gaat bij het realiseren van je toekomstplannen. Je moet contacten gaan leggen met allemaal onbekenden. Je moet laten zien dat je er bent. Sterker, dat de anderen niet om je heen kunnen. Je moet ook laten zien dat je je mannetje staat. Bij Ikkanheksen kun je oefenen. De vrouwen daar willen je verhaal horen. Ze willen weten waarom je interessant bent. Doordat je je verhaal vele malen doet, slijpt het erin. Je leert het te verkopen.

Omgekeerd moet je ook dingen van hen te weten zien te komen, net als bij het zakendoen. Kortom, je gaat je draai leren vinden, je leert het je gezellig te maken en je te presenteren. Je gaat onderzoeken wie nuttig voor je zijn. Kijken wie je zelf met je ervaringen wijzer kunt maken. Je gaat een netwerk vormen en voor de ene vrouw is dat alles gemakkelijk, voor de andere lastig.'

Maud knikte begrijpend. 'Maar als jij me niet kunt introduceren, wie dan wel?'

'Hansje. Ze is nieuw en heeft nog geen lid aangebracht. En dat is dus wel een vereiste. Het is je eerste verplichting, zo leer je op iemand uit de buitenwereld af te stappen. Je verlegenheid te overwinnen. Initiatieven te nemen. Maar Hansje kon tot nu toe geen geschikte vrouw vinden. Dat gebeurt trouwens vaker dan je denkt. Nog altijd leven er veel vrouwen binnen de relatief kleine kring van gezin, familie, woonbuurt of sportvereniging. Het is niet dat ze buiten de maatschappij staan. Ze weten best wat er te koop is. En ze barsten op een bepaald moment van de plannen. Maar ze hebben geen lijnen buiten die kring. Ze missen een zakelijk netwerk. Voor Hansje is het belangrijk dat ze contact met jou zoekt. Zij moet het initiatief nemen. Wat ik kan doen is haar tippen.'

Hun bestelling werd gebracht, een salade met kipfilet en cashewnoten. Het zag er weer verrukkelijk uit. Ze bewonderden hun bordjes en proostten met hun glazen spa voor ze aanvielen.

'Je zei net dat veel vrouwen nogal geïsoleerd leven,' zei Maud, 'maar toen ik Hanneke van onze ontmoeting vertelde, realiseerde ik me dat jij als gescheiden vrouw zonder kinderen ook helemaal alleen bent. En dat je ook nog solistisch werkt, niet in een bedrijf met collega's en zo.'

Silke keek lachend op. 'Maar ik heb wel een minnaar!'

Ze maakte een gebaar dat ze over hem niet wilde uitweiden.

'Als je het zo opsomt, lijkt mijn leven inderdaad nogal eenzaam. Maar het bevalt me uitstekend. Ik kan het erg goed vinden met mezelf.'

'Maar op zondagen bijvoorbeeld,' hield Maud aan. 'En nu de decembermaand nadert, hoe doe je dat met de feestdagen?'

Silke probeerde net met vork en mes een te groot slablad op te vouwen, terwijl het door haar heen flitste wat ze allemaal wel voor TipTop-Tekst van plan was voor die naderende decembermaand.

'Heerlijk, kerst,' zei ze nu. 'Eén dag in dennengeur, Christmas songs en kalkoen. 's Morgens eerst het traditionele telefoontje met mijn broer, en 's avonds voor het slapengaan met mijn zus in Australië. Daartussenin het aangename gezelschap van mijn ex-schoonmoeder en een wisselend stel vrouwen van Ikkanheksen. De tweede kerstdag heerlijk in mijn eentje. Muziek draaien, erwtensoep van de slager eten, een lekker boek lezen, zoiets. Geen verplichtingen, zalig.'

En met de hap sla halverwege haar mond: 'Denk dus maar niet dat ik eenzaam ben. Integendeel, ik heb eerder te veel mensen om me heen, ook mensen met wie ik persoonlijke dingen kan bespreken. Ik heb zelfs moeite het contact met iedereen bij te houden.'

Ze aten. Het was een salade die Silke de voorbije zomer 's avonds nogal eens buiten op het terras had gegeten. Meteen dacht ze weer aan het woordje 'vakantie'.

'Dit is eigenlijk een zomerse salade,' zei ze. 'Maar in de herfst smaakt hij ook lekker.'

'Weet je wat grappig is?' vroeg Maud. 'Dat we door Ikkanheksen over de toekomst praten, en niet over vroeger. Ik had vóór ik de site bekeek echt verwacht dat we meteen veertig jaar terug in de tijd zouden gaan. Ik heb nog naar schoolfoto's gezocht...'

'Jij ook?' riep Silke uit.

'... Maar die moeten in een of andere doos op zolder zitten,' ging Maud verder. 'Ik vond nota bene wel foto's van mijn ouders. Moet je weten, mijn moeder was op haar vijftiende dienstmeid in het gezin waarin mijn vader het oudste kind was, en...'

Silke moest meteen aan Maria Sofia denken. Toen Maud uitverteld leek, haakte Silke er met haar verhaal over Maria Sofia op in.

'Ja, en moet je horen,' zei Silke, 'ze kreeg tuberculose, mijn overgrootmoeder. Ze schijnt te zijn besmet door het kindermeisje dat ze had aangenomen. En weet je wat de familie daarover zei? Eigen schuld, moest ze het maar niet zo hoog in haar bol hebben om personeel te willen hebben. Vreselijk! Ze waren jaloers op haar. Want haar leven was door de vele verhuizingen heel wat afwisselender dan dat van die saaie pietlutten van een familieleden. Rijk hadden ze het bepaald niet bij het spoor, maar Maria Sofia had het geld en de trots van het geslacht van haar vader, de zeekapitein. Ze wilde geen gewone burgervrouw zijn, dat was het.'

'Het lijkt mij tenminste best een boeiend leven,' zei Maud. 'Iets voor een film.'

Silke knikte nadenkend.

'Ik kreeg laatst zo'n zin om allerlei woonplaatsen van dat stel te gaan bekijken,' mijmerde ze. 'Als ik geld en een betrouwbare auto had, deed ik het. Een weekje kan ik er wel tussenuit, het is niet druk op het ogenblik.'

Ze ging opeens rechtop zitten. 'Dat kon nog wel eens een aardig tochtje door Nederland zijn. Te beginnen in Warffum, via de kop van Overijssel naar Zutphen en dan afzakken naar Reuver in het noorden van Limburg. Tot slot Maastricht. Maria Sofia en Hendrik hebben trouwens ook nog in verschillende plaatsen in de huidige randstad gewoond. Maar die nieuwbouwsteden lokken me niet. En het idee van jachten en jagen op overvolle snelwegen met mijn oude auto geeft me bepaald geen vakantiegevoel...'

'Van die woonplaatsen in westelijk Nederland zal trouwens niet veel meer terug te vinden zijn,' opperde Maud. 'Alles is daar zo'n beetje overhoop gegooid.'

Terwijl Silke dat beaamde, dacht ze eraan dat haar oude auto niet de enige reden was van haar afkeer van de randstedelijke drukte. Ze was gewoon een provinciaaltje, gewend aan betrekkelijke rust en ruimte om zich heen. Ze leefde geografisch gezien in een klein kringetje. Met Eelco en Wouter had ze veel gereisd in binnen- en buitenland. Maar daarna had het krappe budget haar gedwongen tot het vinden van ontspanning en plezier in haar eigen woonomgeving. Toen ze de voormalige woonplaatsen van Maria Sofia op de kaart opzocht, had ze zich er bossen of ruime akkers bij voorgesteld. Die lokten, heerlijk, de vrije natuur!

'Ik zou die tocht vooral ook willen rijden om van wat natuurschoon te genieten,' zei ze.

'Zo denk ik er ook over,' viel Maud haar bij. 'Juist in dit jaargetijde is het in oostelijk Nederland erg mooi. Hanneke en ik zijn er de afgelopen jaren menig keer met opzet in de herfst geweest. Schitterend die kleuren. En in feite zo dicht bij huis. Wat zijn nu afstanden in Nederland?'

Silke knikte instemmend. 'Dat is nu precies wat ik belangrijk vind. Voor TipTopTekst wil ik niet ver weg gaan. Stel dat er nieuwe klanten bellen, dan wil ik in een halve dag thuis kunnen zijn. Ik kan het me nog niet permitteren ze te laten schieten. Vandaar dan ook dat dit toertje me zo leuk lijkt als korte vakantie. Maar wat zijn hotels duur! Ik zocht op internet, leuke overnachtingsmogelijkheden te over. Alleen... als je alles bij elkaar optelt, blijkt dat je voor hetzelfde geld een *last minute* naar een zonovergoten eiland kunt boeken. Dat kan ik me als beginnend ondernemer nog niet veroorloven. Dus heb ik het idee maar laten varen. Ik kan tenslotte ook thuis lekker wat relaxen. Met de fiets ben je zo in de polders en...'

'Wacht eens...!' Maud onderbrak haar. 'Je kunt in de herfstvakantie onze kampeerbus lenen.'

Silke keek haar stomverbaasd aan.

'Jullie kampeerbus?'

Maud knikte en begon uit te wijden over een cursus van Hanneke in de herfstvakantie in Cambridge, gesponsord door de farmaceutische industrie. Dat ze per vliegtuig gingen en er een hotel was geboekt. Dat ze uitgebreid de oude stad wilden verkennen. Dat de kampeerbus dit keer niet uitgeleend was omdat ze nogal laat de beslissing hadden genomen.

Silke luisterde nauwelijks. Ze kon toch niet zomaar een kampeerbus lenen van hoegenaamd vreemde mensen? Alleen al de inrichting van zo'n ding was hartstikke privé. Dat moest ze dan allemaal gebruiken. En Maud zei dit wel, maar haar partner kon er wel heel anders over denken. Stel je voor dat ze schade kreeg.

'Hanneke denkt er net zo over als ik,' zei Maud.

'Hoe bedoel je?' vroeg Silke verward.

'Dat het hartstikke jammer is dat het busje zo vaak ongebruikt thuis staat. Nu kunnen we natuurlijk wel blijven klagen dat we zo weinig gelegenheid hebben ermee op stap te gaan, maar dat schiet niet op. Vandaar dat we hem vaak uitlenen.'

Maud schaterlachte opeens.

'We wilden hem eerst professioneel verhuren om onze portemonnee te spekken. Maar daar komt een hoop bij kijken, wist je dat? Je krijgt wildvreemde mensen over de vloer van wie je maar moet afwachten of ze solide zijn. Wat een gedoe. Nu geven we hem gewoon mee aan mensen die we vertrouwen en die we het gunnen. Je betaalt een bedrag per week voor de wegenbelasting. Je moet zelf even de verzekering in orde maken. En natuurlijk betaal je de dieselolie. Nou, en je vult de basislevensmiddelen weer aan.'

Ze lachte schalks. 'En bij wijze van dank achtergelaten flessen wijn of bankbiljetten stellen we zéér op prijs.'

Silke vergat verder te eten.

'Er zijn allerlei gidsen en folders aan boord. Iedereen laat die achter in het busboek, met zijn of haar ervaringen erbij vermeld.'

'Busboek?'

'Dat is een soort journaal. Er staan volop tips in over bezienswaardigheden en bijvoorbeeld kamperen op een natuurcamping of bij de boer. Doen?'

'Doen?' herhaalde Silke.

Maud knikte. 'Doen. Hé, zullen we toch maar een wijntje bestellen? Het is mijn vrije middag, en eigenlijk voel ik me alsof ik mijn bedrijf al aan het opzetten ben en een zakenlunch met mijn adviseuse heb. Want zo zie je er echt uit.'

'Ja, sorry, ik ben inderdaad zakelijk gekleed,' zei Silke. Ze was nog steeds confuus.

Weer schaterlachte Maud. 'Een lunch waarin ik je met steekpenningen verleid. Want ik wil lid worden van Ikkanheksen en ruil dat voor de kampeerbus.'

Ze keek Silke met fonkelende ogen aan. 'Zeg nou maar ja!'

6

Natuurlijk nam Silke uiteindelijk het aanbod van Maud aan om de kampeerbus te gebruiken. Alleen wat betreft haar aandringen op het accepteren van een dessert van coupe cappuccino had Silke voet bij stuk gehouden.

'Anders kom ik met mijn dikke billen klem te zitten in de bus!' had ze balorig uitgeroepen. 'Ik begrijp dat hij nu ook weer niet zó groot is.'

Ze had voorgesteld eerst te komen kennismaken met Hanneke zodat die wist wat voor vlees ze in de kuip had. Maud had het uitgeproest. Wat voor vlees ze in de kuip had! Dat was de kat op het spek binden, omdat Silke nog altijd een mooie meid was met prachtig haar en blozende wangen.

'Boerse wangen,' had Silke snel gecorrigeerd om zo'n lesbisch grapje te kunnen negeren.

Eigenlijk hadden die twee nauwelijks herinneringen opgehaald. Silkes tijd was opeens voorbij. Ze had de lunch met Maud ingepland. Dat had ze bij Ikkanheksen geleerd, om óók voor privé-afspraken vooraf de hoeveelheid tijd te bepalen die je erin wilt steken. En om je eraan te houden... Dat voorkomt namelijk dat de tijd tussen je vingers doorglipt. Dat het vrijblijvend wordt. Dat je een gevoel van ledigheid krijgt, je energie weglekt en je gedeprimeerd raakt. Je tijd in de hand houden geeft energie, dat hadden ze haar bij Ikkanheksen geleerd. De waarheid ervan stond intussen voor haar als een paal boven water.

Silke was volgens Maud indertijd een bescheiden meisje geweest. Ze drong zich niet op de voorgrond. Niet dat ze verlegen was en niet bij de groep hoorde. Ze was gewoon geen haantje de voorste. Maar ze deed wél mee. En ze was echt bijzonder geweest met haar dikke haar en leuke figuurtje.

'Je wuift het weg, maar je bent ook nu nog een mooie vrouw,' had Maud taxerend gezegd. 'Je hebt uitstraling.'

Door het woord 'uitstraling' waren ze filosofisch geworden.

'In verschillende levensfasen zijn we verschillende vrouwen geweest,' hadden ze vastgesteld.

Frappant dat ze het hierover hadden, want het was precies waarover Silke op de heenweg had nagedacht toen ze bij de trap naar de brug wachtte op de afdalende scholieren. Toen ze concludeerde dat er bij iedereen vanbinnen een vaste kern van eigenheid moest zitten, die je regelmatig zag opduiken uit de rimpels en plooien die er in de jaren overheen waren gegroeid, maar dat je ook allerlei verschillende typetjes was geweest, afhankelijk van de omstandigheden.

'Dat rondom die kern de socialisering als meisje heeft plaatsgemaakt voor die van geëmancipeerde vrouw,' had Maud vastgesteld. 'En dat je op deze leeftijd afwijkende meningen durft te hebben, evenwicht voelt en weet dat je op jezelf kunt vertrouwen.'

Dat had Silke onmiddellijk aan haar ex-schoonmoeder Paula doen denken. Paula had al jarenlang afwijkende meningen. Zij was het bijvoorbeeld die met het idee was gekomen dat Wouter en Silke konden uitproberen hoe het was om samen te blijven wonen, terwijl Wouter voor de seks Hugo had en Silke een minnaar.

Ik moet Paula hoognodig opzoeken, had Silke daardoor gedacht. Bij thuiskomst van de lunch voegde ze de daad bij het woord. Ze belde Paula.

'Even bijpraten, joh', en ze stak meteen van wal.

'Dat boekjesplan klinkt uitstekend,' zei Paula later. 'Verstandig trouwens om er denktijd voor uit te trekken. Maar iets anders, kom vanavond bij me eten.' Ook dat aanbod nam Silke uiteindelijk aan.

Paula was een rijzige vrouw. Je gaf haar geen tachtig, ook al was haar rug niet recht meer. Ze had een natuurlijke, elegante manier van bewegen. Ooit was ze zonder enige opleiding mannequin geweest bij een modehuis, en nog altijd liep ze showtjes in serviceflats en zorgcentra.

Bijdetijds was Paula ook. De computer was haar nieuwste liefde, net als de ouderenpartij die de landelijke verkiezingen in ging. Tussen de bedrijven door volgde ze aan de volksuniversiteit cursussen over filosofie en kunst. Daarbij hield ze ook nog van koken. Voor allerlei gerechten die Silke alleen van horen zeggen had, draaide ze haar hand niet om. Thais, Italiaans, Vietnamees, Mexicaans, ze maakte het allemaal.

Lastig en kieskeurig kon Paula ook zijn, en ze was bepaald niet diplomatiek. Maar Silke vond het heerlijk bij haar over de vloer te komen. Als er iemand was met wie ze waardevrij kon praten, was het haar ex-schoonmoeder wel.

Voor het idee van een autorit langs de woonplaatsen van Maria Sofia liep Paula meteen warm. Maar bij het woord kampeerbus waren ze gauw uitgesproken. Paula's gezicht vertrok van afschuw. 'Waardeloos dat je te weinig geld hebt voor hotelovernachtingen,' stelde ze vast. 'En dat je van mij geen geld wilt aannemen.' Ze corrigeerde dat laatste meteen. 'Sorry, het is uitstekend dat je de tering naar de nering zet en als hedendaagse vrouw niet je hand wilt ophouden.'

Waardoor Silke bij het traditionele aperitief kon voortborduren op 'de socialisering als meisje die heeft plaatsgemaakt voor die van geemancipeerde vrouw', waarvan Maud had gerept.

'Eigenlijk kun je het dus tamelijk normaal noemen dat je in verschillende omstandigheden je ook verschillend hebt voorgedaan,' zei ze. 'Ik zit maar hardop te denken, hoor! Maar toen ik daar bij die brug stond te wachten, was het opeens net of ik in mijn leven veel heb geveinsd. Of ik deed alsof. Hoe leg ik het uit...? Wacht, ik heb een voorbeeld. Omdat Eelco aan hockey deed, ging ik vaak naar wedstrijden kijken. Stel nu dat hij een schaker was geweest, was ik dan ook gaan schaken?'

Paula knikte terwijl ze de wijnfles pakte om hun glazen bij te schenken.

'Met andere woorden,' zei ze, 'maken de omstandigheden of een mens zich interesseert voor hockey of schaken. Of komt die belangstelling van binnenuit? Tja, als ik in deze flat niet geconfronteerd was geweest met al die oude mensen, was ik nooit bestuurswerk gaan doen voor de ouderenpartij. Ik snap je vraag. Die luidt: "Wie ben ik vanuit mezelf – intrinsiek dus eigenlijk – en wie door de omstandigheden, hoe onbenullig ook – extrinsiek dus?"'

Silke knikte instemmend.

'Ik dacht daar bij die brug dat ik misschien weinig koersvast was geweest. Of gewoonweg opportunistisch,' bekende ze. Nu moest ze lachen. 'Maar zo zit het leven misschien wel in elkaar. Je moet het doen met wat er op dat moment voor je is weggelegd. Zoiets.'

Paula keek haar sceptisch aan.

'Zit? Zát! Ik denk dat het toen voor zogenaamde nette mensen zo hoorde. Je paste je aan. Je voegde je.

Over kansen werd toen niet of nauwelijks gesproken. Als vrouw zag je die niet eens. Dat is iets van deze tijd. Door de leerplicht, door opleiding en studie. En omdat we ook veel ouder worden dan vroeger en ons leven goed willen besteden, voelen we de plicht ons bewust te zijn van wie we zijn en wat we willen. We kunnen toch niet al die jaren tot ons negentigste mentaal en fysiek zitten te niksen? Maar nu ga ik de keuken in. Pak de krant, hij ligt ervoor.'

Silke liet het wel uit haar hoofd om aan te bieden te helpen. Zo'n goede hulp was ze niet.

Paula liep naar de keuken. Kalm en niet helemaal rechtop, maar uiterst zelfverzekerd.

Er schoot Silke iets te binnen.

'Hoe was die modeshow laatst eigenlijk?'

Uit de keuken kwam het antwoord.

'Enig! Ik heb er weer een paar mooie sets aan overgehouden. Ik zal ze je straks laten zien. Prima bijverdienste op deze manier, vind je niet? Trouwens, over een maand loop ik weer een paar showtjes. Dan met feestkleding. Voor de kerst moeten ook bejaarde mensen er op hun paasbest uitzien, dat begrijp je.'

Silke grinnikte om dat 'bejaarde mensen'. Paula sprak over haar leeftijdgenoten of ze hun dochter was!

'Hé...'

Paula's hoofd kwam om de hoek van de keuken. 'Heb jij dan een middag en avond over? Ze zochten nog een model voor jeugdiger kleding. Jij hebt er precies het figuurtje voor.'

Figuurtje!

Silke schaterde. 'Ik heb veel te dikke billen, Paula! Ze moeten hun hele collectie laten vermaken...'

'Doe niet zo mal,' zei haar ex-schoonmoeder. 'Jij altijd met je billen.' Ze verdween weer. 'Daarom sla je straks natuurlijk ook die verrukkelijke roquefortsaus af die ik over heb van mijn etentje met Jozef,' klonk nu met stemverheffing.

'Jozef? De oud-notaris?' riep Silke terug.

Weer kwam Paula met een grijns op haar gezicht om de hoek. 'We waren op de show de grootouders van de bruid. En, kan ik je verleiden met roquefortsaus bij tagliatelle?'

'Ik zwicht.'

'En voor de modeshow?'

'Hm,' deed Silke. Zij met haar achterwerk! Ze zagen haar aankomen.

'Denk eens aan de avondjurk die je eraan kunt overhouden,' klonk het opgewekt uit de keuken.

'Avondjurk! Wat moet ik daar nu mee?'

'Uitgaan.'

'Uitgaan? In een avondjurk?'

Paula kwam er helemaal de keuken voor uit.

'Ja meisje, je zou eens kunnen uitgaan. Zo'n boekjesproject is prachtig, hoor. Maar je zou je aandacht ook eens op luchtiger zaken moeten richten. Op feesten. Dansen. Naar de schouwburg of de concertzaal. Je leeft veel te veel in je werk. En in een vrouwenwereld. Je moet onder de mannen komen. Je bent nog veel te jong om je leven niet met een ander te delen. Kom op, verdien een avondjurk en stort je in het uitgaansleven.'

7

Knalrood was de kampeerbus. Niet bepaald een schutkleur in de natuur. Daarom raakte hij niet verkocht. Het model was overjarig geworden, de aanschafprijs dramatisch gedaald. Een unieke kans voor twee atechnische vrouwen. Een nieuwe auto voor een tweedehands prijs.

Je kon er in koken op een tweepits butagasstel, slapen op een van de twee banken en aan een opklaptafel een regendag overleven. Onder de banken was bergruimte. Er waren wegenkaarten, campinggidsen en allerhande noodzakelijke of handige spulletjes. Aan de ene wand was een kastje, aan de andere zaten haken. Met een volle watertank, wat bij de bezichtiging niet het geval was, liep er 'best een stevige straal' uit het kraantje boven het gootsteentje, en er was een chemisch toilet. Achterop zat een drager voor twee fietsen. Wat wil een mens nog meer.

'Hij dieselt als een zonnetje,' zei Maud. 'Omdat hij niet zo groot is, is hij heel handzaam. Alsof je in een gewone personenauto rijdt. Toe, rij er maar een blokje mee om, dan heb je een idee.'

Alsof ze hoog te paard zat! Het zicht op de weg was geweldig. De wagen was absoluut niet traag en stuurde moeiteloos door haakse bochten.

'Ga nu ook een paar keer achteruitrijden en inparkeren,' zei Maud bij terugkomst. 'Dan hoef je straks niet te piekeren of je er wel goed mee uit de voeten kunt. Dan heb je alvast het gevoel te pakken. Verder-op is het parkeerterrein van het winkelcentrum. Helemaal aan het eind is altijd veel ruimte over. Iedereen oefent daar even met de bus.'

Silke kreeg de smaak te pakken. Ze dieselde eerst een paar rondjes over het terrein, parkeerde toen zo netjes mogelijk in een vak, en stap-te uit om te zien of de ruimte links en rechts zo groot was als ze dacht. Daarna reed ze een rondje achteruit. Het was onwennig om dat op ge-leide van het beeld in de zijspiegels te doen. Het tweede rondje voelde al beter. Ze parkeerde nu achteruit in. Weer controleerde ze. Daarna probeerde ze in de lengte te parkeren tussen een te koop staande auto en een aanhangwagen. Dat ging drie keer helemaal mis. De vierde keer lukte het, maar netjes recht stond de bus niet. De vijfde keer ging het weer helemaal mis, maar daarna ging het steeds perfect. Eigenlijk wil-de ze ook eens proberen of ze misschien met minder ruimte tussen twee voertuigen toe kon. Maar ze wilde niet te lang wegblijven en reed terug.

Maud stond natuurlijk niet meer buiten. Bij de balie van de prak-tijk maakte ze kennis met Hanneke. Een struise vrouw in een vrolijke, veelkleurige trui, met opgestoken grijs haar en een bungelende lees-bril. Ze had amper tijd, net voldoende om Silke veel plezier toe te wen-sen met de bus.

'Dus je vertrouwt hem mij wel toe?' vroeg Silke nog.

Het bevestigende antwoord werd tijdens het weglopen gegeven. 'Vrouwen zijn zo secuur. Dus natuurlijk! En neem voor de gezelligheid gerust een reisgenoot mee.'

Maud en Silke liepen de formaliteiten door. Gezien de drukte voor hun vertrek naar Cambridge, overhandigde Maud de autosleutels meteen, met de papieren en de sleutel van de garage, verderop om de hoek. Silke regelde vanaf de balie de verzekering, en voldeed met bon-zend hart aan het verzoek van Maud om de bus in de garagebox terug te zetten. 'Daar gaan we Kobus,' zei ze een beetje nerveus toen ze de hobbel nam de garage in. Vanaf dat moment zou ze het ding Kobus noemen.

Een kwartier later startte ze met een grijns van plezier haar eigen auto. Die vakantie van haar, die kon best hartstikke aardig worden! Van de weeromstuit kocht ze in een buitensportwinkel voor thuis een overzichtskaart van Nederland en een paar gedetailleerde wegenkaarten om alvast routes uit te stippelen, en ook een knalrood warmgevoerd windjack. Ze pasten prachtig bij elkaar, zij en Kobus.

'Neem voor de gezelligheid gerust een reisgenoot mee,' had Hanneke gezegd. Silke moest er niet aan dénken. Kobus mocht op twee personen zijn berekend, die twee moesten dan wel op elkaar zijn ingespeeld. Zij was op niemand ingespeeld. Op Allard, Paula en Wouter na. Maar Allard was een man voor één nacht en niet voor weekends of vakanties. Dat was in verband met zijn vrouw de afspraak. Paula was nu eenmaal met geen stok tot iets te bewegen dat ook maar naar kamperen riekte. Alleen Wouter zou het grandioos vinden.

Silke belde hem. Ze waren nog altijd elkaars beste vriend.

Hij vond het inderdaad fantastisch, maar kon op zo'n korte termijn onmogelijk een week weg. Hij had wel een kennis, in Nederland, die stapelgek was op dit soort dingen.

'Waar zie je me voor aan?' vroeg Silke. 'Een blind date gaat me echt te ver.' Daar was Wouter het gelukkig mee eens.

'Hoewel Huub een uiterst betrouwbare vent is,' voegde hij eraan toe. 'Tussen haakjes, hij heeft een paar jaar geleden van een oom een gehucht geërfd, ergens in Frankrijk. Schitterend verhaal, vertel ik je nog wel eens. De boerderij erbij heeft hij met een groep kerels opgeknapt, die was trouwens nog in redelijke staat. In de andere huizen, zeg maar ruïnes, komen appartementjes. Als je eens goedkoop met vakantie wilt, moet je me bellen. In het voorjaar gaan ze proefdraaien. Huub vraagt in die periode een krats. De boel is natuurlijk ook nog niet honderd procent klaar. Maar hij wil op die manier de loop er alvast een beetje in krijgen.'

'Moet hij een leuke brochure laten maken,' zei Silke alert. 'Daarin kun je de boel aanlokkelijk beschrijven. Die kerels die hem hielpen, kunnen mooi de brochures onder hun bekenden gaan uitzetten. Krijg je tenminste controle over wie je gasten zijn.'

Wouter had natuurlijk al wel in de gaten dat zijn ex de teksten ervoor wel wilde leveren. 'Slimme rakker,' zei hij. 'Het is een prima idee, dat ik aan hem zal doorspelen.'

'Ach ja,' zei Silke, 'een mens gooit wel eens een visje uit, nietwaar.'

Ze belde voor de zekerheid toch Paula nog.

'Hou op!' riep die uit. 'Natuurlijk voel ik me niet gepasseerd. Ik ga me daar toch niet ongemakkelijk doen in een benauwde kampeerbus terwijl ik hier een prima bed heb, een ligbad en een vriezer vol lekkers. Ieder zijn meug. Moet je nu alleen?'

Zonder het antwoord af te wachten stelde ze de volgende vraag. 'Heb je nu al eens op die relatiesite gezocht?'

'Paula toch...,' zei Silke.

'Je zou het in elk geval proberen. Je hebt het beloofd.'

'Maar het hoeft toch niet meteen? Ik kan toch wel eerst op vakantie gaan?'

Paula schoot in de lach. 'Als je maar niet stilletjes hoopt daar in de bossen de prins op het witte paard tegen te komen, want je weet...'

Of Silke het wist. Dat de romantische gedachte over de liefde op oudere leeftijd achterhaald was. Dat je vooral nuchter moest zijn. Dat je met gedeelde belangstellingen en gelijkwaardige achtergronden al een heel eind kwam.

Tenminste, als de andere partij ook partnerloos was. En hoe zag je dat aan een leuke vent op straat? Hij had toch geen etiket op zijn voorhoofd met 'ik zoek een vrouw' erop? Of met 'sadistische neigingen' of 'gierig behalve met alcohol'. Dat kon je nu zo prachtig op een relatiesite achterhalen.

'Dus...,' besloot Paula haar betoog.

Silke hield haar lachen in.

'Maar, joh, ik heb er helemaal geen behoefte aan om nieuwe mannen te leren kennen. Ik voel me hartstikke happy. Menig vriendin van me is jaloers op me. Want Allard zie ik regelmatig. Hij bevalt me nog altijd prima, en omgekeerd. We worden samen ouder, we hoeven ons er dus ook niet voor te generen. We zijn goed op elkaar ingespeeld. Hoe moet dat met een nieuwe man? We gaan trouwens niet eens altijd naar bed. Soms is het genoeg lekker samen te praten, wat te fantaseren over het leven. Alleen al ons vaste hotel is telkens weer een feest. Geweldig toch?'

'Ja, Allard boft maar met jou,' antwoordde Paula. 'Er zijn trouwens wel meer mannen die met jou zouden boffen. Dat zei Wouter laatst ook nog. Hij is trots op je, dat weet je. Je redt het toch maar. Maar goed, Wouter had het er laatst ook al over dat je eens op internet zou kunnen zoeken naar een leuke vent.'

Silke prees zich gelukkig dat ze haar telefoontjes met Wouter om de kosten wat kort hield. Ze vond het niets om met hem over een nieuwe relatie te praten, hoe goed hij het ook bedoelde. Hij had zich verschrikkelijk schuldig gevoeld over hun gestrande huwelijk. Als hij haar aan de man wilde helpen, deed hij dat vast uit schuldgevoel. En ze was happy!

'Hij heeft nog een website doorgegeven,' zei Paula. 'Ik heb natuurlijk meteen zelf gekeken...'

'Terwijl je intussen met Jozef aanpapt?' interrumpeerde Silke.

'Op mijn leeftijd moet je jezelf meerdere kansen gunnen,' zei Paula giechelend. 'Eerlijk gezegd, ik ben al aan het chatten geslagen. Een enige vent. Vijf jaar jonger dan ik. Voorzitter van een lokale ouderenpartij. We gaan in elk geval wat politieke know how uitwisselen...'

Paula wist al wat ze aantrok bij de eerste niet-virtuele ontmoeting. Het setje van de modeshow. En of Silke al kon zeggen of ze het komende showtje meeliep.

Met een 'vooruit dan maar' stemde die toe. Uitbreiding van haar garderobe kon ze best gebruiken. Kleren maken tenslotte de vrouw. Haar zakenpak bij de afspraak met Maud had tenslotte ook effect gehad: of ze hun praktijkinformatie eens kritisch wilde lezen. Te veel patiënten stelden toch nog vragen, dat was een teken aan de wand. Daarover belde Maud, op de valreep voor hun vertrek naar Cambridge. 'Ik heb een paar van die A4'tjes in de kampeerbus gelegd. We hebben graag je advies.'

Op vrijdagnamiddag waren er altijd wel enkele vrouwen van Ikkanheksen in het zijzaaltje van IJsbrand te vinden. Ze hielden er dan een informeel happy hour. Toen Silke erbij kwam waren ze met z'n tienen. Ze was laat, want ze was opgehouden door de buurvrouw die het afgebroken stuk van het sleuteltje uit het portierslot had gepeuterd. Of Silke haar kon helpen met een condoleancebrief. Ze zat er al de halve middag op te zwoegen en hij moest met de buslichting van vijf uur mee om voor het weekend te kunnen worden bezorgd.

De brief op zich was een peulenschil. Toen Silke erachter kwam wat de buurvrouw gewoon in een gesprekje met de nabestaanden had willen zeggen, was het schrijven zo gebeurd. Maar de buurvrouw moest ook haar hart luchten over het sterfgeval.

Ach, de ene dienst is de andere waard, nietwaar – hoewel die uitdrukking eigenlijk tegen de principes van verstandig zakendoen in gaat. Tegenover arbeid hoort geld te staan, luidt een van de principes. Ruilhandel vindt nu eenmaal geen plek in de debet- en creditkolommen van de boekhouder. Betaal dus gewoon voor een jou bewezen dienst, en laat je betalen voor diensten die jij voor anderen doet.

Betalen? Daar moest je wel geld voor hebben! Garagekosten zijn niet misselijk, om van de huur van een kampeerbus maar te zwijgen. Bovendien was het een fijn idee iets terug te kunnen doen. Dat is toch heerlijk?

'Precies daar zit 'm bij vrouwen de kneep,' zeiden ze bij Ikkanheksen. 'Wij zijn zo gewend dingen voor niets te doen. Dat vinden we fijn. Maar we kunnen er niet van eten...'

Silke moest aan deze discussie denken toen ze naar IJsbrand reed. Nu met de auto omdat ze vandaar naar hotel Reigershof ging, voor een afspraak met Allard. Maar eerst moest ze de ketting van Maria Sofia bij de juwelier ophalen. Moest, inderdaad, omdat op deze vrijdagmiddag de herfstvakantie begon, en ze de volgende dag met Kobus wilde wegrijden. Het was opeens een propvolle middag, typisch voor een kleine ondernemer die op vakantie gaat en zich voor talloze karweitjes gesteld ziet die absoluut eerst moeten worden afgehandeld.

De ketting was letterlijk schitterend geworden. Door de reiniging was heel verrassend in het opengewerkte gedeelte van de hanger de elegante vorm van een lelie zichtbaar geworden. De lengte was nu precies goed. De renovatie was niet goedkoop. Pech voor Silkes door het rode jack al geslonken budget. Het was maar goed dat de juwelier zelf niet in de winkel was. De verleiding om met hem opnieuw over de boekjes te beginnen was te groot geweest...

De al aanwezige vrouwen van Ikkanheksen stonden in drie groepjes te praten. Eén vrouw wurmde zich net in haar jas.

'Hansje, je gaat toch niet weg?' vroeg Silke haar terwijl zij juist haar jas losknoopte. 'Ik wil je wat vragen.'

Ze gingen even apart staan. Silke vertelde over Maud. 'Ze gaat dus starten in aanleg en onderhoud van tuinen. Een type bedrijf dat nog niet bij ons vertegenwoordigd is. Zou jij haar willen introduceren?'

Dat wilde Hansje. Graag zelfs, want ze had nog steeds geen introducé gevonden. Ze krabbelde de gegevens meteen in haar agenda.

'Je kunt haar pas na de herfstvakantie bereiken,' zei Silke. 'Ze gaat met haar vriendin mee naar Engeland.' Ze keek op de klok. 'Als het goed is zijn ze nu vertrokken.'

In een opwelling vertelde ze over Kobus. 'Fantastisch dat ik nu gebruik mag maken van hun kampeerbus. Ik verheug me erop en tegelijk vind ik het ook een beetje eng. Ik heb zoiets nog nooit gedaan, joh.'

Ze vertelde in geuren en kleuren hoe Kobus eruitzag. Een van de andere vrouwen kwam erbij. 'Wat hoor ik jou nu praten over ene Kobus, Silke?' vroeg ze nieuwsgierig. 'Heb je een nieuwe geliefde?'

Een paar minuten later zaten alle vrouwen aan de grote tafel te vertellen over hun ideeën over en ervaringen met kamperen, caravans en campers.

'Wat geweldig trouwens,' zei een van hen, 'dat de ontmoeting met een klasgenote van veertig jaar geleden zoiets tot gevolg heeft. En wat zijn vrouwen onderling toch behulpzaam, tenminste, als ze alleenstaand zijn. Zodra er een partner in het spel is, worden ze afstandelijker. Dan moet die partner opeens toestemming geven, bijvoorbeeld.'

Tegen dat standpunt kwamen protesten, ook van Silke. Dat was nog een leuke kant van Ikkanheksen, dat er over van alles en nog wat discussies konden ontstaan. En óf je daar wat aan had in de grote boze buitenwereld!

'Maar nu ga ik echt naar huis,' zei Hansje. Tegelijk stapten nog twee vrouwen op.

'Ze hebben alledrie iemand thuis die op tijd wil eten,' stelden de achterblijvers vast. 'Wij boffen maar, wat jullie?'

Toen de geestdriftige adhesiebetuigingen waren verstomd, kwam het gesprek op de keerzijde van het leven van deze boffers: eenzaamheid op ongewenste momenten. Daardoor vroeg Silke hoe ze dachten over het zoeken van een partner via relatiesites.

Het frappante was dat op Silke na, alle aanwezige vrouwen regelmatig naar mannen shopten, zoals een van hen het uitdrukte. Een leuke vent, die begeerde je als vrouw van deze tijd nu eenmaal! Ze proestten het uit om de buitenissige eisen en wensen die een van de vrouwen op de site had opgesomd.

Of ze wel eens reacties kreeg?

'Regelmatig,' luidde het antwoord. 'Maar dan zijn die mannen bijvoorbeeld toch rokers, terwijl ik duidelijk een niet-roker vraag. Of ze willen niet samenwonen, wat ik wel weer wil. Ik heb mijn bekomst van dat lat-gedoe. Maar, Silke, zeg eens eerlijk, ga je toch een vaste partner zoeken?'

'Die heb ik toch al?' grapte Silke. De vrouwen waren allemaal op de hoogte. 'Het wordt trouwens tijd voor me om te gaan. We hebben een afspraak en of de liefde nu door de maag gaat of anders... minnaars willen ook niet moeten wachten...'

Ze lachte er zelf hartelijk om. Meestal was zij degene die wachtte. Allard moest altijd de vrijdagmiddagfiles trotseren om haar te bereiken. Nou, niet alle vrijdagmiddagfiles. Ze spraken maar eens in de drie of vier weken af.

'Silke, intussen heb je mooi een antwoord op mijn vraag kunnen ontwijken,' zei de vrouw van daarnet. 'Zoek je een vaste partner? Voor de draad ermee!'

'Welnee, ik zoek absoluut geen man!' riep Silke uit. 'Maar mijn ex-schoonmoeder zit me ermee achter de vodden. En die heeft het weer van mijn ex. Van de weeromstuit is ze zelf aan het chatten geraakt met een politieke geestverwant. Ze is intussen wel tachtig.'

Daardoor raakte het gesprek op de huidige levensverwachting voor vrouwen. Maar voor de conclusie getrokken zou worden die Silke voor zichzelf al honderden keren had getrokken, namelijk dat je met de tweede helft van je leven écht iets leuks moest doen, was ze opgestaan en had ze iedereen gedag gezegd. Allard mocht vaak te laat komen, zelf wilde ze bijtijds in Reigershof zijn. De overgang van de realiteit van alledag naar een intiem samenzijn moest vloeiend zijn. Een warming-up voor de dingen die komen gingen.

Silke kon de weg naar Reigershof intussen wel dromen. Eenmaal op de buitenweg ging het na de brug over de ringvaart rechtsaf. De dijk die daar ontsprong, was hoog en smal en volgde de ringvaart van de droogmakerij. Het riet stond er hoog, de pluimen wuifden tegen het avondrood van de hemel. Het was als altijd een feestelijke rit. Ze passeerde twee dorpjes; in het ene boog het weggetje van de dijk af om de kerk heen en kwam het na een paar honderd meter weer terug op de dijk. In het andere leek het te eindigen op het parkeerterrein van een café dat in de zomer doel was van horden fietsers. Daar moest Silke met auto en al met een veerpontje oversteken. Omdat er maar twee auto's tegelijk op konden, moest ze er vaak een poosje wachten. Aan de over-zijde lag laag in de polder hotel Reigershof. Het was allemaal heel idyl-lisch.

Allard kwam altijd van de andere kant, die heel wat minder idyl-lisch was. Dat kon Silke trouwens ook doen, dan hoefde ze niet met het pontje over, maar het was een ontzettend eind omrijden over een ake-lig drukke verkeersweg met veel files, een weg waarop veel ongelukken gebeurden door ongelijkvloerse kruisingen.

Reigershof was zo'n vijf jaar geleden gerestaureerd. Voor het een hotel was, zetelde er een of ander polderbestuur. Het had grandeur, het was in vroeger eeuwen gebouwd door patriciërs uit de hoofdstad die het als buitenplaats gebruikten. Nu behoorde het tot een groep tamelijk chique hotels met gerenommeerde keukens. Het was omringd door oude eiken, waarin sinds jaar en dag in het voorjaar een reigerkolonie huisde. Een deel van de oprit was overdekt met rietmatten omdat er te veel klachten waren over uitwerpselen op auto's of kleding.

Allard had dit hotel destijds uitgekozen. Hij was bepaald niet onbemiddeld. Hij haatte namaak, betaalde liever meer voor echt. Eerst vond Silke zijn keuze veel te bont. Maar toen ze hoorde dat dinergasten er gratis konden overnachten, was ze gezwicht. Samen eten zouden ze toch doen. Een minnaar is één, sfeer is nummer twee. Zonder sfeer zou ze nooit of te nimmer aan het minnen raken.

Ook nu werd ze bij de receptie vriendelijk en vooral correct begroet. Het was altijd Allard die de kamer reserveerde, en steevast was de boeking prima in orde. De kamer wisselde wel eens, maar meestal was het er een aan de achterzijde, met balkon en uitzicht over de tuin met boomgaard. Ook dit keer was dat het geval.

Silke nam de kamersleutel aan en liep de trap op. Die kraakte een beetje, en om de hoek naar de eerste verdieping geurde het altijd ouderwets naar viooltjes. Een aangenaam gevoel van geborgenheid gaf dat, bij elk bezoek weer.

Ze hing meteen de rok van een mantelpak aan een hanger. De stof kreukte gauw, maar viel door de coupe mooi sluik over haar billen. Ook hing ze het bordeauxrode topje op, dat eigenlijk bij een ander pak hoorde. Maar de lage halslijn ervan flatteerde haar en omdat het precies tot aan haar middel reikte, accentueerde het haar taille. De fijne zwarte panty, de pumps en het eveneens bordeauxrode setje van beha en slipje liet ze rustig in de tas. Wel zette ze alvast het van Allard gekregen verrukkelijk geurende badschuim op de rand van het bad. Het was van een exclusief merk. Ze had dan ook verontwaardigd geprotesteerd, maar was bezweken voor zijn smeekbeden. Hij vond het nu eenmaal heerlijk zo'n 'kleinigheidje' mee te nemen. Zijn vrouw was wars van verwennerijen. Hem bracht het in een aangename stemming. Het rationele, zakelijke verdween door zo'n wolkje parfum uit zijn gedachten, zei hij.

De telefoon ging over.

'Uw man is gearriveerd, mevrouw,' meldde de receptie. 'Kan hij boven komen?'

'Jazeker, dank u wel,' antwoordde Silke met een uitgestreken gezicht. Ze schonk snel de witte wijn uit de kamerbar in glazen, en brak een zakje kaaskoekjes open.

Allard vroeg altijd bij de receptie of zijn vrouw al gearriveerd was. Het 'jazeker' leidde tot zijn verzoek om haar even te informeren dat hij eraan kwam. Die manier van doen stond Silke wel aan. Ze vond hun afspraakjes daardoor nooit goedkoop of ordinair. Anders was ze er ook niet aan begonnen.

Ze had het hele idee van een minnaar destijds goed uitgedacht. Het advertentietekstje dat ze opstelde voor de rubriek 'kennismaking' in een tijdschrift voor academici, was maar voor één uitleg vatbaar. Twee reacties erop had ze desondanks niet vertrouwd. Allards reactie kwam laat, hij was voor de zaak op reis geweest, maar paste perfect. Uitvoerig overleg met zijn vrouw was gevolgd, hij wilde niets achter haar rug om doen. Het feit dat Silke absoluut ongebonden wilde blijven en alleen een minnaar zocht, had voor hem de doorslag gegeven. Ook hij wilde geen verbintenis. Hij wilde zijn vrouw niet kwijt, ze was zijn compagnon in de zaak. Ze waren uitstekende team players, maar geen minnaars. Seks hadden ze al jaren niet meer. Het interesseerde zijn vrouw geen fluit. Het hele gedoe kon haar gestolen worden. Dat was klare taal. Hij dacht er anders over, en dat respecteerde ze.

Een kort klopje op de kamerdeur.

'Hallo,' zei Silke. 'Kom binnen.'

9

Bij hun eerste ontmoetingen in Reigershof hadden Silke en Allard helemaal niet gevrijd. Ze genoten wel van heerlijke diners, dronken verrukkelijke wijnen en tafelden lang na. Ze vertelden over hun werk, en wisselden meer en meer uit over het hoe en waarom van de situatie.

Minnaar en minnares te zijn, ze vonden het maar wat.

Het was toen zomer en ze waren allebei 'nog maar' vijfenveertig. Net zomin als Silke een verleidster was, was Allard een charmeur. Dat ze voor hun behoeften uitkwamen, was al heel wat. Ze zochten de gulden middenweg tussen toneel en spel, tussen lust en sympathie, tussen fantasie en realiteit. Ze vonden het in principe maar raar en hoopten er aan te wennen. Het zou van lieverlee wel makkelijker gaan.

Dat zei Silke pas jaren later tegen vrouwen als het gesprek erop kwam, dat het zoeken was. Haar hart lag immers bij Wouter. Ze hield van hem, maar wist dat ze in de praktijk van alledag uit elkaar zouden groeien. Vrijen ging bijvoorbeeld helemaal niet meer, terwijl ze vóór Wouters coming-out gezelligheid in bed hadden gekend. Geen passie en geen nachtenlange vrijpartijen zoals met Eelco, maar gezelligheid, met grappen en plezier.

Allard vertelde ze er in die eerste ontmoetingen over. Van de sfeer met kaarsen in de vensterbank, gitaarmuziek, wijn en grapjes over vrijen bij kabouters, met puntmutsjes op en laarsjes aan, met nette, lange baarden voor hun blote kabouterlijfjes, de vrouwtjes met appelwangetjes en vast wel fiere borstjes.

Zo te praten leidde tot praten over wat ze wilden of verwachtten. Over afkeer, weerstand en walging ging het daardoor als vanzelf.

Dat begin was bepaald niet spannend of gepassioneerd. Maar het was goed dat het zo ging. Want verliefd verkennen, strelen, zoenen – dat deed je met een iemand die niet je liefste was toch niet?

Op een tropisch warme dag waren ze na aankomst eerst maar wat op bed gaan liggen bijkomen van de hitte. Door de open balkondeuren kwamen feestgeluiden vanuit de tuin. Baden en eten moesten ze nog. Eigenlijk leek het of zij tweeën waren ontsnapt uit een verplicht familiefeest, daar beneden. Ze waren gaan fluisteren en daardoor dichter bij elkaar komen liggen. Zij had zijn warmte gevoeld, hij haar parfum geroken. Stil had hij over haar zomerjurk heen haar lichaam geliefkoosd. Ze had hem daarvoor vanuit haar hart met kussen bedankt. Op dat moment hadden ze beiden geweten met elkaar te kunnen vrijen en dat het na bad en douche gebeuren ging. Het was ook niet belangrijk meer of ze voor elkaar nu wel of geen goede minnaars waren. Het was het proberen waard.

Kaarsen waren er niet op de hotelkamer, wel leeslampjes aan het hoofdeind die naar het plafond gericht konden worden. Ook aan gitaarmuziek ontbrak het, of de easy listening die overal in het hotel weerklonk en die je op de kamer kon inschakelen, moest het toevallig ten gehore brengen. Allard bestelde bij de kamerreservering een mooie fles wijn voor de kamerbar, en kaaskoekjes voor de eerste trek. En voor 's avonds laat bonbons en cognac.

Zo was er een vast patroon ontstaan, dat door de ingebouwde beloften verlangend maakte.

Na de wijn, en voor ze gingen eten, ontspande Silke in het exclusief geurende schuimbad. Allard zat op de badrand, ze praatten wat, tot het water koel werd en Allard een douche nam terwijl Silke zich aankleedde met bordeauxrode lingerie, een zijdezachte panty en hoge hakjes. Vrouwelijker dan anders. Eleganter. Luchthartiger, maar wel degelijk zichzelf.

Ook nu ging het zo. De douche kletterde. Silke stond voor de spiegel, in bordeauxrood. 'Ook nu nog mooi,' hoorde ze Maud zeggen, en dit keer wuifde ze het niet weg. Ze zag er goed uit, door het milde licht en haar ontspannen uitdrukking. Oké, duidelijk een vrouw in haar fifties. Met een rechte houding en gewelfde lijnen, waar de liefde nog bij hoorde – voorzover de liefde de mens ooit verlaten moest.

Ze knipte de spot boven de kaptafel aan en maakte haar ogen zwaarder op dan anders. De eveneens bordeauxrode lippenstift stond sensueel. De ketting van Maria Sofia liet een centimeter huid vrij boven de halslijn van het topje. Zo zou Maria Sofia hem nooit hebben mogen dragen. Moderne, geëmancipeerde vrouwen wel.

Vanuit de douche klonk niet langer het klateren van water. Silke knipte de spot uit, schonk de twee wijnglazen bij en liep ermee naar de badkamer. Nu was zij het die op de rand van het bad zat. Allard wreef zich stevig droog. Ze knikte naar hem. 'Opgeknapt?'

Hij verdeelde een dot scheerschuim over zijn gezicht. Terwijl hij zich scheerde, vertelde hij over een jubilaris op de zaak, die hij *à l'im-*

proviste had moeten toespreken omdat hij het glad vergeten was, wat hem in zijn hele loopbaan nog nooit gebeurd was. Na een korte stilte vertelde hij wat hij er zo'n beetje van gebakken had. Sommige woorden klonken wonderlijk omdat hij zijn mond strak naar een bepaalde kant moest houden. Ze moesten er om lachen. Het leek vertrouwd. Ze pakten hun glas, knikten elkaar met een lach toe en dronken.

Bij hun eerste ontmoetingen had Silke gezocht naar het antwoord op de vraag of ze hem eigenlijk wel aantrekkelijk vond. Zou hij haar op straat zijn opgevallen? Hij was niet groot en een beetje gezet. Geen type waar ze op was gevallen, ook al door zijn wat professorale gouden brilletje. Wat leuk aan hem was, was zijn haar. Het was bijna wit, maar erg stevig met een slag. Nu was zijn uiterlijk vertrouwd. Aantrekkelijkheid deed er niet zo toe. En het was makkelijk dat ze samen verouderden.

Ook toen hij zich aankleedde, keek ze toe. Hij ging goed gekleed, dat zou haar in het straatbeeld zeker zijn opgevallen. Nu droeg hij een modern gesneden pak met een lichtblauw shirt. Klassiek en correct maar niet saai. Zij tweeën pasten uiterlijk goed bij elkaar. Ze konden werkelijk het lang gehuwde echtpaar in goede doen zijn dat Allard met zijn wettige vrouw vormde – dat regelmatig de zware werkweek afsluit met een etentje op niveau, dat geniet van zogenaamde plezante rust omdat ze na het diner blijven slapen, dat zich vanzelfsprekend niet ook maar een fractie verliefd gedraagt. Het was oersaai en degelijk, maar zo leefde Allard met zijn vrouw werkelijk. De gelijkenis in Reigershof met Silke was treffend – tot de hotelkamerdeur achter hen dichtviel.

Nu hield Allard de deur juist voor Silke open. Toen ze langs hem schoof, legde hij zijn hand op haar schouder. 'Je ruikt zo lekker.'

Er werd hemels gekookt in Reigershof. Ze aten ook nu genietend, als warming up voor de zintuigen. Zoet en zuur, knapperig en zacht, romig en scherp. De stemmen om hen heen, het flakkerende kaarslicht en gerinkel van bestek en glazen weefden met al die smaken een fluwelen cocon waarin beiden verzachtten. Hun weerbaarheid maakte plaats voor openheid en dat weer tot kleine bekentenissen. Zoals die van Allard, dat zijn secretaresse hem om haar vinger kon winden, en van Silke dat ze blij was hem nooit bij haar thuis op een diner te hoeven trakteren omdat ze niet van koken hield en het ook niet echt goed kon.

Tijdens het wandelingetje terug door de lounge, waar ze een nieuw opgehangen expositie van schilderijen bekeken, lag Allards arm wel over Silkes schouder. En nog steeds toen ze langs de receptie de krakende trap op gingen naar de gang van hun kamer. Bij de geur van viooltjes keken ze elkaar met een blik van verstandhouding aan. 'Fijn, straks.' Soms zei Silke dat, soms Allard.

Nog altijd lagen ze na het diner eerst graag gewoon samen wat op bed. Soms bleef het daarbij, zoals Silke tegen Paula had gezegd. Dan was zij moe, of Allard, of hadden ze gewoon te veel aan hun hoofd. Maar meestal kwamen ze na een poosje dichter bij elkaar liggen, streelde een hand haren, was er een ademtocht vlakbij.

Nu was Allard de ketting van Maria Sofia opgevallen. Hij steunde op een elleboog terwijl hij de hanger oppakte. Zijn hand raakte Silkes huid. 'Een lelie,' zei hij verrast. 'Dat is tegen het licht in te zien.'

Silke zei niets meer over haar overgrootmoeder en de juwelier, de wijn, het bad en het diner hadden haar loom gemaakt, en de aanraking van Allards hand verlangend. Hij vleide de hanger terug op haar borst.

'Hm, je aanraking...,' zei ze zacht.

Hij begreep het, liefkoosde haar borst en kuste haar lippen. Alleen fluisterde hij dit keer niet dat hij het steeds weer heerlijk vond dat ze alle tijd, ja, alle tijd van de wereld hadden. Wat gaf het, zijn hand gleed over haar hals en weer over haar borst naar het kanten randje van die bordeauxrode beha. Ze rekte zich vol welbehagen uit. Ze wist precies wat ze wilde: warme lippen fluisterend langs haar borsten en vermeiend bij haar tepels, terwijl een hand over haar bil gleed, naar haar heup en buik om te verdwijnen bij de binnenzijden van haar benen. En wat meer was, ze wist dat hij dat wist.

10

Pas toen Silke met de kampeerbus op de Afsluitdijk reed, waagde ze het erop auto's te gaan inhalen. Het was zaterdagmiddag, tegen half vier.

Vrachtverkeer was er nauwelijks, en druk was het ook niet. De meeste herfstvakantiegangers moesten al op hun bestemming zijn aangekomen.

Maar ontspannen achter het stuur zat ze bepaald niet. Zo zelfverzekerd als ze zich na het proefrijden had gevoeld, zo nerveus was ze geweest toen ze Kobus uit de garage reed. Opeens leek het een waagstuk om in haar eentje aan de andere kant van het IJsselmeer rond te gaan zwerven over onbekende wegen en in een onbekende bus op onbekende plaatsen te gaan slapen. Als ze maar geen ongeluk kreeg. Als ze maar geen brokken maakte!

Kwam het omdat Allard haar 's morgens bij het afscheid zo bezorgd had aangekeken, alsof hij haar iets ernstigs moest zeggen. Vond hij het overnachten op campings misschien geen goed idee?

'Wat vind je ervan?' had ze tegen beter weten in gevraagd. De afspraak was immers dat ze zich niet inlieten met andere aspecten van elkaars leven.

'Niets...'

Een logisch antwoord. Maar was er echt in zijn blik te lezen geweest dat ze maar een vrouw-alleen was met die bus? En vragen als of ze wel technisch genoeg was om eventuele stoornissen te verhelpen? Of ze wel bij familie of buren een lijstje met plaatsnamen zou achterlaten van de route, plus het kenteken van de bus? Of ze wel hun telefoonnummers bij zich had voor noodgevallen?

Vervolgens die buurman van verderop op het Hofmanslaantje, toen ze haar spullen inlaadde. Mooie bus vond hij. Veilig op de weg, dat knalrood. Zelf zou hij gek worden van dat rood in zijn blikveld, duizelig op z'n minst. Dat scheen een normale fysiologische afweerreactie te zijn van het lichaam, had hij eens gelezen. Door de associatie die de hersenen maakte met stromend bloed. De camper van een kennis was trouwens op klaarlichte dag opengebroken en leeggeroofd. Bij een andere kennis waren eerst de banden lek gestoken. Dat was in Spanje, maar toch. Die kennis had niet meer weg kunnen rijden toen die criminelen hem zogenaamd beleefd vroegen zijn paspoort, geld en pinpassen af te geven.

Op dat moment had Silke onverschillig, schouderophalend geluisterd. Maar toen de snelweg naar het hoge noorden door zijn verdwijnen in de horizon genadeloos duidelijk aangaf dat de onbekende verten de komende dagen haar thuisland zouden zijn, sloeg de onzekerheid toe.

Waar was ze aan begonnen, een vreemde bus met onbekende inhoud en hoogstwaarschijnlijk onbekende kuren? Dat dieselde maar onbewust van zijn noodlot voort, dat reed maar door en door en door. Dat sloeg maar links en rechtsaf, ging bochten in en uit, en trok op bij verkeerslichten alsof er geen gevaren bestonden. Hij was als een argeloos kind dat huppelend en zonder nadenken haar instructies opvolgde. Ze moest hem voor onbezonnenheden behoeden, hij vertrouwde op haar, ze was verantwoordelijk!

Toen haar hart door dat soort gedachten begon te bonzen, en haar spieren zich spanden tegen het vermeende gevaar, had ze zich moeten vermannen. Het leek verdorie wel of haar kaken in beton gegoten waren, haar borstkas in een kuras gevangen was en haar kuiten in ijzeren kokers zaten!

'Ophouden met dat gedoe,' riep ze uit. 'Je laat je opjutten door een nitwit van een buurman, die waarschijnlijk zelf overal hartstikke bang voor is. En wat leg je Allard allemaal wel niet in de mond? Je fantaseert, dat vergeet je nu even... Ontspan, denk aan dat zalige vrijen, je zult er echt niet door van de weg af raken.'

Het hielp geen zier. De stap van overal loerende gevaren naar vrijwarmte in bed was te groot.

O hemel, in de krant had laatst een artikel gestaan over een serieverkrachter ergens in Groningen of Drenthe. Had ze het nu maar niet gelaten bij die ene proefles zelfverdediging na dat akkefietje met die jogger, dan was ze veel weerbaarder geweest. Nu mocht die serieverkrachter een type zijn dat het had gemunt op prostituees en vrouwen in blote zomerkleding, maar ook in dit seizoen zou hij natuurlijk zijn lusten moeten botvieren; zo'n krankzinnige kon zo'n als een vulkaanuitbarsting oplaaiende drang toch niet tegenhouden, dat was toch juist het probleem?

'Poeh,' blies ze verhit. 'Help, wat nu...'

Ze hoorde zichzelf praten en moest nerveus lachen.

'Tjonge jonge,' zei ze voor zich uit in de lege bus, 'wat zit ik mezelf op te jutten. Ik krijg er helemaal ouwe trouwe opvliegers van.'

Opeens herinnerde ze zich een foefje, afkomstig van alweer een avond bij Ikkanheksen. 'Als je bang bent overdrijf dan de gevaren. Overdrijf je vermeende onvermogen. Kijk eens wat er gebeurt. Voor je het weet krijg je de slappe lach om je eigen angsten.'

Maar humor leek op dit moment het noodlot te kunnen tarten. Bloedserieus was Silke. Zo onrealistisch waren de gevaren toch niet? Iets anders was dat ze wel eens een beetje om zich heen mocht gaan kijken. Wat had ze nu van het landschap gezien?

Ze keek even naar links en naar rechts. Omgeploegde akkers. De oogst was dus binnen. Dat was dat.

'Nee, niet, dat is dat,' zei ze opeens voor zich uit. 'Die adviezen worden niet voor niets gegeven. Kom op, overdrijf!'

Ze dacht even na. Toen schraapte ze haar keel, wat gek klonk in de bus, zo in haar eentje.

'Die serieverkrachter heeft het in dit seizoen natuurlijk gemunt op vrouwen in rode bussen en rode jacks,' begon ze. 'Waarom, wilt u weten?'

Ze haalde haar schouders op. 'Dat is toch logisch! Rood is het symbool van de prostitutie. Als vrouw in het rood ben je een gevaar voor de man. Een vrouw in het rood in een rode bus dient daarom als levensgevaarlijk beschouwd te worden, ze moet onmiddellijk worden geliquideerd.'

Er kwam een pril begin van een scheef lachje omdat ze zo dwaas zat te doen. Het was maar goed dat niemand haar hoorde.

'De kans is groot dat hij aan het andere eind van de Afsluitdijk op de uitkijk staat. Geen vrouw in het rood ontgaat hem, hij voelt ze gewoon door bepaalde trillingen in de atmosfeer waarvoor alleen hij gevoelig is. Hij volgt rode vrouwen met de extreme behendigheid en sluwheid van zijn lusten. Geen enkel slachtoffer nog is aan hem ontsnapt. En hij jaagt helemaal vrouwen zoals ik in de val, vrouwen met een minnaar voor de lust. Vrouwen die een man verstrikt hebben in een web van seks. Dus, meid, dwars door de vangrail en rechtsomkeert!'

Het scheve lachje werd een grijns.

'Verbeeld je trouwens maar niet dat je ongeschonden thuiskomt. Je zult je noodlot niet ontkomen. Scharende vrachtwagens met brandbare chemicaliën. Een vloedgolf uit het IJsselmeer die alle auto's wegspoelt. Een spookrijder of op de tweebaansweg naar Harlingen gewoon een tegenligger die een inschattingsfout maakt bij het inhalen. Plotseling invallende ijzel of mist. Mijn liefje, wat wil je nog meer? Het noodlot regisseert graag zwarte nachtmerries, niets aan te doen, kome wat komen moet, geef je over.'

Opeens gleed de spanning weg. In plaats van de slappe lach rondde een diepe zucht de zaak af. Het drong tot haar door dat de zon scheen. Dat het asfalt van de Afsluitdijk veilig gebaand, gortdroog en bijna leeg voor haar lag. Een meeuw wiekte een stukje mee, tot ze meer gas gaf en hij richting IJsselmeer afzwenkte. Daar lag volmaakt, zoals het hoorde, een vissersboot voor anker. Er dobberden honderden kleine donkere eenden en groepjes zwanen, en aan het eind van de dijk stond de brug open. Masten van grote zeilschepen voeren boven de kademuren langs richting Waddenzee. Wat was ze een gelukkig mens dat ze dit allemaal mocht meemaken.

Een stuk voorbij het Lauwersmeer was de camping. Een gebruiker van de bus had hem met veel uitroeptekens in het gastenboek aanbevolen. 'Ontzettend aardige jonge eigenaren. De hartelijkheid zelf. Altijd in voor een praatje of advies. Je kunt er van alles eten, van nasi via stamppot tot eendenborst met stoofperen. Er is nieuw sanitair. Je kunt er kano's en fietsen huren. Doen dus!'

Zelfs in de invallende schemering was het een peulenschil om de camping te vinden. Kilometers van tevoren stonden er richtingbordjes. Bij de ingang brandden lantaarns ook al was dat nog niet echt nodig. Het was een kwestie van parkeren en tien meter lopen naar de ingang. In de receptie zat een jonge vrouw administratie te doen.

'Welkom,' zei ze. 'U boft, het is ondanks het jaargetijde gezellig druk dit weekend. Een motorclub sluit traditioneel het seizoen af. Dat doen ze altijd hier. We hebben nu zo'n kleine veertig gasten. Vanavond zit de hele club in het restaurant, dus u hoeft niet alleen te gaan zitten eten. Kom er lekker bij, een paar van die motorjongens vormen een *country-bandje*.'

Intussen legde ze een plattegrond op de balie. Ze wees aan.

'Dit is het terrein voor campers en caravans. Op een paar vaste gasten na is het leeg. Als ik u was, ging ik daar staan.' Ze wees een plek aan. 'U staat dan in het zicht van ons woonhuis en om de hoek is het toiletgebouw. Dat is lekker als je alleen bent.'

Ze kwam achter de balie vandaan.

'Wat staat dat sjaaltje in uw haar trouwens apart. Ook handig. Mijn haar valt ook altijd zo voor mijn gezicht, ik wilde het al laten afknippen. Maar kijk,' ze wees de gang in, 'aan die kant is het restaurant. Als u de tafel daar links in de hoek neemt, overziet u alles. Zal ik er een bordje met GERESERVEERD op zetten? U zit daar lekker apart en hoort er toch echt bij. Ik ga zelf ook bijna altijd alleen op stap, mijn man en ik kunnen vanwege dit bedrijf nooit samen, en vriendinnen willen of mogen niet buiten het seizoen, en we zijn het hele jaar open. Dus ik weet hoe je je als vrouw-alleen kunt voelen. We hebben boerenkool met worst vanavond, dame blanche toe, ik zou dus echt maar niet zelf gaan koken.'

Dat was Silke nu juist vanwege de kosten wél van plan. Soep uit een zakje vooraf, een bonenschotel uit blik als hoofdgerecht en een appel toe.

Op haar gemak gesteld door de gezellige kletstante die de eigenares van de camping was, verkende Silke voor het helemaal donker werd de camping. Ze inspecteerde het toiletgebouw, liep langs het haventje waar de kano's ondersteboven op de kant lagen en toen weer terug naar Kobus omdat er in het donker niets meer van het landschap te zien was dan wat verre lichtjes.

Ze legde een van de A4'tjes met praktijkinformatie van Hanneke en Maud klaar, en ontkurkte een fles wijn. Ze dronk zichzelf toe. Het leek praktisch om alvast de benodigdheden voor de maaltijd klaar te zetten. Maar die stonden eigenlijk al voor het grijpen. Ze las het A4'tje door en vond het knudde. Ze pakte een provinciegids en legde hem weer weg. Buiten was het nu donker. Ze sloot de roodwit geblokte gordijntjes. Daar zat ze dan. Een autoradio was er niet, wel een los dingetje, zo groot als een pakje sigaretten, met een blikken geluid. Ze zocht naar muziek en zette het schel krakende ding weer uit. Ze overwoog een tweede glas te nemen en deed het nog maar niet.

Ze corrigeerde wat in het A4'tje. Daarna keek ze eens rond. Opende en sloot een kastje. Zette de klep van de andere bank omhoog en bekeek het paar modderige overschoenen dat eronder stond op een oude krant. Ze sloot de bank en ging weer zitten. Het was nog geen tijd voor een tweede glas. Ze haalde haar schouders op en schonk een half glas. Ze sloeg het achterover en ging op de andere bank zitten. Vandaar kon ze de wijzerplaat van de wekker zien. Ze vergeleek het met haar horloge: de wekker liep achter.

Buiten klonken stemmen. Waren het leden van de motorclub die naar het restaurant liepen? Ze gluurde tussen de gordijntjes, maar zag niets. Er klonken nog meer stemmen. Er werd geroepen en gelachen. Het leek bij het toiletgebouw vandaan te komen. Die clubleden gingen natuurlijk eerst plassen en zich opfrissen voor de avond met boerenkool en worst.

Het water liep haar in de mond. Boerenkool en worst. IJs met warme chocoladesaus toe. Dat was nog eens andere koek dan bonen en een appel.

Weer werd er gelachen. Ze stapte naar buiten en liep om de bus heen. Inderdaad, bij het toiletgebouw stonden mensen. Ze stapte weer in. Op dat moment realiseerde ze zich wat ze deed. Wat een afschuwelijk oud wijf was ze met haar gluren. En dat na nog maar een halve dag van huis te zijn. Wat moest dat wel niet worden.

Ze trok de deur achter zich dicht en ging zitten. Veel meer mogelijkheden waren er overigens niet. Voor gewoon rechtop staan was de hoogte net te gering. En om te gaan koken was het nog steeds te vroeg.

Koken? Noemde ze het overgieten van poeder uit een pakje en het opwarmen van de inhoud van een blik koken? Binnen vijf minuten kon het op tafel staan.

Ze schonk haar glas nu maar gewoon vol. Tenslotte had ze vakantie. Haar blik viel op het spiegeltje aan de tegenoverliggende wand. Met uitgerekte nek kon ze erin kijken. Ze monsterde het sjaaltje. Dat stond dus apart. Maar die lok moest er af. Komende week kon ze wel eens naar een kapper gaan. Daar had ze nu alle tijd voor.

Zeeën van tijd zelfs. Heerlijk toch? Eindelijk weer eens uitgebreid de krant lezen, beetje uitslapen, snuffelen in onbekende winkelstraatjes.

Ze bekeek uitgebreid het scherm van haar mobieltje. De juffrouw van de voice mail meldde dat er geen berichten waren. Er waren ook geen sms'jes. Het leverde een onbestemd gevoel op, dat ze niet kon plaatsen. Kom op, ze kon dat A4'tje wel even herschrijven.

Maar ze haalde de weekendkrant tevoorschijn die ze van huis had meegenomen. Het lamplicht was niet om over naar huis te schrijven. Ja, schrijven, dat zou beter gaan dan lezen. Ze vouwde de krant op. Bij de balie verkochten ze ansichtkaarten. Maar ze kon toch niet na een halve dag al kaarten versturen? Noodzaakte een vakantie van een week überhaupt tot het sturen van een groet?

'Pfft,' blies ze. Was er verdorie wéér een opvlieger. 'Dan toch maar dat A4'tje...'

Opeens veerde ze op. Een reisjournaal! Dat was een idee! Ze deed een greep in het vakje rechts en trok het schrijfblok tevoorschijn dat ze erin had gestopt, en vervolgens deed ze een greep naar links waar haar tas stond, en haalde er een pen uit. Goed idee. Briljant idee. 'Via Maria Sofia' schreef ze als titel op het eerste vel.

Hoe betekenisvol die titel was, besefte ze niet toen ze het stukje tekst later teruglas, haar wijnglas onder het waterstraaltje afspoelde en de kurk terugduwde in de fles. Een mens kan toch niet in de toekomst kijken? Een halfuur geleden had ze toch ook niet gedacht dat ze opeens zonder enige aarzeling met haar toiletspullen onder haar arm naar het toiletgebouw zou lopen om zich op te frissen voor een maaltijd van boerenkool met worst en dame blanche toe?

11

Tjonge, het werd een gezellige boel in het restaurant van de camping. Dat stel motorjongens kon er wat van met hun country and western. Toen zij muziek maakten, begonnen er wat meiden te dansen. De rest kon toen ook de voetjes niet meer stilhouden. Het werd wildwest daar in het restaurant, jong en oud danste er rond, met of zonder partner. Silke kon moeilijk achterblijven. Ze probeerde of ze mee kon met iets woests dat leek op de charleston, maar als een scheidsrechterfluitje één keer snerpte, wisselde je met de man of vrouw rechts van je, bij tweemaal snerpen links. Daardoor miste Silke steeds een man die naar haar smaak qua uiterlijk hoog scoorde. Hij moest jonger zijn dan zij. Knappe bruine kop, kaalgeschoren. Lekkere lengte en leuk leren jack. Toen de vrouwen een man mochten uitkiezen, stapte ze op hem af.

'*Hi boy*,' zei ze lichtelijk onder invloed van de wijn en de flitsende westernstyle, '*come on and dance with me.*'

Belachelijk. Dat had je er nu van als je al vroeg in de avond met wijn begon, en ermee doorging, ook na het eten. Ze giechelde, ze zou die vent toch nooit meer terugzien.

Daar leek die vent alleen heel anders over te denken. Hij heette Richard en voelde zich vereerd dat ze hem had uitverkoren. Hij was al heel lang gescheiden, vertelde hij meteen al. Ook dat het leek of hij een flierefluiter was als vrije jongen op zijn ouwe trouwe Harley, maar hij miste toch heel erg een eigen wijfie. Een gezinnetje met *kids* was zijn droomwens. Nu was de ellende dat hij niet meer hoefde te werken, dan vereenzaamde je. Maar ja, hij was nu eenmaal binnen. Op het schip met geld lag hij voor anker, al jaren. In zeer korte tijd had hij afschuwelijk veel geld verdiend met de huizenhandel. Helaas, met geld kocht je geen vrouwtje. Dat had hij wel door. Ook als vrouwen juist om zijn geld op hem afkwamen. Maar zij, 'de vrouw met de lekkerste kont die hij ooit had gezien', wist niets van zijn rijkdom af. Zij was op de mens in hem afgestapt. Dat was een teken van boven. 'Want, kijk, ook puppy's kiezen hun eigen baasje...'

Silke had al spijt als haren op haar hoofd.

Waar ze woonde, wilde hij weten. En was het niet handig als hij haar telefoonnummer had voor het geval ze pech kreeg met die bus? Al was het bij nacht en ontij, ze kon hem altijd bellen.

Acuut stond Silke stokstijf stil. Richard vergat van schrik haar weer in beweging te brengen.

De batterij van haar telefoon! Ze had er geen seconde aan gedacht dat de batterij van haar telefoon leeg zou raken. Dát had het onbestemde gevoel veroorzaakt toen ze het scherm ervan bekeek. En het netkabeltje lag thuis. Terwijl ze voor opdrachten bereikbaar moest zijn.

Ze stampvoette. 'Wat ben ik stom!'

Van kwaadheid zei ze wat er aan de hand was. 'Mobieltje. Netkabel vergeten. Batterij raakt natuurlijk leeg. Stom, bah wat stom. Ik moet bereikbaar zijn voor opdrachtgevers.'

'Opdrachtgevers?' vroeg Richard.

Ze vond hem ook stom. 'Ja, ik moet wél werken voor mijn brood,' zei ze kattig. 'Bah.'

Hij snoof wat. En of het vergeten netkabeltje dan aangesloten had kunnen worden op de sigarenaansteker?

Nu herhaalde Silke de vraag. 'Sigarenaansteker?'

'In het dashboard.'

Ze stelde zich de stekker van de kabel voor en de holte van de sigarenaansteker. Een mannetje en een vrouwtje moesten het zijn. Zo heette dat in de wereld van de aansluitkabels.

Die aansluitingen van kabel en aansteker pasten net zo goed bij elkaar als zij bij deze Richard.

'Pffft,' deed ze. Tjonge jonge, dit betekende dat ze haar telefoon steeds 's nachts moest laten opladen bij de receptie van een camping. Dat had ze goed voor elkaar. Prima, meisje. Prima.

'Je kunt misschien mijn kabel gebruiken. Laat je mobiel eens zien.'

Die had ze in de bus gelaten. Welke opdrachtgever zou haar nu op zaterdagavond bellen?

In Kobus, sorry, in de kampeerbus, wilde ze al zeggen.

Ze slikte het bijtijds in. Straks wilde hij mee. Gezellig samen onderzoeken of het aansluitgaatje van haar mobieltje paste bij het mannetje van zijn kabeltje. Niks daarvan. Hij kon wel een serieverkrachter zijn met dat kale hoofd en dat leren jackje.

'Wie zijn gat brandt, moet op de blaren zitten,' stelde ze vast. Niet zo'n gelukkige uitdrukking als je in het bezit was van een lekkere kont. 'Ik zal morgen even zo'n kabeltje kopen.'

'Het is morgen zondag.'

Silke slikte.

'Maandag, bedoel ik natuurlijk.'

'Dan kun je vannacht en morgen niet bellen,' stelde Richard vast.

Allerlei gedachten flitsten door Silke heen. Nu wist die engerd dat ze vannacht niet om hulp kon bellen. Of nee, de batterij was toch nog steeds geladen? Ze had nog geen enkel gesprek gevoerd.

'Nee, nee,' zei ze. 'Hij zit nu nog hartstikke vol... eh... vol met energie. Ik kan er nog wel uren mee naar Oklahoma bellen.'

Wat een onzin. Kende ze hier maar wat mensen, dan kon ze net doen of ze iets heel belangrijks te bespreken had met een bekende. Hoe kwam ze van deze Richard af?

'Ik moet nu echt naar de wc,' zei ze. Ze beende meteen weg, tussen de dansenden door. Ze voelde zijn ogen in haar billen steken. 'Brr,' rilde ze. 'Stommerd die je bent.'

'Zo, jij bezorgt ons aller Richard een fijne avond,' zei een vrouw in de toiletruimte toen Silke daar haar handen waste. 'Aardige vent, hartstikke eenzaam. Pakt het altijd helemaal verkeerd aan. Erger kan het niet. Zal het nooit leren. Zielig hoor.'

'Hm,' zei Silke. 'Ik wilde alleen maar even dansen, hoor.'

De andere vrouw snoof. 'Hij kleefde zeker al?'

Silke keek haar via de spiegel aan. 'Hoe kom ik van hem af?'

De ander knikte. 'Dat dacht ik al. Wacht maar, ik regel het wel.'

Silke aarzelde. Ze vond het idee van Richard als serieverkrachter wel erg bont, maar toch... 'Hij is niet een type dat 's nachts vrouwen in hun tent of zo lastigvalt?'

'Absoluut niet. Gegarandeerd absoluut niet. Ik ken hem al jaren. Volgens mij durft hij als puntje bij paaltje komt niet eens een vrouw te zoenen.'

Silke slaakte een zucht van verlichting. Ze nam zich op hetzelfde moment voor de komende dagen geen vent meer aan te kijken. Nu was ze door het oog van de naald geglipt, nu waren er mensen die haar konden helpen. Maar stel...

Ze lachte tegen de vrouw. 'Hartstikke bedankt. Ik zat er echt mee. Stom van me. Veel te spontaan. Onbezonnen ook.'

'Welnee, mens. Om lol te hebben, moet je nu eenmaal risico's nemen. Laat mij dat varkentje maar even wassen. Wuif straks maar even uit de verte. Tenminste, je wilde toch aftaaien?'

Dat bevestigde Silke. Ze wuifde dus ten afscheid eventjes vrolijk vanuit de deuropening. Richard zag het niet, zo geanimeerd stond hij te praten met Silkes redster-in-nood.

Eenmaal bij Kobus aangekomen, durfde Silke niet weer terug te gaan naar het toiletgebouw. Stel je voor dat Richard er eenzaam rondzwalkte. Dus poetste ze bij het gootsteentje in de bus haar tanden. Daar liet ze het bij, voor het eten had ze zich tenslotte ook nog opgefrist. Morgen was er weer een dag. De stank van tabaksrook moest ze maar voor lief nemen.

Een tijdlang luisterde ze in haar slaapzak met licht aan naar de geluiden buiten. Toen er geen geluiden meer waren, knipte ze het lampje uit. Prompt kraste er een reiger. Ze kende het wonderbaarlijke geluid van Reigershof en negeerde het. Door natuurgeluiden wilde ze zich niet van haar stuk laten brengen.

Ze ging op haar zij liggen. Haar maag draaide als een overvolle zak binnenin haar lijf mee. Snel draaide ze weer terug op haar rug. Waarom moest ze opeens aan de waarschuwing in de verpleegopleiding denken dat patiënten in hun braaksel konden stikken?

'Niet aan denken,' zei ze hardop. Ze legde haar handen onder haar hoofd en staarde in het duister. Ze moest aan vette rookworst denken, aan slagroom en ijs met veel te veel chocoladesaus. Zou ze het aan haar gal hebben? Straks kreeg ze zo'n vreselijke aanval waarbij je lag te rollen van de pijn.

'Zeur niet,' zei ze hardop. 'Je hebt gewoon veel te veel gedronken.'

Ze telde. Drie glazen wijn in de bus, en nog die halve. Twee bij het eten. Drie na het eten. Of vier? Getverderrie, hoe haalde ze het in haar hoofd.

Haar armen werden koud. Ze stopte ze in de slaapzak. Wat moest ze doen als ze moest overgeven? Was er eigenlijk een afwasbakje of een emmer aan boord? Of kon je ongestraft in een chemisch toilet overgeven?

Ze schoot omhoog en bleef een poos rechtop zitten. De komende week dronk ze geen druppel alcohol meer. Noch zou ze één man een blik waardig gunnen. Ze had haar lesje geleerd.

Moet je ook nagaan wat zo'n lever nu allemaal aan gifstoffen moest zien te verwijderen. Rotzooi die zij in haar lichaam had gepropt. Wat deed zij haar eigen lieve lever aan, zo'n ingenieus orgaan waar ze nog jaren en jaren mee toe moest. Wat stom. Wat belachelijk stom.

Ze ging weer liggen, met haar armen in de slaapzak en haar ogen gesloten. Het wekkertje tikte nijver de seconden weg. Steeds energieker. Steeds luider.

Ze had nog twee koppen koffie gedronken ook! Die cafeïne moest haar lever ook nog zien te verwijderen. Ze zuchtte. En vet, werd dat ook niet door de lever afgebroken? Vet uit rookworst, ijs, slagroom...

'Hou op,' zei ze. 'Hou op.'

Ooit was er in een artikel over slaapstoornissen gesproken over de noodzaak van 'opslomen' voor een mens zijn bed instapte. Aan het ritueel van opruimen, lichten doven, ontbijtboel bijeen zoeken, deuren controleren, tandenpoetsen en wassen wist het lichaam dat er geslapen ging worden. Dat was opslomen. En dat had ze vanavond mooi niet gedaan.

Ze zat weer rechtop. Het was bijna drie uur. Ze gluurde tussen de gordijntjes door. Even de kou in scheen ook te helpen. Zij die nooit slaapproblemen had! Je moest je er niet druk om maken, was een belangrijke regel. Anders kreeg je automatisch weer adrenaline in je bloed. Steeds wakkerder werd je dan.

Relativeren was trouwens altijd belangrijk. Wat maakte het ook uit om een nachtje niet te slapen? Ze was hartstikke gezond, op die overspannen lever van het moment na dan. En moe was ze eigenlijk ook niet. Ze had het toch ook niet druk gehad, de afgelopen week? Sterker, ze had geen bal te doen gehad. Maar daarover denken was ook niet goed. Dan ging een mens maar tobben. Piekeren. Zwartgallig worden. Depri of zelfs depressief.

Ze knipte het lampje aan. Bekijk de zaak eens van een andere kant. Het was toch heel gezellig, zo in de bus. Ze kon een kopje kruidenthee zetten. En als ze nu eens terwijl het water warmde een rondje om de bus liep, voor een frisse neus? Dat zou toch opklaren?

Buiten was het niet pikdonker. Het dak van het woonhuis van de campingeigenaren stak af tegen de hemel. De ramen van het toiletgebouw waren verlicht. Haar schoenen slisten door het natte gras. Echt koud was het niet, met haar nieuwe jack over haar pyjama. Bij de open deur van de bus luisterde ze of het water kookte. Ze liep nog een rondje. Toen kookte het wel. Ze goot een beker vol en hing er het zakje in. Het moest vijf minuten trekken. Op de andere bank dan die met haar slaapzak, lagen het handdoekrolletje van voor het eten en de toilettas. Nou, dat frisse effect was mooi verdwenen. Bah, ze plakte en stonk. Logisch dat ze niet de slaap kon vatten. Ze was er zo aan gewend schoon en fris in bed te stappen. Wat deed ze zichzelf toch allemaal aan.

'Wees je bewust van het probleem en los het op. Bewust worden is stap één. Dan: handel, doe, leg je lijdzaamheid af, kom op.'

Dat soort teksten wist zij tegen Ikkanheksen-vrouwen te zeggen...

Zonder aarzelen pakte ze nu het rolletje en de autosleutel. Ze trok de deur van de bus dicht en sloot hem zorgvuldig af. Ze liep naar het toiletgebouw. Er was geen kip te bekennen. De douchedeur kon veilig op slot.

'Alles is safe, bij de bus en hier,' zei ze tegen zichzelf. 'Hup, onder de douche. En ook je haar wassen.'

Met natte haren liep ze terug naar de bus. Er was nog steeds niemand te zien. Ze ademde diep de nachtlucht in. Die leek wel naar dauw en kruiden te ruiken. De deur van de bus sloot ze weer zorgvuldig af. Ze voelde na of hij echt wel goed dicht zat.

'Ziezo, dat is dat,' zei ze. 'Weg met dat zwakke gedoe.'

Ze wikkelde de handdoek als een tulband om haar hoofd, zette hem vast en schoof in de slaapzak. Een belachelijke gewoonte om met een tulband om te slapen, maar het drogen duurde te lang. Van föhnen zat het heus niet mooier, het viel door z'n zwaarte zoals het viel.

De thee was bepaald niet warm meer. Al drinkend herlas ze wat ze in het schrijfblok had geschreven. Ze grabbelde in het kastje naar de pen en beschreef het slot van de eerste reisdag.

'Tot slot, ik ben opgefrist. Die smerige stank van shag en sigaretten is verdwenen. Het is hier stil en veilig. De thee warmt mijn maag. Dit schrijven sust mijn gedachten. Ik ben niet alleen. De veilige, donkere nacht omarmt me. Het is vier uur. Ik ga slapen.'

12

Om niet wéér aan de wijn te gaan, belde Silke de volgende dag in de namiddag maar eens met Paula.

'Morgen ga ik in de stad Groningen een voedingskabel kopen voor mijn mobieltje,' zei ze. 'Stom, hoor, vergeten dat ik het ding moet kunnen opladen. Dat kan op de accu van de kampeerbus, via het aanstekercontact in het dashboard. Maar iets anders, was het vanmorgen bij jullie ook zo mistig? Ik reed via het natuurgebied oostelijk van het Lauwersmeer en de waddenkust naar Warffum, maar van het landschap heb ik de eerste tijd maar weinig gezien.'

Ja, ook aan de andere kant van de Afsluitdijk was er 's ochtends dichte mist geweest.

'Maar wat had je in vredesnaam in Warffum te zoeken? Dat ligt toch in het noorden van Groningen? En je zou naar de kop van Overijssel?'

'Maar eerst naar het hoge noorden, Paula. Weet je niet meer dat mijn Hendrik en Maria Sofia ook daar woonden? Je was vast in de keuken toen ik vertelde dat ik mijn tocht op het noordelijkste punt wilde laten beginnen.'

'O ja, ik herinner het me.'

Paula kon er niet goed tegen betrapt te worden op de bij haar leeftijd horende doofheid. 'En, hoe was het in Siberië?'

Ze was niet alleen wars van kamperen, maar ook van het platteland. Eigenlijk van alles waar comfort niet voor het oprapen lag.

Silke lachte. 'Prachtig. Ik weet niet of mijn beschrijving als parels voor de zwijnen is, maar ik ga proberen je vooroordelen over het platteland weg te nemen.'

Ze negeerde het protest aan de andere kant.

'Stel je voor, de zon breekt door de mist boven hooggelegen, zacht glooiende akkers. Een oude zeedijk ligt te slapen tegen de horizon, geen zee meer te weren, genietend van welverdiende rust. De oogst is binnen, alleen de suikerbieten staan nog op het land. Groen loof tot aan de horizon. De voorraadschuren bij de juwelen van boerderijen moeten vol zijn. Wat een pracht. Logisch dat ze staten heten. De kolossale beuken voor het voorhuis dragen nog blad, maar er dwarrelt steeds wel wat neer op het gazon terwijl...'

'Ik geloof je. Schrijf het allemaal op. Of nog beter, ga een wervende brochure schrijven voor de provincie...'

Silke liet zich niet van haar stuk brengen.

'En toen lag daar zomaar opeens rechts van de weg een prachtig door bomen omringd kerkje afgetekend tegen het door de mist gezeefde licht. Voor ik het wist reed ik Warffum binnen. De straat klom een beetje. Natuurlijk, het is een terpdorp! Met de mooiste oude huizen die je maar kunt denken. Van klein en eenvoudig tot de statige huizen van de notabelen. Aan de laan naar het station bijvoorbeeld, Paula, zelfs jij zou ervan watertanden. En ook zou jij niet misstaan in een appartement in het prachtige negentiende-eeuwse gebouw, waarin vroeger de HBS was.'

'Raakt de batterij van je telefoon niet leeg?'

Silke schaterde.

'Ik ging er meteen naar het station,' zei ze toen ze uitgelachen was. 'Maar geen stationsgebouw daar, wel een abri en fietsenstalling, met recht vooruit klei tot aan de horizon en links en rechts, kaarsrecht, het enkelspoor. Ik dacht daar bij die rails dat Maria Sofia zich er niet op haar gemak zal hebben gevoeld. Ik stel me voor dat de stilte er destijds zwaar op het land drukte. De hemel lijkt er toch al machtiger te zijn dan bij ons. Alsof hij regeert over de bewoners. Nu heeft iedereen een auto, maar als je te voet of met paard en wagen over de landwegen ging...'

'Genade,' riep Paula.

'Je hebt het ergste gehad,' zei Silke lachend. 'Wat ik nu ga vertellen, vind je vast wel leuk. Luister. Ik ging naar café "Spoorzicht" voor koffie. De eigenaresse wist me toch aardige dingen te vertellen over het dorp! En opeens bedacht ze iets. Ze liep naar de leestafel en kwam terug met het dorpsblad.'

Aan de andere kant werd luidruchtig gesnoven.

'Laat er nu in dat dorpsblad een artikel staan over het station en de stationschef. Met een foto van het gebouw in de sneeuw. Daardoor weet ik nu dat Hendrik en Maria Sofia de bovenverdieping van het station huurden als woonhuis. Vind je het niet grandioos? Opeens zag ik voor mijn geestesoog Maria Sofia langs lopen, met nuffige linten in haar haar en op halfhoge rijglaarsjes.'

'Leuk, ja,' vond Paula zuinig.

'Nu weet ik helemaal niet of mijn overgrootvader er inderdaad chef is geweest. Mijn moeder gebruikte allerlei functies door elkaar, alsof er geen verschillen bestonden. Jammer, hoor, dat ik er niemand meer naar kan vragen. Maar, ach, daar gaat het ook niet om. Het is gewoon het idee dat die twee er hebben kunnen rondlopen... Moet je voorstellen, het was zo tussen 1900 en 1910. Van een oude man die zijn hond uitliet weet ik dat er heel vroeger een trekschuit voer, maar van jaartallen wist hij niets. Stel je voor, Paula, dat Maria Sofia voor stof voor een nieuwe japon per trekschuit naar de grote stad ging!'

'Inderdaad, die arme ziel zal er best van tijd tot tijd tussenuit gewild hebben,' stelde Paula vast. 'Maar dan moest ze tot meerdere eer en glorie van haar Hendrik natuurlijk met de trein.'

Dat beaamde Silke.

'Die oude baas vertelde trouwens dat er van de joodse inwoners na de oorlog niet een is teruggekeerd. Wat afschuwelijk. Er was nog een kleine joodse begraafplaats, zei hij, en een joodse slagerij in het open-luchtmuseum. Maar dat was gesloten, het is natuurlijk geen seizoen.'

Paula vroeg met klem of dit alles nu wel vreugdevol was. 'Want wat heeft dit in 's hemelsnaam te maken met vakantie?'

'Je moest eens weten hoeveel plezier ik heb,' riep Silke uit. 'Ik heb zelfs een soort charleston gedanst!'

Ze deed verslag van de vorige avond. Lacherig vertelde ze dat ze de leukste man onder de aanwezigen ten dans had gevraagd. En van de spijt die ze daarna had gekregen.

'Zie je wel!' riep Paula uit. 'Kijk, die man was via een relatiesite al af-gevallen. Terwijl hij als pluspunten zijn ongebondenheid, zijn uiterlijk en zijn rijkdom heeft. Meteen al bij mailen had je gezien dat hij een kat in de zak is. Zie je nu dat ik gelijk heb?'

'Ja, lieverd, als je een man wilt. Maar ik wil helemaal geen man,' zei Silke.

'Het lijkt me anders met z'n tweeën veel gezelliger in zo'n bus,' vond Paula.

Silke begon te grinniken. 'Hm, naar mijn smaak is het hier niet ruim genoeg voor twee personen. Of ze moeten tortelduifjes zijn.'

'Vraag die bus dan nog eens te leen als je een vriendje hebt. Ga trou-wens niet bij je aanmelding op de site zeggen dat je kampeervakanties leuk vindt! Kijk uit, straks moet je elk jaar kamperen.'

Aanmelding? Elk jaar kamperen? Paula praatte alsof ze echt van plan waren om een man van internet te plukken.

Ik ga me helemaal niet aanmelden, wilde ze al uitroepen. Het schoot bijtijds door haar heen dat ze Paula, om ervan af te zijn, beloofd had te kijken op de site die Wouter had genoemd.

'Ik zal het onthouden, lieve Paula,' zei ze.

Paula lachte geheimzinnig. 'Ik heb al vijf mannen voor je geselec-teerd. Als je deze tocht overleeft, kom dan meteen bij me eten. Dan laat ik je die mannen zien. Dat scheelt jou een hoop gedoe, waardoor je af-haakt. Ik ken je.'

'Hm,' deed Silke. 'Toch hoop ik maar dat ik deze tocht inderdaad overleef.'

Ze moest er zelf ook om lachen.

'Ik vond het eerlijk gezegd toch een beetje eng,' bekende ze. 'Daarom blijf ik op deze camping. Ik voel me er veilig. Er is goed comfort en het is een prima uitvalsbasis naar de stad Groningen.'

'Het is maar goed dat je morgen naar de bewoonde wereld moet,' vond Paula. 'Het schijnt in Groningen goed winkelen te zijn. Ik weet er trouwens ook een aantal galeries.'

Silke dacht aan haar budget.

'Ik hoop er in elk geval zo'n kabeltje te vinden, Paula. En natuurlijk ga ik lekker rondneuzen. In een internetcafé even kijken of er mail is binnengekomen. Wie weet is er een klus te doen... Eventueel wat verse groente kopen en...'

'Dat wilde ik nu net weten: wat eet je daar in die bus? Wat staat er bijvoorbeeld voor vanavond op het menu?'

'Champignonsoep, bruinebonenschotel en appel,' antwoordde Silke gehoorzaam. Haar ex-schoonmoeder kende haar kookkunsten.

'Hm,' deed Paula. 'Nou, sterkte.'

Technisch gezien was het ongelooflijk dat er soep ontstond door poeder in een beker al roerend met heet water te overgieten. Malle klontjes zwollen op tot schijfjes in de vorm van paddestoelen. Lekker was het ook nog. En hartig en heet. Ook de bonenschotel was wat je noemt een innovatie. Twee procent uien en paprika zaten erin, volgens het etiket, en vijftien procent pittige Mexicaanse saus. De appel had een beurse wang, en wijn behoorde die avond dus tot de verboden vruchten.

Om half zeven was ze begonnen met kokkerellen. Om zeven uur was de afwas gedaan. Tien minuten later dronk ze een kopje oploskoffie. Ook dat was technisch gezien een razend knap product. Omdat niet alle biscuitjes in de luchtdicht afsluitbare voorraaddoos pasten, at ze het restant maar op. Het was tenslotte vakantie.

Ze gluurde tussen de gordijntjes door naar het hoofdgebouw. In het restaurant stond een tv. Ze keek eigenlijk nooit, maar was het niet aardig om in de vakantie eens wat programma's te bekijken waar veel over werd gepraat?

Ze kon alles buiten goed bekijken nu ze Kobus een slag opzij had geparkeerd. Er brandde licht maar er gebeurde niets. De paar herfstvakantiegasten die er nog waren na het vertrek van de motorclub waren teruggetrokken mensen, had de eigenaresse verteld. Eén stel zat in het onderwijs en vertrok dagelijks voor dag en dauw naar het Lauwersmeer om vogels te bekijken.

'En 's avonds liggen ze er al vroeg in. Het zijn ook vegetariërs. Dat zijn gezonde mensen.'

Silke liet het gordijntje weer dichtvallen. Voor gezond gedrag viel natuurlijk best wat te zeggen. Een dag geen alcohol en vlees, daar was niks mis mee.

Het leverde veel stilte in jezelf op. Bij haar tenminste.

Ze maakte nog een kop oploskoffie en at nog vier biscuitjes. Op het pakje stond dat ze geen verkeerde vetten bevatten.

Om het chemisch toilet te sparen, kuierde ze naar het toiletgebouw. In de spiegel boven de wasbak monsterde ze haar gezicht. Het leek hier anders dan thuis. Minder mimisch. Alsof ze onderhuids een masker droeg.

Ze opende haar mond wijd, kneep haar ogen toe, trok haar neus op.

Wat een blauwe kringen waren er onder haar ogen! Ze werden dieper van kleur als ze haar hoofd voorover bracht. Ze verdwenen bij achterover buigen.

Het leek wel of haar wangen hier lager zaten dan thuis. Of zouden ze aan het zakken zijn nu ze zo relaxed bezig was?

Ze bekeek haar hoofd van opzij, en ook van de andere kant. Raar eigenlijk zoals een hoofd op de nek staat. Ze bracht haar hoofd naar voren en naar achteren en vroeg zich af hoe dat ook al weer zat met die atlas en draaier. Verdraaid, wat had ze een onderkin! Vreselijk zeg, ze moest er in het vervolg om denken haar kin niet in te trekken. Een beetje naar voren moest hij juist, maar ook weer niet te ver. Ze probeerde het uit.

Ineens stond er een vrouw bij de wastafel naast haar.

Knalrood was Silke opeens in die spiegel.

'Even een fluitketel vullen voor morgenochtend,' legde de vrouw uit. 'We vullen de watertank niet meer zo vlak voor de winterstalling. Dan moet je hem maar weer leeg laten lopen. Dat is maar verspilling.'

Dat beaamde Silke volmondig. De vrouw had een sjaaltje om haar haar gebonden.

'Bent u ook vegetarisch?'

De vraag ontschoot Silke. Haar blos was net aan het afnemen, maar keerde spoorslags terug.

'Ik bedoel, ik eet zelf niet altijd vegetarisch, maar vanavond wel. Ik stond trouwens net mijn haar te bekijken. Ik moet nodig naar de kapper, maar ja, het is vakantie. Stom, hè?'

Ze blies maar eens hard in de richting van de lok op haar voorhoofd.

'Ik knip het altijd zelf,' zei de vrouw met een blik in de spiegel. Bijna stroomde de fluitketel over.

'Kappers zijn belachelijk duur en je loopt nog voor aap ook. Het is even een handigheid, en je spaart over een paar jaar genomen kapitalen. En ik vind sjaaltjes heel praktisch. Wij vogelen, ziet u, en dan waait je haar alle kanten op.'

'Vogelen,' herhaalde Silke. 'Natuurlijk bij het Lauwersmeer.'

De vrouw keek haar scherp aan. Ze ging vast vragen welke vogels Silke die dag had gezien.

'Zo, ik ga lekker weer de bus in,' zei Silke haastig. 'Het is morgen weer vroeg dag. Want pluk de dag, *carpe diem* zoals u weet, is mijn motto. Er is zoveel moois te beleven in het leven. En de natuur, zogezegd. Dus welterusten.'

Ze liep snel naar buiten, voor de vrouw zou kunnen vragen wat ze voor de volgende dag dan wel op het programma had staan. Een kabeltje halen voor haar mobieltje!

Toen ze de deur van de bus achter zich sloot, gaf de wekker aan dat het bijna kwart voor acht was.

'Een mooie tijd om te gaan slapen,' mompelde ze. 'Tjongejonge, vegetariër. *Carpe diem*… óf ik kan raaskallen. Het komt natuurlijk door de eenzaamheid.'

Ze wist de remedie en trok schrijfblok en pen te voorschijn. Of ze zin had of niet, ze moest aan het reisverslag gaan werken voor ze nóg vreemdere dingen ging doen. Gekke bekken trekken in een openbaar toiletgebouw, wie doet dat nu? Ze was ook al steeds hardop in zichzelf aan het praten.

'Maria Sofia,' schreef ze zonder veel nadenken, 'hoe stond jij daar in Warffum voor de spiegel naar jezelf te kijken? Ook als een eenzame vrouw, die niet beter wist te doen dan gekke bekken trekken? Of keek je of de bonen en erwten die jullie aten een slechte invloed hadden op je teint? Vroeg je je af of die onderkin door het zware voedsel werd veroorzaakt en wenste je dat je niet achterop de wagen maar hoog te paard gezeten woest door de lege landerijen mocht galopperen? Maria Sofia, ik vraag het maar.'

13

Die nacht sliep Silke als een roos. Ze was nog voor tienen onder zeil gegaan. Logisch dat ze al om vijf uur wakker werd – uit een droom waarin Maria Sofia de hoofdrol speelde. Het was natuurlijk nog stikdonker. Ze probeerde weer in slaap te komen, maar de droom bleef haar achtervolgen. Ze knipte het lampje aan.

Hoe het precies zat was onduidelijk, maar ze zocht in de droom samen met Maria Sofia naar een klein zwart paard met een hoge staart en paarse hoefjes.

Op zich niet zo gek. Ze had onderweg naar de Afsluitdijk, toen ze zo nerveus was, een grote groep Friese paarden gezien bij een fokkerij. Haarscherp hadden ze afgetekend gestaan tegen de oktoberzon. Surrealistisch, had ze gevonden. Een beetje dreigend en eng. Ze had snel weer voor zich gekeken.

Bovendien had ze Maria Sofia in het reisjournaal toegedicht op zomerse zondagen met Hendrik per paard en wagen door het Groningse land te rijden. En doordat ze in Warffum, en later in het journaal, in de historie had gekeken, was het ook niet zo gek dat in de droom gekromde werkvrouwen met sjaaltjes om hun haar en mannen met hoge zijden hoeden voorkwamen. Wat een spektakel hadden haar hersenen ervan gemaakt!

Zou dat zwarte paard met 'vrijheid' te maken hebben? Ze had immers in het journaal aan Maria Sofia gevraagd of ze niet liever zelf wilde galopperen in plaats van ingetogen naast haar eega in de wagen te zitten. Zij kon zich in elk geval heel goed voorstellen dat haar overgrootmoeder wel eens met een reuzenafzet uit de band zou willen springen. Wat een keurslijf. De kleur violet mocht ook al niet, aha, vandaar die paarse hoefjes. En rijglaarsjes ketenden kuiten en voeten. Maar je moest destijds dankbaar zijn dat je leren schoenen droeg en geen klompen. Klos, klos gingen die over de straatstenen. Tik, tik, de hakjes van de rijglaarsjes aan de elegante voetjes van Maria Sofia. Ze was immers zoveel kleiner en slanker dan haar achterkleindochter. Licht en elegant tikte ze door de straatjes. Zonder werkschort, zoals andere vrouwen. Hoor maar, tik, tik, tik. Maria Sofia tripte voort, lachte en knikte naar de mensen om haar heen. Ook naar Silke, en ze riep: 'Als je al opgestaan bent, kom dan mee. Doe het gerust.'

Silke moest lachen. 'Kan ik dan in jouw tijd stappen?' vroeg ze. 'Wat enig, ik wist helemaal niet dat zoiets kon!'

Maria Sofia wenkte. 'Kom,' zei ze geluidloos. Nu tikten haar hakjes opeens veel sneller. Ze wenkte nogmaals, haar beeld vervaagde, zo snel liep ze nu.

'Wacht even,' wilde Silke roepen. Haar stem moest een dichte mist doorboren. Dat was natuurlijk het tijdsverschil. Het was alsof ze met een prop in haar mond moest roepen. Ze schoot erdoor wakker.

'Tik, tik, tik,' bleef het klinken. 'Kom gerust mee.'

Silke schoot overeind. Dit bestond niet!

Langzaam kwam ze weer terug in de werkelijkheid. Het was kwart voor zes, zei de wekker. Dat het licht brandde klopte. Ze had het om vijf uur aangeknipt. En er werd dus op het raam getikt. Niet door Maria Sofia. Maar door wie dan wel? Richard? Nee, die was met de club weggereden. Een serieverkrachter? Nee, welnee, het was een vrouwenstem.

Met ingehouden adem luisterde ze. Ze bewoog zich niet. Muisstil wachtte ze.

'Dan maar niet.'

Dat was duidelijk een vrouwenstem. Een serieverkrachter zou

trouwens niet op het raam tikken maar meteen het portier uit zijn scharnieren rukken.

Te vroeg gejuicht. Er was nu duidelijk ook een mannenstem.

Weer stokte Silkes adem. Tussen de gordijntjes door kijken had geen zin met licht aan. En als ze het licht uitdeed, verraadde ze haar aanwezigheid.

Tik, tik, tik ging het weer op de bus. 'Als je toch wakker bent, ga dan met ons mee. We hebben een verrekijker extra, dus het kan makkelijk.'

Ineens was alles duidelijk. Het waren de vegetariërs! Logisch, ze had zelf tegen de vrouw gewauweld over vroeg dag en de natuur. De vrolijke geblokte gordijntjes moeten gastvrij verlicht zijn geweest. Doodnormaal dat die mensen bij haar aanklopten. Goed bedoeld natuurlijk ook. Maar hoe kwam ze onder hun uitnodiging uit?

'Moment,' riep ze al. Ze kroop uit haar slaapzak.

'Bedankt dat jullie me wekten,' riep ze op goed geluk. 'Ik was weer in slaap gevallen. Terwijl ik zoveel plannen heb voor vandaag.'

Waar háálde ze het vandaan.

'Geen gelegenheid dus om mee te gaan?' vroeg de vrouw.

'Nee, joh,' zei Silke met een vanzelfsprekendheid alsof er echt geen seconde ruimte was in de nog niet ontloken dag.

'Kom, dan gaan we,' zei de man gedecideerd. 'Anders kunnen we het op onze buik schrijven de roerdomp te zien.'

Silke wenste ze veel succes. 'En bedankt dat jullie aan me dachten. Hartstikke hartelijk.'

En zo is het, stelde ze vast. Hartstikke hartelijk, nou en of!

Alleen was ze nu wel klaarwakker. Voor dag en dauw, ze voelde de betekenis ervan aan den lijve. Ze zocht op het radiootje een zender die zo min mogelijk stoorde, en zette thee. Haar eigen hanenpoten in het reisjournaal waren in het lamplicht gemakkelijker te lezen dan de weekendkrant, die ze nog maar half had gelezen. Ze las haar relaas terug. Het was een grappig mengsel van fictie en werkelijkheid. Een reis kriskras door de tijd. Over Maria Sofia een boek schrijven? Haar moeder had makkelijk praten. Zelfs met de tekstverwerker zou het een berenklus zijn om er lijn in te krijgen ook al kon je dan allerlei fragmenten makkelijker ordenen. Maar hier klopte geen hout van. Trouwens, wat voor verhaal zat er nu eigenlijk in het leven van haar overgrootmoeder?

Ach, het ging ook niet om een lezenswaardig verhaal. Het ging erom dat ze een geduldige luisteraar had met wie ze haar eenzaamheid kon delen.

Daar had ze trouwens ook nog een stukje over geschreven, over eenzaamheid. Ze zocht het op.

'Een fenomeen, die eenzaamheid. Ik ben nota bene al jaren alleen. Ik woon alleen, ik werk alleen en voel me zelden of nooit alleen. Ik heb Wouter, Paula en Allard. De vrouwen van Ikkanheksen. Kennissen. Relaties. En vooral mezelf, mijn allerbeste maatje in dit leven. Ik ben daarbij graag alleen. Als een koningin in mijn eigen paradijs. En nu? Nu, in deze fantastische kampeerbus in een ander stukje Nederland ben ik opeens eenzaam. Als los zand voel ik me in de Sahara van de dagen. Zijn de dagelijkse dingen thuis dan zo beschuttend? Daar denk ik nooit aan eenzaamheid... Daar is de dag begrensd gestructureerd door tijden. De tijd om te gaan werken, de tijd om boodschappen te doen, de tijd om naar mijn geliefde grand café IJsbrand te gaan, de tijd om e-mail op te halen. Altijd is het ergens tijd voor. Nu niet. Ik heb de dag en de nacht voor mezelf. Ik mag het allemaal zelf weten. Dat is wennen. Maar ach, ik ben ook nog maar amper van huis. Laat ik dankbaar zijn die vreemde nerveuze spanning van de heenweg kwijt te zijn. Hoewel... echt gerust voel ik me niet bij de gedachte morgen weer verder te moeten trekken. Of zou het misschien gewoon reiskoorts zijn? Het is zo'n gekke mix van zin-in en bang-voor. Wanneer zal ik bijvoorbeeld vertrekken, en wanneer aankomen? Deze zee van tijd kent geen getijden, ikzelf ben de wind en de stroom en de invloed van de maan.'

Dat klonk erg poëtisch, maar op dit moment was nuchterheid praktischer. Ze sloeg het journaal dicht. Ze moest een tijdsindeling maken. Als ze baas was over haar dag, was ze baas over de gebeurtenissen. Vrijheid was leefbaar in gebondenheid. Het was niet anders, en het idee van een tijdsschema voelde goed.

Na een uur in de stad te hebben doorgebracht kon Silke 'kabel' en 'pinnen' van de lijst schrappen. 'Kapper' kon nog niet worden doorgehaald, maar de afspraak was gemaakt. 'Koffiedrinken' wel. Een bof dat de serveerster geboren en getogen was in de stad. Ze wist niet alleen een kapper die op maandagochtend open was, ook kende ze een zaak waar ze 'echt alle denkbare spulletjes verkochten op het gebied van elektronica', en natuurlijk wist ze een internetcafé te vinden.

Silke voelde zich op een frikkerige manier tevreden. Wat ze gepland had in de ochtenduren, was gedaan. Dat gaf een vakantieachtig gevoel van rust. Eenzaam voelde ze zich ook niet meer. De aandacht was er van af, en misschien had ze gewoon al voldoende aan het gezelschap van mevrouw of meneer Tijdsindeling – zelfs op een zeer sombere maandagochtend in oktober. Voor de middag stond het internetcafé op het programma. Na de lunch, na de kapper en voordat ze twee galeries zou bezoeken. Daar zou ze volgens de lijst een leuke ansichtkaart kopen voor Paula. Ze zou haar ex-schoonmoeder daarmee een groot plezier doen.

Met de kapster babbelde ze over de nadelen van dik haar. 'Als het ook maar even te lang is, hangt het voor mijn ogen. Dat irriteert enorm. Maar erg kort kan ik het weer niet hebben door die dikke wangen en die hoekige kaaklijn. Dan valt trouwens ook mijn onderkin erg op. Nou ja, uit armoe knoop ik vaak een sjaaltje om. Dat staat me wel goed, maar het is natuurlijk een lapmiddel.'

Ze lachte zelf smakelijk om de uitdrukking. 'Ik zou vaker naar de kapper moeten, maar ja, tijdgebrek, hè. Verven doe ik het trouwens zelf. Al jaren. Een routineklusje is het intussen. Ik draai er mijn hand niet voor om. Zelfs tijdens een vakantie zou ik het zo eventjes doen. Trouwens, nu heb ik een week vakantie. Leuk hoor, met een kampeerbus. De toiletgebouwen zijn zo prima uitgerust... Even een tulband maken van een handdoek, hup eromheen, en gewoon de tijd afwachten...'

Ze hoorde zichzelf praten. Wat een afgrijselijke stompzinnige kletstante was ze in een paar dagen tijd geworden!

Ze hield een poosje haar mond. Tot een vraag van de kapster haar opnieuw verleidde tot meningsuiting. Over in je eentje op vakantie zijn, ging het. Dat de ene mens er gek van werd en de ander er juist van opknapte. Dat zij tot de laatste groep behoorde.

'En, ach, met alle communicatiemiddelen van tegenwoordig ben je toch niet echt alleen? Straks ga ik dus even mijn mail ophalen. Ongelooflijk hoe de wereld er anders uitziet door internet. Echt, je kunt het zo gek niet bedenken of je kunt het erop vinden, zelfs mannen.'

Weer besloot ze haar mond te houden. Lastig ook dat het knippen van dik haar zoveel tijd kostte, en geld – ze betaalde altijd het dubbele van het normale kniptarief.

Maar het was het ook nu weer waard, constateerde ze toen de kapster het resultaat showde in een handspiegel. Gelukkig viel haar onderkin nu niet zo erg op. De huidige lengte flatteerde kennelijk.

Binnen het tijdsschema was ze ook nog gebleven. De klok boven de kassa gaf aan dat ze er zelfs een kwartier op voor lag.

Daardoor bekeek ze de etalages in de richting van het internetcafé. Een loodgrijze wolk verplaatste zich traag boven de stad, maakte het grijs nog grijzer en somberder. Slechts de mensen gaven het straatbeeld kleur, evenals de bomen met hun roodkoperen, geelgouden en grijsgroene bladeren. Soms ook het bladgoud of kobaltblauw van een wapen in een oud gebouw...

Genietend keek ze naar dat alles, en naar zichzelf in winkelruiten. De nieuwe coupe flatteerde! Ze bleef er zelfs een keertje voor stilstaan bij een winkel in binnenhuisarchitectuur met peperduur design. Door het contrast met haar vooroordeel over nuchtere en zuinige Groningers dacht ze aan Maria Sofia. Wie weet was op deze plek rond de vorige eeuwwisseling wel een zaak geweest in kledingstoffen en linten. Wandelde haar overgrootmoeder hier destijds verwachtingsvol door de straat? Schoot ze nu het portiek van de winkel in omdat het begon te druppelen?

Silke volgde het voorbeeld van haar fantasie. Ze keek om het hoekje of er wellicht iets te zien was van het internetcafé. Naar wat de serveerster had uitgelegd, kon het niet ver meer zijn.

Hoever het precies was, vroeg ze aan een voorbijganger. Intussen regende het echt. Ze peuterde de capuchon los uit de kraag van haar jack en trok hem voorzichtig over haar gewassen, geknipte, geföhnde en dus kostbare kapsel. Tien minuten voor op het tijdsschema liep ze het internetcafé in. Toen plensde het.

Haar mailbox bevatte slechts nieuwsbrieven waarop ze geabonneerd was. Logisch, de vrouwen van Ikkanheksen hadden een berichtje gehad dat ze een week van honk was. Mogelijke opdrachtgevers waren amper aan hun werkweek begonnen. Allard zou pas als ze terug was een voorstel voor een nieuwe afspraak doen.

Die klus was dus snel geklaard. Buiten stortregende het, maar voorlopig zat ze droog.

Ze was een halfuur voor op schema en bekeek het weerbericht on line. Liet camcorders de actuele situaties tonen in het noorden, oosten en alvast ook maar zuiden van het land. Windstil en zwaar bewolkt met buien was het eigenlijk in het hele land. In verband met de herfstvakantie waren er links ingebouwd naar de sites van overdekte kinderevenementen en bioscopen.

Silke prees zich gelukkig niet gekluisterd te zijn aan een hotelarrangement. In principe kon ze met Kobus de zon tegemoet rijden. Nou ja, gewoon vanwege slecht weer naar huis rijden kon natuurlijk ook.

Ze keek naar buiten. Paraplu's en verzopen hoofden haastten zich voorbij. Ze zag de paraplubak voor zich bij IJsbrand, met de natte voetstappen langs de bar, en daardoor ook Maud met haar half opgevouwen paraplu.

Ze klikte de regio Londen aan op de weersite, en vervolgens Cambridge. Door een storm was het er nog slechter dan aan deze kant van Het Kanaal. Maar die storm zou afbuigen, boven het vasteland zou misschien de invloed van een hogedrukgebied boven de Balkan merkbaar worden. Dat gaf de burger moed – een standaarduitdrukking van Paula. Daardoor herinnerde Silke zich de relatiesite. Ze grinnikte. Ze had nog twintig minuten.

Een paar uur voor de avondspits dieselde ze met Kobus de stad uit, veel eerder dan gepland. Door de regen had ze afgezien van het bezoeken van galeries. Ze zou er maar als een verzopen kat binnenstappen. Aan Paula had ze nu een kaart van de Martinitoren gestuurd. In de bus had ze hem geschreven.

'Door stortregen een internetcafé binnengevlucht en het door jou opgedragen huiswerk gedaan. Je hebt gelijk, het wemelt van de loslopende mannen. Na kritische selectie bleven er twee over. Die gaan we eerst samen keuren voor ik geld spendeer aan een inschrijving.'

Dat laatste was stom, nu was het net of het haar ernst was. En dat was het absoluut niet. Zelfs nu taalde ze niet naar een man. Ze vermaakte zich best. Ze had trouwens wel wat anders aan haar hoofd, ze was een bedrijf aan het opbouwen, ze hád niet eens tijd voor een vent. Maar het was op de kaart neergepend voor ze er erg in had, en de postzegel zat er al opgeplakt...

Het vinden van de volgende camping was een fluitje van een cent. Het stond in het busboek, zoals ook de vorige camping. 'Ligging: zo'n 4 km buiten het stadscentrum, aan de Overijsselse Vecht. Volg vanuit het noorden de borden met Meppel en Zwolle. Aan de snelweg staan borden van de camping. Kan niet missen.'

Nadeel, mooi Drenthe bleef nu ongezien. Maar wat was mooi Drenthe in dichte regen? En hoe schilderachtig een 'idyllisch in de bossen gelegen camping' als het in die bossen voorlopig dagenlang somber drupte en droop? Een ander nadeel was dat ze nu een dag voor lag op het tijdsschema. Maar het keurslijf van het klimaat dwong, eventueel zelfs tot het herschrijven van de praktijkinformatie van Hanneke en Maud...

Met een gangetje van honderd over het sissende asfalt van de rechterbaan dacht ze daarover na. Niet al te geconcentreerd, want het was drukker geworden op de weg, Zwolle naderde gestaag. En wat maakte het ook eigenlijk uit? Ze zat knus, de ruitenwissers piepten en alles voor een goed leven was aan boord.

Op de parkeerplaats van een tankstation bereidde ze een beker soep. Ze bekeek er de wegenkaart en repeteerde nog een keer de route. Voor ze de spullen opruimde, checkte ze haar voice mail. Wouter had ingesproken. Nieuwsgierig luisterde ze naar het bericht.

'Ik ben nieuwsgierig hoe je het maakt,' zei hij. 'Maar je bent er niet. Of wel, natuurlijk, maar je kunt niet opnemen. Misschien zit je achter het stuur. Bevalt de bus? Iets anders, ik had Huub aan de lijn. Je weet wel, die vent met dat gehucht in Frankrijk. Hij vond je idee van een brochure het ei van Columbus. Of je contact met hem opneemt. O, nu heb ik het nummer niet bij de hand. Ik bel je dat later wel door. Hij is deze week in Nederland. Hij ronselde weer een stel kerels, daarom belde hij mij ook, want hij moet voor de winter overal de centrale verwarming gereed krijgen. Dan kan hij voor het nieuwe seizoen proefdraaien met gasten. Dus, meisje, als je goedkoop op vakantie wilt, bel hem! O ja, dat nummer. Dat spreek ik straks in. Heb je plezier? Dag, lieverd. Tot gauw.'

Zoals altijd na een telefoontje met Wouter glimlachte Silke. Hij was zo'n verdraaid aardige vent.

Kort daarna stond ze op haar plek op de camping. Gelukkig was ze er niet de enige. De beheerder vertelde dat er meer herfstvakantiegangers waren die de bossen hadden verruild voor de nabijheid van de stad.

Ze was tevreden. Ook deze plek was een uitstekende uitvalsbasis naar Wezep en Zutphen. Of ze er inderdaad zou komen? Wat maakte het uit, ze had het op deze plek gewoon lekker voor elkaar. Dat was voldoende.

Noch aan de praktijkinformatie, noch aan haar eigen reisjournaal kwam ze die avond toe. Na het eten van de erwtensoep (van een Groningse slager) en de yoghurt met (zelfgepelde) mandarijntjes was ze een kijkje gaan nemen in de campingkantine. Daar raakte ze aan de praat met een groep jongens, en later met een ouder echtpaar uit Limburg – over het station van Reuver tussen Venlo en Roermond. De man van het stel wist veel te vertellen, want een oom van hem was er chef geweest. Maar de naam Hendrik Gerritszoon zei hem echt helemaal niets. Ook liet een wufte Maria Sofia bij hem geen lichtje opgaan. Toch was Reuver een veelgenoemde plaatsnaam in de familieverhalen. Hoe bestaat het!

14

De ramen van de bus waren continu beslagen, maar wat was het gezellig om er met dit herfstweer in te bivakkeren. De stormachtige wind floot tijdens vlagen door de open ventilator. Koud was het niet.

Het was knus ontbijten na een nacht zonder dromen, in pyjama, met blikkerige radiomuziek en een dampende beker geurige thee. Wat lag de zenuwachtige spanning van de eerste vakantiedag ver weg. Nu was haar enige zorg hoe de handdoek en theedoek droog te krijgen.

Eigenlijk zou ze nóg wel een half jaar met Kobus weg kunnen blijven! Stel dat de telefoon nog een paar dagen stil en de mailbox leeg bleef... Maud en Hanneke zouden de bus toch niet nodig hebben?

Ze poetste een raampje droog. Op de plassen dreven regenbellen. Er was niemand buiten. De caravans en campers verderop hadden ook beslagen ramen. Bij één wapperde een verregende was van spijkerbroekjes en truitjes aan een drooglijn.

Dan is dat de caravan van het gezin dat in de kantine bergen patat at, dacht ze. En meteen er achteraan: afschuwelijk zoals ik ook hier als een oud bemoeizuchtig wijf zit te gluren!

Opeens herinnerde ze zich de goede invloed van de tijdsindeling, de vorige dag. Maar hoe deelde je de vakantievrijheid in op een stormachtige regendag op een camping?

'Door eerst naar nieuws en weerbericht te luisteren,' zei ze gedecideerd voor zich heen. In afwachting daarvan maakte ze een tweede beker thee. In de loop van de ochtend zou het droog worden en voor de middag verwachtte men in het westen opklaringen met zon.

'Daar hebben we in Zwolle niet veel aan,' zei ze tegen het radiootje. Maar dat het, vanwege de westelijke stroming boven de nog warme Noordzee, warm was voor de tijd van het jaar met 14 tot 16 graden, dat was zelfs in de bus waar te nemen. Over dat hogedrukgebied werd niets meer gezegd. Was dat een veeg teken?

Ze pakte de droogdoek en poetste het raam weer schoon. Inderdaad, het was zwaarbewolkt. Ja, en in de plassen dreven regenbellen. En het klopte van die beslagen ramen en het wapperende kinderwasgoed.

'Een mooie ochtend om te gaan opruimen,' zei ze zacht maar monter. 'Het wordt rommelig als je langer achter elkaar binnensbus bent.'

Ze plande in gedachten: daarna douchen, een krant kopen in de kantine en een fiets huren bij de receptie. Er werd daar op grote borden reclame voor gemaakt, ook voor kano's en roeiboten maar daar was het weer niet naar.

'En dan de stad in,' zei ze opgewekt. 'Of zelfs de stad uit, ik heb tenslotte alle tijd van de wereld, naar Wezep of Hattum. Het ligt allemaal op een steenworp afstand.'

Niet dat Maria Sofia ook in Hattum had gewoond, maar het waren plaatsnamen uit familieverhalen over vakanties in pensions of zomerhuizen. Waarom er in de familie zo'n voorkeur was geweest voor de kop van Overijssel had Silkes moeder nooit kunnen verklaren. Ze had geen idee gehad, behalve dat vakantie in die tijd al iets bijzonders was, en dat haar ouders en ooms en tantes niet van die wereldreizigers waren en zichzelf hiermee kennelijk tevreden stelden. Wereldreizigers...

Maar het waren toen andere tijden, dacht Silke. Ze reisden met kruier, valies en spoor. In pak met vest of lange rok, met hoeden op de haren en gehuld in sigarenrook.

Aan die tijden van weleer dacht ze niet toen ze, na een comfortabele warme douche, haar wasgoed uit de bus ging halen omdat er in het toiletgebouw wasmachines en drogers bleken te zijn. Wat een comfort, wat een zorg minder. Bij de receptie reserveerde ze daarna een huurfiets. Verrast zag ze dat het daar, bij de receptie, gasten vrij stond met een van de computers mail op te halen. Voor haar was er maar één bericht, van de Ikkanheksen die een lezing organiseerden over dromen en hun betekenis. Silke noteerde de datum op een kladje.

Ook de campingwinkel bleek geopend. Het rook er naar verse broodjes. Met een slimme batterijlamp en een tas vol proviand liep Silke even later door de regen terug naar Kobus. Bij de caravan met het wapperende wasgoed keek ze extra scherp. Misschien wisten die mensen niet dat er wasdrogers in het toiletgebouw waren.

'Loop door!' siste ze opeens tegen zichzelf. 'Wat een afschuwelijk bemoeizuchtig mens word jij. Gedraag je!'

Ze schopte de natte overschoenen uit, de dingen die ze onder de klep van de zitbank had aangetroffen, en zette ze in een hoek op een krant. Hoe stom ze er ook uitzagen, ze bewezen uitstekende diensten.

Bij de koffie at ze alvast een van de knapperige broodjes. Buiten regende het nu hard. Ze hoopte tussen de buien door het wasgoed uit de machine in de droger te kunnen doen, en keek weer door een opgepoetst stukje ruit naar buiten. Bij een van de campers stond een familie in regenpakken.

Beschaamd dat ze weer zat te gluren, begon ze de krant te lezen. Ze schonk opnieuw koffie in en overwoog er een van de kraakverse kokoskoeken bij te nemen toen haar mobieltje piepte.

Het was Wouter, met het telefoonnummer van zijn vriend. Ze babbelden nog wat. Intussen formeerde Silke met verticale lijntjes telkens groepjes van twee uit de cijferreeks van het mobiele nummer dat ze net had genoteerd.

'Het nummer klopt niet, schat!' riep ze uit. 'Het is een oneven aantal.'

Wouter kon er niets anders van maken. 'Wat stom nu,' zei hij. 'Nou, ik ga er achteraan. Je hoort het van me.'

'Gezellig, dan houd ik nog een telefoontje van je tegoed,' zei Silke lachend. 'Ik zit hier toch maar in mijn eentje. Weet je dat ik in mezelf ga praten? Dat doe ik thuis toch echt nooit, naar ik weet.'

Of dan nu niet de tijd was gekomen om naar een levensgezel uit te kijken?

'Nu is de tijd gekomen om ons gesprek te beëindigen,' antwoordde Silke. 'Ik wil helemaal geen man, dat weet je toch?'

Wouter nam de gelegenheid te baat zijn ex-vrouw uit te leggen wat de voordelen waren van het vinden van een partner via internet.

Silke onderbrak hem zodra het kon. 'Dat heeft Paula ook allemaal al verteld.'

'Weet je ook dat ze een afspraak heeft met een kandidaat? Hij is net als zij bestuurslid van een ouderenpartij.'

'Ja. En ze gaan politieke ervaringen uitwisselen,' zei Silke. Ze schaterden. Lachen hadden ze altijd goed gekund met elkaar. 'Mijn moeder is altijd al een vooruitstrevende vrouw geweest,' zei Wouter proestend.

Na het gesprek was het hoegenaamd droog. Dat kwam prachtig uit met de was. De overschoenen sopten door het gras toen ze naar het toiletgebouw liep. Uit de caravan met het kinderwasje stapte juist een man naar buiten. 'In het toiletgebouw is een wasdroger,' zei Silke voor ze er erg in had. Zelfs wees haar uitgestoken hand al in de goede richting. 'Sorry,' zei ze er meteen achteraan. Met een dwaas lachje liep ze snel door. 'Afschuwelijk,' mompelde ze. 'Idioot, hou toch je mond.'

Bij de wasmachines was een vrouw wasgoed aan het sorteren. Ze was kennelijk ook om een praatje verlegen. Ze begon al met praten voordat Silke goed en wel de drempel over was. Tijdens het lawaai van centrifugeren en drogen van onbeheerde maar plichtsgetrouw hun programma's afwerkende machines, openbaarde ze haar wensen, ervaringen en verwachtingen ten aanzien van een caravanvakantie in het bijzonder en van het leven in het algemeen.

Silke ging er maar bij zitten. Bij Ikkanheksen had ze geleerd geduld te hebben met medevrouwen. Velen leefden zo lang in de kleine wereld van hun eigen huis, dat ze aan vreemde vrouwen in een onstuitbare stortvloed van woorden hun hele levensgeschiedenis prijsgaven. En was zijzelf al niet na een anderhalve dag lange kampeerbusvakantie ongelooflijk gaan zwammen tegen een kapster?

Met het schone wasgoed en de huurfiets kwam ze uiteindelijk terug bij Kobus. Het was droog. Het grasveldje sopte en pruttelde. Op allerlei plekken liepen mensen met laarzen. Hoogste tijd om de wijde wereld te gaan verkennen.

Silke volgde de rode fietsrichtingbordjes naar het centrum en, omdat het zo lekker was om weer eens wat beweging te hebben, meteen ook maar de bordjes richting Hattum. Die van Wezep zag ze nergens meer, maar dat kon komen door de concurrerende familieverhalen. Iedereen was wel in Hattum geweest, alleen zij niet!

Er was veel om naar te kijken. Stadsgroen en stadsmonumenten. Een stukje vestingwerk. Verkeersdrukte en de rivier die verrassend genoeg met een veerpont kon worden overgestoken. Voor ze het wist fietste ze over een dijk Hattum binnen.

Het plaatsje bekeek ze te voet. In een museum genoot ze van schilderijen van het landschap bij de IJssel. Ze kocht er een kaart voor Paula en verstuurde die meteen. Ze dronk koffie in een gelegenheid bij een geneeskruidentuin. Ze was er de enige gast. Kort daarvoor had een grote groep ouders met kinderen er pannenkoeken gegeten. Het was maar goed dat het herfstvakantie was, nu was er overal tenminste reuring.

Dat dacht ze net toen haar mobieltje piepte.

'Ha, Wouter!' riep ze ter begroeting. 'Je hebt het goede nummer gevonden?'

Aan de andere kant bleef het stil. 'Sorry, met Hansje van Gelder spreekt u. Spreek ik niet met Silke Erenhuis?'

'Hansje, ben jij het! Sorry, ik verwachtte een telefoontje. Wat leuk dat je belt. Of is er iets bijzonders?'

Hansje vroeg eerst of ze niet stoorde.

'Welnee. Ik heb alle tijd. Ik heb vakantie, weet je wel.'

Op hetzelfde moment bedacht Silke zich dat Hansje als nieuw lid van Ikkanheksen nog niet in het adresboek van haar mailprogramma stond. 'Nee, dat weet je niet. Je staat nog niet in mijn adresboek. Ik had iedereen gemaild dat ik deze week afwezig ben. Je hebt natuurlijk mijn telefoon thuis gebeld? Ja, die staat doorgeschakeld. Leuk, nu zit ik in Hattum naar een tuin met geneeskruiden te kijken. Ik ben met de kampeerbus van Maud, die jij introduceert bij Ikkanheksen. Maar nu ben ik op de fiets, de bus staat even buiten Zwolle op een camping.'

Wat zit ik alweer enorm te kletsen, dacht ze geïrriteerd.

'Sorry, je belt me natuurlijk met een reden. Vertel op, Hansje.'

Hansje vond de reden van haar telefoontje niet passen bij Silkes vakantie.

'Het heeft ook absoluut geen haast,' zei ze. 'Het is meer een vraag van mij aan jou. Of jij eens over een bepaalde kwestie wilt nadenken. Of we het bij het rechte eind hebben of niet. Het gaat om mijn persoontje en vier andere vrouwen, want ik ben niet de enige die ermee bezig is. Ik vond een dinsdagmiddag wel een geschikte middag om je erover te polsen. Op maandag moeten mensen als jij het werk weer op-starten na het weekend. De vrijdag is ook niet geschikt omdat er een heleboel afgewerkt moet worden omdat het weekend wordt. Maar ik bel opnieuw als je terug bent.'

Silke luisterde hoofdschuddend. Ze kende uit vroeger jaren de overwegingen die Hansje aanvoerde – die kwamen voort uit onzeker-heid en waren niet realistisch.

'Joh, ik ben intussen hartstikke nieuwsgierig,' zei ze daarom. 'Ik wil het nu toch wel graag weten. Vertel op. Voor de draad ermee. Ik heb nu juist alle tijd om na te denken. Geen beter moment dan dit. Bovendien, ik kan mijn telefoon opladen via de aansteker in het dashboard van de bus, ik heb een speciale voedingskabel, dus ga je gang.'

Ze zuchtte met de telefoon van haar gezicht afgewend. Vreselijk zo-als ze zat te zwammen. Een voedingskabel en aansteker in het dash-board, allemachtig, kon ze nu niet even normaal doen?

Meer tijd om op zichzelf te mopperen kreeg ze niet. Want wat Hansje vertelde, verdreef in een klap elke andere gedachte. Ze zat let-terlijk met open mond en ingehouden adem te luisteren. Sprakeloos was ze, zonder het te beseffen.

'Wat jij dus van de kwestie vindt,' vervolgde Hansje na enige aarze-lende stilte. 'Ik bedoel, jij bent bewust kinderloos. Van jou verwachten we een objectievere reactie dan van vrouwen die een zwangerschap wensen. Is het inderdaad gerechtigd om die gynaecoloog wegens ste-rilisaties zonder toestemming aan te klagen? Of staan we zwak, wij met zijn vijven, die dit is overkomen?'

Dit is overkomen? Silke vroeg automatisch of ze het goed had be-grepen.

'Jullie zijn dus gesteriliseerd zonder jullie toestemming? Hoe kan dat in 's hemelsnaam?'

'Omdat er door de bevalling een noodsituatie was. Omdat wijzelf uitgeput en niet aanspreekbaar waren, overreedde hij onze mannen. Die waren van de kaart. We waren er slecht aan toe. Ze wisten niets an-ders te doen dan toestemming te geven. Logisch, nog een zwanger-schap zou het einde betekenen, zei de gynaecoloog. Onze mannen ver-wijten we niets.'

Het was even stil. Toen vroeg Silke: 'Heb ik het goed begrepen? Toen jullie weer bij jullie positieven waren, hoorden jullie dat jullie geen kinderen meer konden krijgen. Dat jullie aansluitend op de geboorte gesteriliseerd waren?'

Dat bevestigde Hansje. 'Kijk, we wáren zelf al vastbesloten dat het de laatste zwangerschap moest zijn. Dat is het punt niet. We zijn niet gek. Maar waar het om gaat, is dat het achter onze rug om gebeurde. Opeens was ons iets ontstolen. Snap je?'

'Ja, natuurlijk. Vreselijk.'

'Onze vraag is dus of jij erover wilt nadenken of het zinnig is het openbaar te maken. Of dat we ergens een klacht moeten indienen. Het is al twintig jaar geleden! Het gaat ons eigenlijk om erkenning, merken we. Wat vind je ervan? Of beter gezegd, wil je er eens over nadenken wat we wel of niet kunnen doen?'

'Ja, vanzelfsprekend!' riep Silke uit. De onzekere manier van vragen ging volledig langs haar heen. Er was iets anders, iets dat nadrukkelijk om antwoord vroeg.

'Hansje, wie was die gynaecoloog?'

15

Tijdens het fietstochtje voordewind terug naar Zwolle beheerste het verhaal van Hansje Silkes gedachten. Eelco, Eelco toch, dacht ze. Wat heb je met je arrogantie aangericht. Je zult het nog wegwuiven ook. Hysterisch zul je de vrouwen noemen. En jezelf een mensenredder. Je operatieverslagen zullen waterdicht zijn. Waarom ook niet? Je deed toch wat het beste was? Jij behoedde de vrouwen voor een latere wisse dood in het kraambed. Dat ze zich vernederd voelen en het gevoel hebben van iets beroofd te zijn, vind je onzin. Dat het uitmaakt of je zélf besluit tot een sterilisatie en bij vol bewustzijn de ingreep tegemoet gaat, zul je van tafel vegen door met je patriarchale stem het grapje te maken dat mevrouw zich nu immers niet zenuwachtig heeft hoeven maken voor de ingreep! Geen discussie mogelijk. Zo was je. Ben je zo nog steeds?

De pont naar de overkant van de rivier zorgde voor afleiding. De lucht was opgeklaard. De stad lag er mooi bij aan de overkant, met links de grote brug en recht vooruit wat torenspitsen. In een groepje reden ze later het centrum in. Het was nu lichter dan alle voorgaande dagen op dit tijdstip van de dag. Toen leek het te schemeren en aan te moedigen om je van de buitenwereld af te sluiten. Nu lokte de stadse gezelligheid.

Silke zette de fiets op slot. Te voet verkende ze de winkelstraten. Mooie historische gebouwen trokken haar aandacht, naast de vele eetgelegenheden en de provinciale gezelligheid. Ze besloot een boek te kopen over de geschiedenis van de Hanzehandel.

Pas toen ze op de fiets de stad uit peddelde, dacht ze weer aan Hansje. De laatste vraag die ze zichzelf had gesteld, rees opnieuw. Was Eelco nog altijd zo? Mensen veranderen. Ze leren van hun fouten. Maar in de kern... Zijn arrogantie zat er zo ingebakken. Maar hun huwelijk was twintig jaar geleden...

Gevoel over dat huwelijk had ze niet meer. Geen sprankje. Wat Hansje had verteld voelde als een nieuwe kwestie. Niet als iets dat met haar als ex-echtgenote verbonden was.

Silke besloot het daarom te laten voor wat het was. Ze had vakantie. De zaak lag bij Hansje en haar lotgenotes. Eenmaal thuis zou ze erop ingaan. Omdat ze om advies was gevraagd. Uit belangstelling ook voor de kwestie. En natuurlijk uit medeleven.

Het ging erom wat de vrouwen zelf wilden. Zaten ze emotioneel in de knoop? Was er sprake van rancune? Wat vonden ze ervan de kwestie voor te leggen aan andere vrouwen van Ikkanheksen? Of moesten ze juist advies gaan vragen aan een deskundige, een medicus of een jurist? Dat soort gesprekspunten. Meer niet.

Terug op de camping zag ze dat ze door het stadslawaai haar telefoon niet had gehoord. Er was een gemiste oproep, stond er in het schermpje. Het was Wouter, die het goede telefoonnummer van Huub van Heemskerck doorgaf.

Van Heemskerck heette hij dus. Een naam die mooi paste bij de historie van de Hanzesteden, de gouden tijden der zeevaart, specerijen en rollende vaten over kadekeien en Maria Sofia Anna Elisabeth, dochter van Sil de Terschellinger zeekapitein.

Die associaties welden in Silke op toen ze meteen maar het nummer intoetste. Handel is handel, nietwaar, dacht ze strijdlustig in het kielzog van haar voorgaande gedachten. En van Huub van Heemskerck wilde ze de handel van een brochuretekst zien te krijgen.

Hij had een verdraaid aardige stem en wist meteen waarover ze belde. Hij vertelde aanstekelijk enthousiast over z'n gehucht in Frankrijk. Wat een energie klonk in die stem door! Het gehucht heette Petit St. Père en lag bij een natuurpark met een vogelreservaat, en nabij een meer. Strijdlustig hoefde Silke niet te zijn – dat er een brochure moest komen was wat hem betreft een uitgemaakte zaak. Inwendig juichte ze. De impasse bij TipTopTekst was doorbroken!

'Maar je moet er even komen kijken. Even de sfeer proeven en het landschap zien. Je moet lyrisch worden, want het is er fantastisch en daarvan moeten de lezers van de brochure doordrongen raken. Als je eens zag hoe fantastisch de bomen, nu in oktober, als gouden en koperen bollen tegen de hellingen staan. Dat soort zaken moet overkomen in de tekst, maar dat is je wel toevertrouwd, zei je man.'

Drie dingen had Silke willen opmerken: dat Wouter haar man niet meer was, dat Frankrijk voor haar niet 'even' te bezoeken viel, en wat Wouter dan wel over haar had gezegd.

Maar zijn enthousiasme vaagde die opmerkingen weg.

'Je bent perfect voor dit soort teksten, zei je man,' vervolgde hij al. 'Ze schrijft zo over speculaas, zei hij, dat het water je in de bek komt. Ik citeer hem, hoor! Ze schrijft zo over fietsen van Jansen dat je een moord gaat doen voor zo'n fiets en nooit meer een ander dan een Jansen onder je kont wilt. En of het nu een vakantie is via reisbureau De Noorderzon of een meerdaags verblijf in de gevangenis, ze overtuigt je. Echt waar.'

'Hm,' zei Silke. Wouter bleef een gek, een idioot, maar hartstikke leuk.

'Het is wel heel erg overdreven. Hij is trouwens mijn man niet meer, hoor. Maar iets anders, je zegt dat ik het beste even kan komen kijken.

Even! Alsof het naast de deur is!' Ze dacht aan tijd, afstand en kosten. 'Kun je niet beter foto's mailen?'

'Het is vanuit Den Bosch buiten de spits maar zes uur rijden!' klonk er verontwaardigd aan de andere kant. 'Zes uur! Zolang staan veel Nederlanders in een zomers weekend in de file naar Zandvoort. Dat maakt de locatie van mijn gehucht zo grandioos, je bent er vóór je de dagelijkse beslommeringen goed en wel achter je hebt gelaten! Waar zit je nu eigenlijk?'

'Zwolle,' antwoordde Silke droog.

'Dan pak je de A50 en daarna de A2 naar Brussel, vervolgens...'

Silke onderbrak hem. 'Ik woon niet in Zwolle. Ik woon in...'

'Maar je hebt nu toch vakantie?' onderbrak hij haar. 'Dat vertelde Wouter. Je bent zomaar wat met een kampeerbus op stap. Maar voor een opdracht verander je je plannen binnen een milliseconde. Werk gaat voor jou op het ogenblik boven alles, dat zei hij.'

Silke stond perplex. 'Nou, vakantie...,' protesteerde ze. 'Ik rij een route langs plaatsen waar mijn overgrootmoeder heeft gewoond. Met spoorwegstations en zo. Het eindpunt is Reuver. Weet je waar dat ligt?' Ze wachtte niet op antwoord. 'Tussen Venlo en Roermond.'

Opeens vond ze dat te mager. 'Ik schrijf er een reisjournaal over,' zei ze deftig. 'Een beetje historisch getint.'

'Voor publicatie?'

Voor publicatie? Goeie god!

'Ja,' zei ze desondanks. En wat nonchalant: 'ik weet nog niet voor welk tijdschrift. Iets historisch in elk geval.'

Die hele Hanzehandel moest haar in de bol zijn geslagen. Waar haalde ze het vandaan. Haar moeder zou zich omdraaien in het graf!

'Venlo, zei je? Dat is mooi, dan kunnen we in Maastricht afspreken,' zei Huub. 'We moeten namelijk wel op korte termijn aan tafel zitten. Het is al oktober, als ik gasten wil hebben in april, mei... Ik kom uit Antwerpen en rij wel via Maastricht. Maakt uiteindelijk niets uit. Vrijdag? Lukt dat denk je in het kader van je tocht? En Venlo – Maastricht vice versa declareer je. Dat zijn voor jou natuurlijk extra kosten.'

's Avonds neusde Silke in het boekje over de Hanzehandel, en op de wegenkaarten van Nederland en Europa. De nieuwe lamp was fantastisch. Letterlijk scheen er 's avonds nu een ander licht in Kobus. Het leek wel of het radiootje erdoor geïnspireerd raakte en zijn geluid warmer en voller maakte. Nou ja, minder blikkerig, maar dat kon ook komen omdat TipTopTekst opeens een opdracht had.

In het plaatsnamenregister van de kaart kon ze het gehucht van Huub niet vinden. En in de, weliswaar wat oude, campinggids geen camping in Maastricht. In het busboek stonden er wel aanbevolen in 'lieflijk zuid Limburg', maar dat was omslachtig.

In Via Maria Sofia tekende ze een kalender van de resterende vakantiedagen. Op zaterdagavond wilde ze weer thuis zijn. Achter vrijdag schreef ze 'Maastricht'. Achter donderdag ook maar. Maastricht was tenslotte een fantastische stad, echt geschikt voor dit herfstweer. Als ze daar een hele dag wilde genieten, had ze maar één dag voor Zutphen en Reuver. 's Avonds ging het dan door naar Maastricht, de meest bourgondische stad van Nederland.

Toch keek ze weifelend naar de kalender. Zo verwaarloosde ze wel Maria Sofia... Ze was haar overgrootmoeder ontrouw om zomaar door te schieten naar Maastricht. Deze tocht was bedoeld om haar tastbaarder voor de geest te krijgen. En nu stond Maria Sofia ineens op een zijspoor, weerloos als ze was.

Ze bladerde door haar verslag, las wat stukjes terug, en opeens zat ze te schrijven. Ze liet Maria Sofia voor de spiegel staan zoals ze dat zelf deed toen de vegetarische vrouw met het sjaaltje de wasruimte was binnengekomen. Ze liet haar terugdenken aan de beslommeringen van de vorige dag, met alle voorbereidingen voor de grote treinreis naar Maastricht. Ze wachtte op papier met haar mee op het perron en keek toe hoe Hendrik in zijn uniform met gouden tressen haar in de coupé installeerde. Ze liet haar uit het raam kijken naar het voorbijglijdende landschap van bossen en weiden, dorpjes en kerktorens, en na een urenlange reis tegelijk opgewonden en vermoeid aankomen op het station van Maastricht.

En wat liet ze Maria Sofia dromen! Over de aanstaande aanschaf van een heus porseleinen ligbad met bijpassend watercloset van Mosa. Over het luilekkerland van winkels met hoeden en linten, japonnen en laarsjes, stoffen en crème du jour. Over salons de thé en taartjes. Over een paar dagen vrijheid van conventies, over andere vrouwen die ze zou spreken, én over de mannen zodra de chaperonne van haar pension haar uit het oog verloor... En dat die haar uit het oog zou verliezen stond voor Silke vast, want hoe goed Hendrik ook voor zijn levenslustige echtgenote zorgde, ze miste hartstochtelijk de romantiek van een aanbidder, een man die voor haar op de knieën viel. Dat avontuur zou ze zich in Maastricht niet laten ontnemen.

Het bracht Silke weer tot de werkelijkheid. Even was ze zelf Maria Sofia geweest. Maar het was in het begin van de vorige eeuw toch totaal zinloos om avontuurtjes uit te denken? Laat staan om dat dusdanig vastberaden te doen als zij in Via Maria Sofia, als een avontuur dat ze hoe dan ook zou aangaan.

Was dit een autobiografische slip of the pen? Miste zijzelf een aanbidder? Een man die voor haar op zijn knieën viel? Iemand die vanuit passie leefde en niet volgens zijn agenda zoals Allard?

Silke lachte de vragen weg. Schrijversonzin, dat was het. En nuchter bedacht ze zich opeens dat, als het van Den Bosch naar Petit St. Père maar zes uur rijden was, zijzelf op één dag Zutphen en Reuver kon bezoeken en 's avonds in Maastricht kon arriveren. Als er één was die haar drijfveren zou begrijpen, was het Maria Sofia wel. Natuurlijk verwaarloosde ze haar overgrootmoeder niet door van het oorspronkelijke plan af te wijken.

Maar nooit zou Maria Sofia kunnen begrijpen waarom haar achterkleindochter opeens een totaal nieuwe praktijkinformatie schreef voor een vrouwelijke huisarts. Silke zelf begreep dat proces niet eens. Alleen keek zij er niet van op. Ze had al eerder ervaren dat er soms zomaar een laatje in het brein opengaat met een kant en klare tekst erin. Sommigen noemen dat inspiratie. Zelf vermoedde ze dat de hersenen op een bepaald moment zelfstandig aan de slag zijn gegaan met opgedane informatie. Maar ze had er nooit over nagedacht of de hersenen dat ook op andere gebieden deden dan dat van tekstschrijven.

16

De afstand van Zwolle naar Maastricht mocht niet meer dan 250 kilometer bedragen, dat was dan wel over de snelweg. Maar Silkes route was een andere. Ze reed langs de IJssel naar Deventer, dronk daar koffie en dieselde vervolgens door naar Zutphen. 's Nachts had het weer geregend, nu was het droog. Toen ze bij het station parkeerde, was de lucht grauw en leek het te gaan regenen.

Ze vond het station maar een akelig gebouw. Het moest van vlak na de oorlog zijn. Wie weet was het ontworpen door een beroemd architect, dat kon best. Maar smaken verschillen. Maria Sofia en Hendrik zouden 'hun' station Zutphen er nooit in hebben herkend.

Ze volgde de wandelroute naar het centrum en raakte onder de indruk van de straten en stegen van de oude stad. Ze besloot een uur de tijd te nemen. Deze historische schoonheid mocht ze niet aan haar neus voorbij laten gaan. Maar al gauw besefte ze dat een uur lang niet genoeg was. Het ene na het andere monumentale huis trok haar aandacht. Er was een markt, met een kraam met oude ansichten. Ze vroeg er naar een ansichtkaart van het oude spoorwegstation, en laat de koopman die nu onmiddellijk weten te vinden. Een ingekleurde was het nog wel, gemaakt op een warme zomerdag. In de schaduw van een boompartij wachtten kinderen. Ze keken de kant op van het bakstenen gebouw op de achtergrond, dat deels verscholen lag achter bosschages. Er wandelden drie figuurtjes heen. Het was er wat je noemt lommerrijk. Voor de huidige toegangsweg moeten heel wat bomen zijn geweken!

Op deze foto kon Silke zich heel goed Hendrik en Maria Sofia voorstellen. Ze kocht de kaart, en vond het gedoe op de markt opeens welletjes. Een stukje terug was een richtingbordje van de stadswandeling; ze koos de richting naar de IJsselkade en kwam terecht op een stuk eeuwenoud vestingwerk.

Daar ging ze op een bankje zitten. Boven haar ruiste de wind in de kruin van een eik. Er dwarrelden bladeren naar beneden. Het was eigenlijk te fris om zo te zitten, maar wat was het ontspannen. Dit was vakantie. Geen gehaast en gejacht. Zitten. De tijd hebben.

Nu kon ze zich Maria Sofia voor de geest halen. Want hier kon haar overgrootmoeder gewandeld hebben. Misschien omdat ze op de markt inkopen had gedaan. Misschien flanerend met Hendrik, op zondagen, als hij geen dienst had.

Opeens regende het. Het maakte het makkelijker te vertrekken, rechtstreeks richting station. Nog één keer liet ze haar ogen langs het gebouw dwalen. Ze bleef het lelijk vinden.

Via Arnhem ging het zuidwaarts, en dwars door Nijmegen belandde ze op de snelweg naar Venlo. Snel ging het trouwens een tijdlang niet. Sterker, ze reden twee rijen dik in een slakkengangetje en af en toe stonden ze stil. Van het landschap was in de regen niet veel te zien. Wat er aan de hand was geweest mocht Joost weten, maar opeens loste de file op. Toen was het nog maar dertig kilometer naar Venlo.

Voor het zover was tankte ze. Op de parkeerplaats verderop strekte ze de benen. Ze maakte er koffie, at de laatste kokoskoek en bedacht zich dat er in de winkel van het tankstation een campinggids te koop moest zijn.

Maar de campinggidsen waren op, het was na het seizoen. De caissière, die net zo praatgraag was als Silke, keek voor de zekerheid het schap door. Silke op haar beurt babbelde erop los over haar autorit en dat ze voor de komende nachten een camping in of bij Maastricht zocht.

Dit keer bleek haar praatzucht nuttig. Want de caissière had een vriendin, die weer een familielid had die zomers altijd met de caravan vlak buiten Maastricht stond omdat zijn vrouw niet van het buitenleven hield en hij niet van de drukte. Er was nog prachtige natuur ook. En dan de Maas natuurlijk. Een wondermooi schouwspel om naar te kijken. De caissière belde haar vriendin meteen, en niet alleen over de camping. Toch liep Silke een kwartier later, hoogst verwonderd over zoveel service, met een adres en een uitgebreide routebeschrijving terug naar Kobus. Maastricht was concreet geworden, dat gaf moed. Maar eerst ging het naar Reuver.

Bij Venlo reed ze helemaal verkeerd. Met schrik zag ze dat ze op weg was naar Antwerpen. Bij de eerstkomende afslag verliet ze de snelweg. Even later stond ze weer bij een tankstation geparkeerd de kaart te bestuderen. Tussen haar en Reuver lag de Maas, maar er was een brug. Ze noteerde de wegnummers en plaatsnamen. Het regende inmiddels onophoudelijk, de schemering leek ingetreden. De nerveuze spanning van het begin, die ze inmiddels vergeten was, kroop in haar spieren.

'Is dit eigenlijk wel leuk?' riep ze op een gegeven moment uit. 'Net in Zutphen was ik de rust zelf, nu ben ik gewoon zenuwachtig! Wat zoek ik eigenlijk in een plaats met de naam Reuver?'

'Ik zoek Maria Sofia,' antwoordde ze zichzelf. En belerend: 'Daarom rij ik deze route.'

Door de regen lijkt het minder aantrekkelijk, dacht ze er sussend achteraan. Maar die man in de kantine van de camping in Zwolle zei dat het aardig is in Reuver. Dat er 's zomers terrasjes met fietstoeristen zijn die een route rijden langs de kapelletjes en wegkruisen. De omgeving is er mooi, zei hij. En als dat niet zo is, of als het blijft regenen, zit ik via Roermond zó op de snelweg naar Maastricht.

Daar ging de weg al over een brug! Ze staken de Maas over. En jawel, er stond een richtingbord naar Reuver.

Het station daar was snel gevonden. Een traditioneel wit stationsgebouw was het, van twee verdiepingen. Op de bovenste moesten Hendrik en Maria Sofia hebben gewoond. Vanuit Kobus zag ze het gebouw eens aan. Er stonden grote plassen op straat. Mensen waren er niet, noch kwamen er ideeën over Maria Sofia.

'Wat nu?' vroeg ze na een tijdje. Er kwam geen antwoord. Maar om nu meteen door te rijden...

Daarom parkeerde ze Kobus met zijn neus naar het gebouw en draaide ze de motor uit. Ze stapte haastig vanwege de regen achter in de bus en constateerde dat het er bedompt rook. Wat wil je, er hingen natte handdoeken, er was gekookt en er was een vochtige atmosfeer binnen.

Wat een regen! Haar haar en rug waren gewoon kletsnat door even over te stappen! Ze zette water op voor soep. Het was intussen het laatste zakje. De watertank moest ook nodig worden gevuld. In het inmiddels tot wijnglas gepromoveerde bekertje schonk ze een bodempje wijn. Voor de smaak, en om de moed erin te houden. Ze wilde lopen om de onrust kwijt te raken, maar het regende te hard.

Het water kookte, de soep dampte, de slok wijn was op. Daar zat ze nu, in Reuver, tegenover het stationsgebouw, waarvan ze geen idee had of het er écht zo had uitgezien rond de vorige eeuwwisseling.

'Is dit nog wel vakantie?' zei ze voor zich heen. Het was maar goed dat ze besloten had door te rijden naar een heerlijke stad! Ze moest aan natuurschoon denken. Had ze dat nu eigenlijk wel gezien? Het was gehuld geweest in mist en regen. Als er tenminste nog natuurschoon is in Nederland, dacht ze een beetje smalend.

Omdat de soep nog te heet was, pakte ze het schrijfblok. En mag ik het journaal nog wel Via Maria Sofia noemen, vroeg ze zich af. Dat was tevens de eerste zin die op papier kwam.

'Hoe anders, lieve overgrootmoeder, was deze vakantierit verlopen,' vervolgde het, 'als het mooie en zonnige herfstweer van vorige week had aangehouden. Dan wandelde ik nu door dit plaatsje, misschien volgde ik wel jullie voetsporen en informeerde ik naar het station. Dan was ik zeker ook naar het kasteel gegaan dat hier in de buurt moet zijn. Nu eet ik, met uitzicht op het station, soep uit een pakje terwijl de regen op het dak van de bus klettert. Hebben jullie hier echt gewoond? Hoe lang en waarom? Reisde je hier vandaan naar Maastricht, en hoe beviel het je toen ik je laatst liet gaan om naar het ligbad te kijken? Toe, zeg me, welke man verstrikte je daar in je netten?

Soep uit een pakje! Maria Sofia, wat zou ik je veel moeten uitleggen als je mee kon lezen. Kantine, dieselen, mobieltje, toiletgebouw, tankstation, campinggids, voedingskabel, de vierbaansweg naar Antwerpen. Het wemelt van de woorden en begrippen die ontstaan zijn na jouw dood. Maar weet je waarover we wel gemakkelijk zouden praten? Over hoe ik me moet kleden voor de aanstaande zakenbespreking in Maastricht. Ik heb alleen maar spijkerbroeken en truien mee, lieve Maria Sofia! En de Ikkanheksen hebben me geleerd hoe groot de invloed van kleding is op je gevoel van zelfvertrouwen, vooral in het zakendoen. Spijkerbroeken, o, hoe leg ik je dat uit? En zou je snappen wat het betekent om als vrouw zaken te moeten doen voor je inkomen? Netjes een vaste minnaar te hebben. Carrière te willen maken na de overgang? Heb jij eigenlijk ooit opvliegers gehad? Of werden die toen *vapeurs* genoemd?'

De soep was drinkbaar. Ze bladerde wat door het schrijfblok en legde het toen hoofdschuddend weg. 'Voor een historisch tijdschrift, het mocht wat,' zei ze met kritisch gespitste mond tussen de slokken soep door. 'Wat een hoogmoed om dat tegen een aanstaande opdrachtgever te zeggen, want je hebt alleen nog maar flarden tekst die je eigen gemoedsgesteldheid weerspiegelen en die het particuliere van een dagboek niet ontstijgen. Zelfs als je deze brokstukken thuis in de computer zet, is het nog maar de vraag of er een verhaal van te brouwen is...'

Ze ruimde de rommel op en zette de boel weer rij-vast. Voor de goede orde liep ze in straf tempo naar het station, om niet al te nat te worden. Ze deed een paar stappen richting perron, en keek er met de handen diep in haar zakken naar de natte rails. Welgeteld één kraai zat er, hij pikte wat rond tussen de steentjes. De stationsklok gaf drie minuten over half vijf aan. Nee, vier. Ergens werd een houtkachel gestookt. Toen de stationsklok weer drie minuten had weggetikt, was de rode bus van het parkeerplekje verdwenen.

Ook nu was het vinden van de camping een fluitje van een cent, terwijl het nota bene al donker was. Ze moest de A2 door Maastricht volgen in de richting Luik tot het nummer van de afslag, en vervolgens de borden met de naam van de camping. Je kon je afvragen wat in Nederland nog het avontuurlijke was aan een trekkersvakantie. Echt, een kind kon de was doen, vooral nu het droog en helder was.

De slagboom bij de ingang van de camping was neer. Ze liep naar de receptie, waar slechts een waaklamp brandde en wat fietsen en parasols tegen de bureaus geleund stonden. Het werd haar zwaar te moede. De camping was gesloten...

Het gaat ook allemaal een beetje te goed, dacht ze opeens somber. Geen motorstoring, geen lekke band, geen serieverkrachter en niet gestikt in eigen braaksel. Statistisch gezien moeten nu de problemen komen. Een nacht op een gewone parkeerplaats. Doodeng. Ik zal wakker moeten blijven. Er is nog maar voor één volle fluitketel water in de tank. Maar bonen in blik heb ik genoeg, geen brood, wel biscuitjes, wijn en pinda's. Die Huub van Heemskerck zal trouwens wel afbellen. De hele affaire vindt hij natuurlijk veel te duur. Zit ik voor joker in Maastricht. Wie is er nu op woensdagavond al op de plaats waar hij pas op vrijdagmiddag een bespreking heeft?

Alsof het hielp, bestudeerde ze uitgebreid de pamfletten op de ruiten van het receptiekantoor. Ze moest er haar leesbril voor opzetten. In september was er een feest geweest ter afsluiting van het seizoen. Het was nu half oktober...

'Goedenavond,' klonk opeens een mannenstem. Verschrikt draaide Silke zich om.

'De camping is gesloten,' zei ze haastig. 'Ik zocht een plek voor een paar dagen. Het is herfstvakantie en ik dacht dat het geen probleem zou zijn, maar...'

De man maakte een hoofdbeweging naar Kobus. Bent u met die bus? vroeg hij woordeloos.

'Ja,' zei Silke. Praatgraag was ze acuut niet meer.

De man krabde op zijn hoofd. In het duister was hij leeftijdsloos. Hij nam de geur van sigaren mee, en van koffie.

'Niet erg aangenaam, in uw eentje, slecht weer,' zei hij. 'Laat me denken.'

In plaats daarvan haalde hij een sleutelbos tevoorschijn. Hij ontsloot de deur van de receptie. 'Vrijdagavond komt er een caravanclub.' Hij knipte licht aan. Een jaar of zestig moest hij zijn. Hij droeg een pullover met strepen langs de hals en de manchetten, en had een kreukelig gezicht. 'Tot zondagmiddag. Afsluiting van hun seizoen. Traditie.'

Hij maakte een hoofdbeweging naar een plattegrond aan de muur. Silke kwam erbij staan. Hij wees een plek aan. 'Als u daar gaat staan. Beschut. Veilig. Ik hou u in de gaten.'

Hij pakte een sleutel van een rek, en uit een bureaula enkele munten. Hij reikte de sleutel aan. 'Van het toiletgebouw.' De munten legde hij op het bureau. 'Voor warm water. Heeft u een mobieltje?'

Op Silkes bevestiging schreef hij een nummer op een papiertje. 'Voor noodgevallen. Heeft u nog vragen?'

'Wilt u misschien even meerijden naar de plek?'

Hij schudde van nee. 'Ik loop wel vooruit.'

Ze kwam achter een haag, naast het toiletgebouw te staan. De man knikte in de richting van de duisternis achter Kobus. 'Mijn woonhuis.'

'Aha,' zei Silke. Ze vroeg zich maar niet af hoe het na deze positieve wending met de statistieken zou verlopen. Sigaren, kreukels, strepen langs hals en manchetten. Daar was toch niets mis mee?

17

Nog voor tien uur 's morgens wandelde Silke over de Sint-Servaasbrug naar het centrum van Maastricht. Het was droog. Kalm gleed het rivierwater noordwaarts. Binnenvaartschepen ploeterden stroomopwaarts. Ze keek een poosje toe, gebogen over de brugleuning. Dit was na de IJssel en de Vecht de derde rivier al in een paar dagen tijd. In plaats van een route langs spoorwegstations had ze het ook een rivierenrit kunnen noemen.

Een glimp waterig zonlicht deed de huizen aan de andere Maasoever glimlachen. Silke glimlachte mee. Wat wil je ook. Ze had alle tijd en een lange dag lag voor haar. Ze had er zin in, uitgerust als ze was. Urenlang had ze geslapen als een roos. Er was de vorige avond na het eten van de inhoud van een blik witte bonen in tomatensaus, een potje sperziebonen en een bakje lauwe kwark, omdat er geen koelkastje aan boord was, niet veel anders te doen geweest dan de wijn soldaat te maken en in de slaapzak te luisteren naar het radiootje, want haar ogen vielen steeds dicht bij het lezen over de geschiedenis van de Hanzehandel.

De enige dissonant was het helse motorgeluid geweest, waardoor ze was wakker geschrokken. Het was de beheerder, die telkens op een maaimachine langs scheurde in zijn rondes over het veld. Hij had voor de gelegenheid een pet op en hief ter begroeting een hand op met een sigaar tussen zijn vingers.

Acht uur was het toen. En om half tien ging er een bus naar Maastricht, stond op een raambiljet in het toiletgebouw te lezen. De halte was waar de campingweg uitliep op de doorgaande weg. Het was een kort ritje naar de stad. Voor de goede orde had ze de beheerder gemeld dat ze de hele dag zou wegblijven. Hij had geknikt en voor de verandering twee hele zinnen uitgesproken. 'Gelijk heeft u. Daar is meer reuring dan hier.'

In een van de straatjes van het centrum ontbeet ze met een groot glas verrukkelijk vers geperst sinaasappelsap, een knapperige croissant en een broodje met chocoladevulling. Drie koppen koffie dronk ze erbij. Zelfs de bijbehorende koekjes at ze op, het leek eeuwen geleden dat ze lekker had gegeten. Ook hier was slechts één dissonant: haar rode jack, spijkerbroek en wandelschoenen. Hoe modern van snit en goed van kwaliteit ook, tussen de elegant geklede mannen en vrouwen in de brasserie en daarbuiten voelde ze zich grof en veel te sportief met ook nog een rugzakje, dat ze weliswaar als schoudertas droeg maar zijn herkomst verraadde.

Wist Huub van Heemskerck wat hem qua vrouwelijk schoon te wachten stond?

Maar daar ging het hem toch niet om? Het draaide om een brochuretekst waarmee hij gasten naar zijn Franse gehucht kon lokken. Daarom gingen ze kennismaken. Puur zakelijk. Punt uit.

Dat deed haar eraan denken dat het hoog tijd werd haar mailbox na te kijken. Ze vroeg de serveerster naar een internetcafé. Omdat dat zich in de straat om de hoek bevond, liep ze er meteen maar heen.

Er was mail van Allard en van Paula. Ze opende eerst Paula's mail, van Allard verwachtte ze niet meer dan een voorstel voor een nieuwe afspraak, hoewel hij pas als ze terug was met een voorstel zou komen. Hij zal wel op reis moeten en daardoor eerder hebben gemaild, dacht ze.

Paula begon met te zeggen dat er niets bijzonders was, en ging over tot gezellig gebabbel over de opening van een tentoonstelling, waar ze samen met de ex-notaris naar toe was geweest. Hij noemde haar nu 'liefje'. Ze was zeer vereerd, maar zijn gebakken aardappels waren vet en de biefstukken had hij helemaal doorgebakken. 'Erg veel dieper zal het tussen ons dus niet worden,' schreef ze. 'Je weet het, mijn liefde gaat nu eenmaal door de maag, maar niet als ik steeds zelf moet koken.'

De bestandsgrootte wees erop dat er nog veel gebabbel volgde, waaruit Silke afleidde dat Paula een slapeloze nacht had overbrugd achter de computer en was gaan kletsen zoals zijzelf dat deze vakantie in Via Maria Sofia deed. Ze liet de mail afdrukken, dat gaf gezellig leesvoer voor in Kobus, en opende de mail van Allard. Nu pas zag ze aan het aantal *bytes* dat ook die mail stukken langer was dan gewoonlijk. Ze verstrakte.

'Lieve Silke,' stond er. 'Ik zit met een probleem en dat moet je vorige week gemerkt hebben. Goed dat je er niet naar vroeg, ik had je toen onmogelijk antwoord kunnen geven. Nu vertel ik het je maar eerst op schrift zodat je voorbereid bent op ons gesprek, waarvoor ik je hieronder een paar data noem.'

Het zit fout, hartstikke fout, schoot het door Silke heen. Haar ogen vlogen langs de regels.

'Het probleem is dat ik meer en meer belangstelling kreeg voor een vrouw die al jaren in mijn directe omgeving verkeert. Je raadt het al: mijn secretaresse. Ik probeerde het van me af te houden. Maar eergisteren gebeurde het. Het was opeens zonneklaar, ik besefte, ik ben gek op haar. Voor ik het wist, zei ik het. Ik verwachtte dat ze me zou uitlachen, en dat we voortaan een onmogelijke verhouding zouden hebben op het werk. En wat moet ik zonder haar? Ik geloofde mijn oren niet toen ze bekende al jaren van me te houden. Ze had het verborgen weten te houden vanwege mijn vrouw. Maar je snapt, Silke, ik heb naast mijn vrouw ook jou... In alle verwarring weet ik dat ik met Marjan, zo heet ze, verder wil. Ik verwacht veel problemen met mijn vrouw, zowel op kantoor als privé. Maar mijn gevoelens voor Marjan geven me vleugels.

Het is me nu onmogelijk te vrijen met een ander. Een ander... dat ben jij opeens geworden. Ik wil in stijl afscheid van je nemen. Ik zal net als anders een kamer in "Reigershof" reserveren, zodat jij er kunt overnachten en niet 's nachts naar huis hoeft te rijden. Ooit maakten we de afspraak dat als een van ons beiden de liefde van zijn of haar leven zou vinden, we afscheid zouden nemen van elkaar. Dat is heel lang geleden. Ik vraag je die afspraak te respecteren. De vele jaren waarin we warmte hebben gevonden bij elkaar zal ik nooit vergeten. De herinnering daaraan wordt er een met een gouden randje. Jij hebt me in onze ontmoetingen alles gegeven waarnaar mijn lichaam zo verlangde. Wat jij gaf, compenseerde de kilte in mijn huwelijk. Dank je wel daarvoor. Hieronder de data, ik hoor je keuze wel. Allard.'

Een tijdje zat Silke met gebogen hoofd en gesloten ogen voor het computerscherm. In haar heerste stilte. Alleen haar bloed suisde, haar hart bonsde en haar adem fluisterde. Dus toch, dacht ze na een tijd. Dat je zo bezorgd keek bij ons laatste afscheid, had ik goed gezien. Maar het was heel andere bezorgdheid...

Toen herlas ze de mail. Ze liet hem afdrukken en vouwde hem zorgvuldig in achten. Bij iedere vouw dacht ze: dus toch. De eerste maanden van hun verbond had ze dit verwacht, na al die jaren niet meer. Het was zo vertrouwd. Op het saaie af, hoewel ze er in bed toch regelmatig iets verrassends van hadden weten te maken. Vorige week nog... Zou hij toen over Marjan gefantaseerd hebben? Was het daarom zo intens geweest? Marjan was natuurlijk stukken jonger dan zij en altijd goed gekleed door haar functie van directiesecretaresse. Een aantrekkelijke jonge vrouw moest ze zijn, Allard was tenslotte nog maar drieënvijftig, die Marjan kon best eind dertig, begin veertig zijn, en waarom niet nog jonger? Misschien wilden ze nog kinderen krijgen.

Automatisch was Silke opgestaan. Ze rekende de kosten af en liep naar buiten. De frisse lucht deed haar beseffen dat ze behoefte had aan een stevige wandeling. Doorstappen, diep moeten ademen, rust krijgen waar het zo wonderlijk verdrietig voelde om het verlies van een minnaar en om het verlies van het gevoel een begeerlijke vrouw te zijn.

Ze liep langs de Maas, tot er een richtingbordje was van de historische stadswandeling. Ze volgde het en voelde zich alleen. Ze slikte een snik weg.

Vond ze ooit nog een minnaar? Welke vent wilde er nu een vrouw van vierenvijftig? Een vrouw in spijkerbroek en jack, op wandelschoe-

112

nen. De vrouwen van Ikkanheksen mochten de overtuiging uitdragen dat ze nog een leven voor zich hadden en hun eigen aantrekkelijkheid hadden, de maatschappij dacht daar nog steeds anders over. Oké, het innerlijk mocht belangrijk zijn, kerels keken eerst naar het uiterlijk. En dan zagen ze in haar simpelweg een vrouw van middelbare leeftijd, met een onderkin als ze haar hoofd verkeerd hield, blauwe kringen onder haar ogen en veel te dik haar dat met stomme sjaaltjes in toom moest worden gehouden. En die dikke billen waren heus niet sexy hoor, dat was gewoon een kont.

Volledig door haar gedachten in beslag genomen, liep ze voort. Het was een wonder dat ze de richtingbordjes herkende en domweg volgde. Ze schrok zich wezenloos toen ze op een smalle stoep opbotste tegen een vrouw met een huilend en stampvoetend kind. 'Je hebt het beloofd,' riep het kind. 'Je hebt het zelf afgesproken.'

Silke stond stokstijf stil. Het was alsof het kind het tegen haar riep.

In een reflex knielde ze. 'Je hebt gelijk, joh.' Ze zei het alsof ze het tegen Allard zei. Ze stond weer op, verontschuldigde zich bij de moeder en liep weg.

Op een kruising bleef ze staan. Haar ogen zochten het richtingbordje, maar haar gedachten waren bij Allard, want het besef drong tot haar door dat hij die geprobeerd had iets van zijn leven te maken, eindelijk het geluk kon grijpen. Eindelijk kreeg die aardige vent wat hij terecht zocht: warmte, geluk, liefde. Na jaren rekening houden met, had hij voor zichzelf gekozen. Dat geluk moest, nee, wilde ze Allard van harte gunnen.

Tranen over haar opofferingsgezindheid welden in haar ogen. Ze vond meteen dat ze belachelijk sentimenteel deed, veegde de tranen weg en snoot haar neus. Op dat moment ontdekte ze het richtingbordje. Het was aan een oude muur bevestigd, verscholen achter een lindeboom, waarvan er nog zes stonden. Wat een kruising leek bleek een klein plein met in een hoek tegen de muur hoog opgestapelde rieten stoelen. Het bijbehorende café opende net zijn deuren. De geur van koffie drong haar neusgaten binnen, maar werd verdreven door een stationair draaiende auto verderop.

Toch was de wereld opeens helder en de lucht zuiver. Ze zag weer beelden. Haar pas voelde licht, haar armen wilden zwaaien. Het voortlopen was prettig. Glimpen zonlicht deden de muren leven, en hoorde ze niet het klateren van water?

Ze keek om zich heen. Het was een smalle straat waarin ze stond, met ter weerszijden hoge huizen. In een deuropening zat een oude vrouw op een blauwgeverfde stoel. Naast haar op straat lag een hond, hij hield zijn kop een klein stukje van zijn voorpoten opgeheven. Silke groette eerst de vrouw en toen de hond, en ontdekte op de muur van het huis het bekende richtingbordje van de stadswandeling, met een tekstbordje eronder. Ze las het.

'Naast u stroomt weer de Jeker, die enkele honderden meters oostwaarts uitmondt in de Maas. Daarmee zijn we terug bij het beginpunt van deze wandeling. We hopen dat u genoten heeft en wensen u nog vele fijne momenten toe in mooi Maastricht.'

Ze keek over de stenen brugleuning naar het heldere water dat klaterend zijn weg zocht in de bedding tussen de muren van de huizen. De Jeker, mijmerde ze. De vierde rivier in een paar dagen tijd.

Ze kwam overeind. Welke richting zou ze inslaan?

'Voor het Vrijthof die kant op,' riep de oude vrouw vanaf haar stoel. Ze wapperde met haar hand naar rechts. 'Daar zijn de cafés en terrassen. Ze vragen het allemaal, de mensen, als ze genoeg cultuur hebben gehad. Waar is het Vrijthof? Gelijk hebben ze, want daar kun je al die ernst weer van je afschudden en gewoon weer lachen. Maar als ik u was ging ik naar het Onze Lieve Vrouweplein. Dat is niet van de toeristen. Dat is van ons, Maastrichtenaren.'

Op hetzelfde moment wist Silke wat haar te doen stond 'na al die ernst'. Dat was niet een bezoek aan het Vrijthof of Onze Lieve Vrouweplein, maar Allard mailen. Het internetcafé moest makkelijk terug te vinden zijn, ze hoefde alleen maar de loop van de Jeker in de gaten te houden om terug te keren bij de Maas. Daar zou ze de straat wel herkennen.

Korte tijd later zat ze voor de tweede maal die ochtend achter het beeldscherm.

'Persoonlijk' tikte ze in het vakje voor het onderwerp van de mail. En in het berichtenvenster: 'akkoord en proficiat', gevolgd door haar initialen en 'TipTopTekst'. Ze keek er even nadenkend naar. Over het woord 'proficiat' zou niemand vallen. Toen tikte ze onder het berichtje de lijn van acht streepjes die in hun code zoveel zei als dat het bovenstaande definitief was. Ze wachtte tot het tekstverwerkingsprogramma er automatisch een doorgaande streep van maakte.

Floep, daar stond hij. Streep eronder, dacht ze. Klaar.

18

Weer wandelde Silke vanuit de richting van het station over de Sint Servaesbrug naar het oude centrum van de stad, maar zonder rugzak en niet in jeans en jack. Ze droeg onder een elegante regenmantel een parelgrijs vestje over een paars bloesje op een grijze krijtstreepbroek boven grijs suède instapschoentjes. Haar haar glansde, de hanger van Maria Sofia flonkerde. Het was vrijdagochtend, tegen lunchtijd, een gedempte zon scheen door een zilveren wolkendek.

Een schip naderde de brug, Silke bleef staan. De boeg verdween onder de brug en kwam tevoorschijn aan de linkerkant, terwijl het achterschip nog onder de rechterkant van de brug moest verdwijnen. Er stonden fietsen en een personenwagen achterop. Een vrouw hing de was aan de lijn, ze bleef ermee doorgaan toen ze onder de brug verdween.

Silke keek over de leuning naar beneden. Eerst trokken haar eigen handen met parelmoer gelakte nagels op de stenen brugleuning haar aandacht. Toen het voorschip met boeggolf. Het schip voer snel, binnen een paar tellen kwam het achterschip tevoorschijn. De vrouw bukte naar de wasmand. Heel even rook Silke de geur van wasmiddel, toen weer die van haar eigen eau de toilette.

Ze keek het schip een poosje na. Ze had alle tijd, hoewel het vakantiegevoel van de vorige dagen was verdwenen. Niet de aanstaande lunchafspraak met Huub van Heemskerck bij een brasserie aan de

Maas was daarvan de oorzaak. Ook niet het vooruitzicht van de terug-rit naar huis. Het kwam door haar uiterlijk van zakenvrouw en de we-tenschap dat het verstandig was geweest ook nu het Ikkanheksen-kle-dingadvies op te volgen.

Het was een goede beslissing geweest de bankrekening van TipTop-Tekst aan te spreken. Trui, spijkerbroek en jack hoorden bij de onbe-middelde oudere vrouw die met een geleende kampeerbus vakantie hield in afwachting van opdrachten. Vestje, pantalon en mantel bij de vrouw die zodanig brochureteksten over een Frans vakantieparadijs kon schrijven dat de lezer ervan er stante pede een plek reserveerde.

In die werkneemster mocht TipTopTekst behoorlijk investeren. Ze was goud waard voor de zaak.

Niet dat deze conclusie zonder slag of stoot was getrokken. Direc-teur Silke had moeite moeten doen werkneemster Silke te overtuigen. Dat was in het stadscentrum gebeurd, onder invloed van elegante, joyeus geklede dames en heren in lange wollen mantels met hoeden op – bij wie de zich minderwaardig voelende werkneemster Silke een lief-desrelatie vermoedde.

Aanvankelijk was de directeur van TipTopTekst uitgemaakt voor roekeloze spender. Pas voor argumenten van commerciële aard was de werkneemster gezwicht. Inderdaad, als ze de vis Huub van Heems-kerck moest vangen, was een goede hengel en een stevig schepnet voorwaarde.

De voor noodgevallen meegenomen pinpas van de zaak was na die conclusie verhuisd van rugzak naar jackzak, en gebruikt bij een twee-dehandswinkel voor de aankoop van regenmantel plus kalfsleren A4-schoudertas, en voorts bij diverse boetiekjes. De eau de toilette, nagel-lak en haarverf had de werkneemster privé betaald, de zilverkleurige kousjes en suède instappers van het bedrag dat ze op kosten van de di-recteur contant had opgenomen.

Ze hoopte met heel haar hart dat ook nu de kost mocht uitgaan voor de baat, maar daar dacht ze niet aan terwijl ze op de brug het schip nakeek, dat zich zuidwaarts spoedde in het zilveren zonlicht. Ze dacht aan het nagelschaartje, waarmee ze de vorige avond in Kobus de prijskaartjes van de aankopen had geknipt, en dat ze tegelijk met de kaart-jes moest hebben weggegooid. Of met de flaconnetjes van de haarverf die ze ermee had opengeknipt. Ze dacht ook aan de mail van Paula, waar koffie overheen was gevallen. Daardoor weer aan het heerlijke eten, in de stad, en aan de conclusie die haar opeens glashelder voor ogen had gestaan, dat het verdriet dat ze voelde geen liefdesverdriet was, maar het verdriet om verlies van eigenwaarde. Ze had beseft dat, nu haar vrouwelijkheid het zonder mannelijk antwoord moest doen, ze al eerder nóg iets was kwijtgeraakt, haar jeugd, en dat ze ongemerkt oud was geworden.

Maria Sofia, dacht ze nu, jij hebt nooit deze leeftijd mogen bereiken terwijl ik misschien nog vele jaren mag leven. Het geschenk van een langer leven wil ik, als verwend kind van deze tijd, ook kwalitatief hoogwaardig hebben. Met boeiend werk en een goed sociaal leven. Met balans tussen alle aspecten van het bestaan, en dus ook met de sek-sualiteit. Een relatiesite, je weet niet wat het is, maar als velen daar hun partner vinden, zal ik het er dan toch maar op wagen?

Een laag overscherende meeuw bracht haar terug in de werkelijk-heid. Kom, zakelijk worden, dacht ze. En ze wandelde de brug over, naar de brasserie van de afspraak.

Het was daar razend druk, en een komen en gaan door de draai-deur, zodat ze daar bij de deur de zaak eerst maar eens overzag. Was Huub van Heemskerck er al? Geen van de aanwezige heren kwam echt in aanmerking en niemand gaf respons op haar zoekende blik.

Er kwam een tafeltje vrij. Terwijl de serveerster afruimde, bestelde Silke cappuccino. Ze zat een poosje om zich heen te kijken, er was een gezellige reuring. Onwillekeurig streek ze over de zachte wol van het vestje. Niet zomaar een vestje was het! Het sloot met een dichte rij pa-relmoeren knoopjes van de zijnaad linksonder naar de rechter schou-der, dus met een ruime v-hals, en het was diagonaal gebreid. Een heel apart ontwerp, had de verkoopster het genoemd. Silke had het trou-wens als een oefening in beeldend en aankoopstimulerend schrijven in Via Maria Sofia beschreven, net als de andere aankopen. Van de kleur paars van het bloesje schreef ze niet te hebben geweten dat die haar flatteerde. Eigenlijk zweemde het paars naar violet, het hing van het licht af. 'Morgen draag ik dus een modern violet keurslijfje...,' had ze geschreven.

Nu stalde ze haar mobieltje, een nieuw notitieblokje en een pen voor zich uit op tafel. Ze herinnerde zich een ansichtkaart voor Paula, adresseerde de kaart, bedankte voor de mail en meldde dat ze vast vóór de kaart zou arriveren weer thuis was. Toen ze opkeek, naderde een man haar tafeltje. Hij had een jas over zijn arm, onordelijk bruinachtig haar en droeg een koffertje. Ze wist meteen helemaal zeker dat hij Huub van Heemskerck was.

19

Huub van Heemskerck schoof zijn bord een stukje van zich af. 'Dat smaakte goed,' zei hij terwijl hij de glazen bijschonk. Op de een of andere manier was dat erg leuk, vond Silke. Het woord 'sexy' drong zich op, maar toelaten deed ze het niet. Ben je nou helemaal betoeterd!

Dat het goed had gesmaakt was duidelijk – niet alleen zijn bord was leeg, ook de schaaltjes met gebakken aardappelen en groenten waren dat. 'Ik hou van lekker eten,' had hij in het begin al verklaard, toen Silke een broodje rosbief had willen bestellen.

'Je moet iets warms nemen. Je hebt toch genoeg tijd om echt te lunchen?'

'Echt te lunchen?'

'Ja, echt te lunchen, met behoorlijk eten. Ik zag...' Hij had de menukaart er weer bijgepakt. 'Ik zag gebakken champignons met toast vooraf, en entrecote met rodewijnsaus, groenten en frites of gebakken aardappelen. Dat neem ik, en dan met die gebakken aardappelen. Ik heb trek.'

Silke had de kaart nog maar eens bekeken.

'Oké, ik neem ook champignons. En de gegrilde biefstuk met gepofte aardappel en kruidenboter.'

'Welke wijn...?'

'Wijn? Eh... doe mij maar spa.'

'Dat is niet verstandig. Wijn schijnt uitermate gezond te zijn, mits elke dag gedronken.'

Ze was in de lach geschoten. Hij had een fles laten komen. Ze had nog even gedacht aan calorieën, slechte vetten en zielige levers. En ook dat oudere vrouwen door drank niet aan charmes wonnen. Daarna was ze gezwicht.

Steels keek ze nu van de lege schotels naar haar tafelgenoot. Hij zag er verdraaid gezond uit voor iemand met een mogelijk slechte levenswijze. Breedgeschouderd en absoluut niet dik. Zijn gezicht vertoonde niet de kleur van een leverlijder. Hij haalde zijn hand in een gewoontegebaar door zijn onordelijke haar. Hun blikken ontmoetten elkaar.

'Ik had al weken geleden naar de kapper gemoeten,' zei hij. 'In Frankrijk laten ze het steeds te lang. Ik heb het vanmorgen geprobeerd, hier in Maastricht. Ik was toch een uur te vroeg, maar het kon alleen op afspraak. Het is irritant, het hangt steeds voor mijn ogen.'

Silke moest giechelen. 'Moet je er een sjaaltje om doen.'

Ze deed of ze een denkbeeldig sjaaltje vouwde, langs haar voorhoofd legde en in haar nek vastknoopte. 'Doe ik ook altijd als het te lang is.'

Met een grijns keek hij toe.

'Maar doe maar niet,' zei ze, en zonder het uit te leggen, 'je bent tenslotte geen vegetariër...'

'Waar slaat dat op?'

'Op een bepaald type vrouwen.'

Hij haalde zijn schouders op. 'Ik eet trouwens vaak vegetarisch. Met bonen kun je fantastische gerechten maken. Lekker veel ui en knoflook fruiten, dan vurig kruiden, wat pittige groente en bijvoorbeeld knapperig gebakken stukjes aardappel of oud brood erdoor.'

Hij maakte met duim tegen wijsvinger het gebaar van 'excellent'. 'In Petit St. Père zal ik je het laten proeven. Help onthouden. We draaien trouwens al proef in het restaurant in de boerderij. Met simpele dagschotels. De mensen hebben in hun vakantie meestal geen zin om zelf te koken. Maar ook niet om elke dag duur en uitgebreid te dineren, vooral Nederlanders niet.'

119

Hij lachte vrolijk en nam daar de tijd voor. In die tijd vroeg Silke zich af of hij nu echt dacht dat ze tijd en geld had om even naar Frankrijk te komen. Gemakkelijk praten. Zij met haar oude kar. Zomaar weg bij TipTopTekst. Maar charmant klonk het wel. En als hij alle kosten voor zijn rekening nam...

'Het is dus geen à-la-carte-restaurant. Alleen dagschotels. Een vis- en een vleesgerecht, iets vegetarisch en iets als een pizza of quiche of omelet, je snapt het wel.'

'Zal ik nu wat vertellen over TipTopTekst?' stelde Silke voor.

Dat had ze al eerder willen doen, maar toen werden de champignons net geserveerd. Door het eetlustopwekkend knoflookgeurtje had ze het presenteren van haar bedrijf meteen laten varen. Ze waren het er trouwens over eens geweest dat zaken bespreken en eten niet goed samengingen.

'Je proeft niet wat je eet, of je weet niet wat je bespreekt. Een middenweg is er niet,' vonden ze.

En nu proefden ze dat de champignons in olijfolie waren gebakken en met knoflook en tijm waren gekruid. Waardoor hij, via de charme van streekgerechten, was gaan vertellen over het gebied waarin het gehucht lag, aan de bovenloop van de Seine, nabij een meer en een natuurpark met vogelreservaat.

'Klinkt aanlokkelijk,' had Silke opgemerkt.

'Ruikt aanlokkelijk,' corrigeerde haar tafelgenoot, want de hoofdgerechten werden toen net op tafel gezet.

Maar nu stak Silke dus wel van wal over TipTopTekst. Wanneer ze gestart was, de soorten opdrachten, haar werkwijze en met welke grafische bedrijven ze samenwerkte. Ze pauzeerde alleen toen de serveerster kwam afruimen. Ze bestelden koffie met abrikozenvlaai.

'Jij wordt er kennelijk niet dik van,' zei Silke terwijl ze de enorme punten monsterde.

'Dat komt door al dat gesjouw met de bouw,' zei hij. 'Daarom óók bevalt het me zo goed, dit jaartje ertussenuit. Je gebruikt je lichaam weer eens.'

Silke keek vragend.

'Ik heb een jaar de tijd genomen om van de erfenis iets te maken. Als je dat niet meteen serieus aanpakt, wordt het nooit wat. Het was zwoegen. Van zonsopgang tot zonsondergang. Zeven dagen in de week. Maar ik ben nog nooit zo tevreden geweest.'

Nu vertelde hij op zijn beurt. Het was allemaal magnifiek uitgekomen. Precies op het juiste moment. Heel jammer dat zijn geliefde oncle Henri dood was, maar hij was met z'n drieënnegentig jaar niet in de wieg gesmoord. Er kwam nu eenmaal eens een eind aan. Een prachtleven had oom gehad. In zijn jonge jaren, toen hij nog gewoon Henk heette, was hij naar Frankrijk getogen. Een avonturier noemde de familie hem. Hij was de oudste broer van Huubs moeder. De familie had spottend zijn naam verfranst. Maar mooi dat oom Henk van de verwaarloosde wijngaard van de familie van zijn Franse verloofde een succes had gemaakt. Hij was nooit met haar getrouwd. Er zat een soort krankzinnigheid in de vrouwelijke lijn van de familie, een krankzinnigheid die hij bijtijds had doorzien. Het leek aanvankelijk op een enigszins theatrale melancholie, die de vrouwen overigens buitengewoon aantrekkelijk maakte, maar die zich gaandeweg ontwikkelde tot een soort van hysterische heerszucht. Met een fikse zak met duiten was oom bijtijds aan het huwelijk ontsnapt. Zijn ervaring met het wijngoed zette hij om tot een soort van adviseurschap. Hij trok van het ene probleemgebied naar het andere. Zijn toekomstvisie over het toerisme had hij tastbaar gemaakt door boerderijen en kasteeltjes op het platteland op te kopen en te laten verbouwen tot hotelletjes en restaurants, en vervolgens te verkopen. Daarmee had hij kapitaal vergaard. Het gehucht was zijn laatste aankoop.

'Het overlijden van je oom kwam voor jou precies op het juiste moment, zei je.'

'Inderdaad. Het kwam eigenlijk als een geschenk uit de hemel.'

Hij schoot in de lach. 'Dat die woordspeling niet eerder in me is opgekomen... Dat komt omdat ik niet taalgevoelig ben. Ik heb mijn eindexamen indertijd gehaald dankzij de tienen voor exacte vakken. Ik ben een raszuivere bèta. Techniek en zo is gesneden koek voor me. Maar talen...'

'En Frans dan?' vroeg Silke.

'Dat gaat redelijk, louter omdat ik precies na-aap wat ik hoor. Ik ben net een papegaai die ook nog met handen en voeten kan praten... Maar een brief schrijven in het Frans kan ik niet. Gelukkig zijn er ook daar mensen zoals jij. In het begin vertaalde ik hun teksten met het woordenboek erbij weer terug naar het Nederlands in de hoop er wat van op te steken. Onbegonnen werk. Ik heb me erbij neergelegd.'

Silke knikte.

'Maar waarom kwam het gehucht als een geschenk uit de hemel vallen?'

'Ik had tabak van mijn huwelijk en tabak van mijn bedrijf. Ik sukkelde van de ene dag in de andere. Ik kneep 'm er vaak tussenuit. Bezocht regelmatig oncle Henri. Zijn geest was glashelder, zijn lichaam wilde niet meer. We discussieerden over de krantenartikelen die ik hem voorlas, of over de economie, het toerisme of de wijnschandalen die er altijd wel lijken te zijn. Ik kookte zijn lievelingsgerechten. Zijn huishoudster was allang blij, want zij was met haar achtenzeventig ook de jongste niet meer. Zij heeft tussen haakjes zijn vermogen geërfd.

Op een goede dag drong het opeens tot me door dat die stokoude oom Henk, zelfs aan zijn leunstoel gekluisterd, nog altijd een gelukkig mens was. En waarom? Omdat hij in zijn leven had gedaan wat hij zélf wilde. Terwijl ik bleef hangen in een huwelijk waarin ik me kapot ergerde. Een bedrijf drijvende hield waar ik geen zin in had.

Ik zei dat tegen hem. Dat het dus hoog tijd voor me was om naar huis te gaan en korte metten te maken. Te scheiden. Het bedrijf te verpatsen. Een week later was mijn oom dood. Overleden in zijn slaap. Mooier kan het niet. Bij testament was het gehucht aan mij toebedeeld. De notaris las een brief van oom voor waar ik niets van begreep. Met het woordenboek erbij heb ik het vertaald. Het kwam erop neer dat ik zou opknappen van wat lichamelijke arbeid. En dat ik de opbrengst van de verkoop van mijn bedrijf maar in materiaal en assisterende mankracht voor de bouw moest steken. Dat het gehucht me uiteindelijk veel meer geld zou gaan opleveren dan ik erin zou steken, maar dat de smaak van succes van nog groter belang was voor mijn levensgeluk.

Zo, nu weet je meteen hoe het is gekomen.'

Hij at de vlaai in één keer op.

'Een mooie geschiedenis,' zei Silke. 'Via oncle Henri kon je richting geven aan het leven.'

Het drong tot haar door wat ze zei, via oncle Henri. Bijtijds slikte ze het grapje in dat zij, via haar overgrootmoeder Maria Sofia, slechts voor de duur van één week richting gaf aan haar leven. Zij ook met haar deftige gedoe over publiceren van een reisjournaal in een historisch tijdschrift!

'Moeten we nu maar spijkers met koppen gaan slaan?' stelde ze daarom voor.

Bij wijze van antwoord pakte Huub de koffer van de grond. Er zaten folders in, fotomappen en een landkaart.

Die vouwde hij open. 'Kijk, dit is het gebied. Daar loopt de Seine en daar is het meer. Ten zuidoosten van dit stadje ligt het gehucht. In de streek noemen ze het Petit St. Père. Daar ligt het echte St. Père, zie je? Moment, ik pak de foto's.'

20

De bespreking met Huub van Heemskerck was een geweldige opkikker. Het leven leek weer leuk. Dat kon best te maken hebben met alerte hersenen, die allerlei terloopse informatie netjes opslaan en maken dat de mens opeens iets snapt. Of iets wil, en spontaan acties onderneemt door energieke inspiratie.

Maar ook de binnengehaalde opdracht voor de brochuretekst gaf glans aan de dingen. Ziezo, de periode van rondlummelen was voorbij. Dat stelde Silke vast. Daardoor realiseerde ze zich dat de achterliggende tijd niét leuk was geweest. Oké, ze had zich manmoedig gedragen. Geprobeerd positief te blijven en nuttig bezig te zijn. Maar er speelde als het ware een treurig wijsje door alles heen. Een vaag gevoel van mislukking. Van nutteloosheid. Dan ook nog je minnaar kwijtraken maakt het er vanzelfsprekend niet beter op.

Daardoor ook had ze niet de goede beslissingen genomen! Achteraf gezien was het gewoon verkeerd om de regen de baas te laten spelen en van de voorgenomen vakantieroute af te wijken. Nu was ze dwars door Drenthe gereden zonder iets anders te zien dan heen en weer zwaaiende ruitenwissers. Langs IJssel noch Vecht had ze gewandeld. Terwijl ze een paraplu had en een capuchon. Noord-Limburg was naar verluidt hartstikke mooi. Maar zij had het aan haar neus voorbij laten gaan.

Ze had zich niet afgevraagd wat ze zelf wilde, maar de omstandigheden de doorslag laten geven. Natuurlijk hoefde je niet als een koppige ezel of een despoot door het leven te gaan. Flexibel zijn was een verdienste. Maar zij had externe machten wel erg gemakkelijk voorrang gegeven, terwijl ze best zelf de leidsels in handen mocht hebben.

Dat zat ze zo te overdenken toen ze op zaterdagmorgen over de snelweg door Limburg huiswaarts reed. De vakantieweek was nagenoeg voorbij. Na anderhalve dag droog en zelfs tamelijk zonnig weer, zou het opnieuw gaan regenen. Dat hadden mensen van de caravanclub op de camping gezegd. De beheerder had het bevestigd toen Silke hem bij het afrekenen een cadeaubon gaf als dank voor zijn hulpvaardigheid. Met een enorme volzin had hij erop gereageerd: 'Komt u in mei of juni maar genieten van het natuurschoon en het mooie weer, het is bij ons altijd warmer dan bij jullie.'

Wie haar ook van natuurschoon en mooi weer wilde laten genieten, was Huub van Heemskerck.

'Eind februari, begin maart moet je naar Petit St. Père komen,' had hij met klem gezegd. 'Dan knalt het voorjaar er naar buiten. In de weiden en bossen wemelt het van de vogels die terug zijn uit hun overwinteringsgebieden. Overal hoor je ze zingen. Het is onvergetelijk. Ik heb me voorgenomen elk voorjaar terug te komen.'

Want als de bouw klaar was ging hij weer in Nederland wonen. Dan was zijn vrije jaar voorbij. De manager in Petit St. Père moest het alleen af kunnen. Hijzelf zou zich door de taal in Frankrijk altijd vreemdeling blijven voelen. In eigen land wilde hij weer een bedrijf starten, de maanden van fysieke arbeid hadden heel wat goede ideeën opgeleverd.

'Kijk, straks gaat mijn toeristendorpje geld opleveren. Volgens de prognose kan ik daar prima van bestaan. Maar voor zo'n gelijkmatig leven ben ik niet geschikt, die ervaring heb ik nu. Ik heb het beter naar mijn zin als ik steeds nieuwe dingen doe. Starten vind ik prachtig, van ellenlang doorrijden val ik in slaap.'

Wat hadden ze lang zitten praten! Het was door de onderwerpen 'gehucht' en 'brochure' een leuke mix van zakendoen en praten over persoonlijke drijfveren. Daarbij was het een verademing weer eens met een man aan tafel te zitten. Paula had gelijk. Er was die grappige spanning van man en vrouw. Ze werd er spitsvondig en ad rem door, alsof hij steeds voorzetjes deed die ze alleen maar hoefde in te koppen. Die vent was ook aanstekelijk enthousiast en energiek. Het was moeilijk voor te stellen dat hij suf en duf was geweest, zoals hij dat noemde.

Ze had daar iets over gezegd. 'Maar het is gewoon grandioos om elke dag weer een stukje droom verwezenlijkt te zien,' had hij uitgeroepen. 'Uit een vervallen doodse troep groeide langzaam maar zeker een minidorpje. Met de dag kwamen droombeeld en werkelijkheid dichter bij elkaar. Dat geeft een kick van jewelste. Ik ben een enorme geluksvogel met mijn oncle Henri. Door die erfenis heb ik ervaren dat een mens zichzelf kan belonen, dat teleurstellingen er zijn om te overwinnen.'

Hij voegde er wel meteen aan toe dat het ongetwijfeld alleen maar zo werkte als je deed waar je hart naar uitging. Waardoor hun gesprek nieuwe voeding kreeg, terwijl Silke natuurlijk honderduit vroeg omdat ze van alles wilde weten om de sfeer van de brochuretekst te kunnen tekenen. Actie moest eruit spreken. En levenslust, genieten, ontspannen.

Ook het bekijken van de foto's had tijd gekost. Fantastisch gerangschikt waren ze. In chronologische volgorde en per onderwerp. Geordend in ringmappen, met stickers waarop bijzonderheden en data waren genoteerd.

De systematiek was perfect. Silke mocht het goede voorbeeld nodig volgen. Verder dan voornemens om orde op zaken te stellen in de fotochaos van schoenendozen en enveloppen was ze nooit gekomen.

'Wat een geweldig ordelijk systeem!' had ze dan ook uitgeroepen. Dat ze deze perfectie niet bij een type als hij had verwacht, slikte ze in.

Grinnikend had hij bekend dat hij zijn ex-vrouw hiervoor dankbaar mocht zijn. 'Ze is neurotisch precies. Toen we elkaar pas kenden vond ik dat nette van haar geweldig. Ik was nogal slordig en vond het maar knap lastig dat ik eeuwig en altijd alles kwijt was. Ik heb wat tijd verspild met zoeken! Bij haar lag alles altijd op de juiste plaats, ze vergat nooit iets, had haar zaakjes altijd voor elkaar. Later zag ik pas in dat het hartstikke dwangmatig was. Koken mocht ik bijvoorbeeld opeens niet meer omdat de keuken dan vies werd. De kruidenpotjes moesten precies met hun etiketjes naar voren in het rekje staan. De stoelen werden telkens keurig met hun pootjes teruggeplaatst in de holletjes die ze in het tapijt maakten. Als er bezoek kwam, stond alles afgemeten klaar. Precies genoeg water in de koffiemachine, een afgepaste hoeveelheid koekjes op de schaal, net als het exacte aantal wijnglazen op het aanrecht. Er moest een kleed over de tafel, en gekregen bloemen moesten naar de bijkeuken, zogenaamd om ze te laten acclimatiseren. Ze wilde niet autorijden in de regen omdat de wagen dan vuil werd. Gek werd ik ervan. Ik ergerde me langzamerhand kapot. Maar systematischer ben ik in die zeventien jaar huwelijk wel geworden...'

'Zeventien jaar?' had Silke gevraagd. Kennelijk was hij erg laat getrouwd. Of was het zijn tweede huwelijk geweest?

'Ben je dan nog zo jong?'

Voor ze het wist was het haar ontschoten.

'Betrekkelijk,' vond hij. 'Ik ben vierenvijftig.'

'Ik ook! Maar jij ziet er jong uit. Je bent ook niet grijs...'

'Moet je hier zien.' Hij tikte tegen zijn slapen.

'Dat maakt mannen interessant...'

Glimlachend herinnerde Silke zich die situatie. Er waren toen nog maar weinig mensen in de brasserie. Het was het stille uurtje na de lunch en voor het borreluur. En ze waren zomaar aan de praat geraakt over het leven als alleenstaande. Huub beviel dat prima. Hij had een heerlijke Franse vriendin, maar het zou niets tussen hen worden. Ze was een vrouw van de streek. Daaraan was ze met hart en ziel verbonden. Ze zou nooit naar Nederland verhuizen, als hij dat al zou willen.

'Voor mij nooit meer het keurslijf van het huwelijk,' zei hij. Zijn gezicht sprak boekdelen.

'Helemaal met je eens,' had ze geantwoord, ook met zo'n strijdlustige blik.

Over de voordelen en nadelen van lat-relaties was het toen gegaan. Over het aardige van een vaste partner voor de film, concerten of etentjes. Minnaars of minnaressen waren gelukkig niet aan bod gekomen. Wel het belang van een goed sociaal netwerk. Van de Nederlandse kennissen van Huub waren er, door de weekenden waarin ze mochten meebouwen, een paar échte vrienden geworden.

'Voor veel kerels is zo'n bouw een droom. We drinken en eten er goed van. Dat smeedt vriendschappen voor het leven.'

Intussen naderde Silke Eindhoven. Ze had het niet eens in de gaten. Ook niet dat het motregende. Automatisch had ze de ruitenwissers aangezet, nog op intervalstand ook. Het was dat haar maag knorde, daardoor begon ze op wegrestaurants en richtingborden te letten. Eindhoven, Den Bosch, Utrecht, Amsterdam. Met een schok kwam ze tot de werkelijkheid. Deze route was niet de bedoeling! Hij leidde naar de hectische randstad, die daar achter de donkere wolkenluchten dreigde.

Bij het eerstkomende wegrestaurant at ze een uitsmijter. Gesterkt bestudeerde ze de wegenkaart. Onomstotelijk bewees die dat het gekkenwerk was alsnog via de oostzijde van het IJsselmeer terug te rijden. Via Lelystad naar Enkhuizen was iets minder dwaas, maar nog altijd belachelijk. Dikke oranjegele banen wezen de snelste weg naar het noordwesten. Het was een route langs beruchte knelpunten. Waren ze dat ook op zaterdag? En moest ze eigenlijk wel de leidsels uit handen geven aan externe krachten? Hoe was het ook al weer?

De terugrit had ze niet gepland. Als ze gewoon de borden volgde, was ze halverwege de middag thuis. Oké, dacht ze. Dat wil ik.

Buiten druilde het. Een buslading mensen met paraplu's liep op de entree af. Het was half een. De vier zwijgzaam etende vrachtwagenchauffeurs aan de tafel naast haar schoven hun borden weg en staken een shaggie op. Een van hen somde met een zucht de knelpunten in hun route op. Ze spitste haar oren.

'Hier bij Eindhoven begint het straks. Wegwerkzaamheden. Ze zijn zo ongeveer heel Nederland aan het asfalteren. Overal tegelijk. Ook in het weekend.'

Het klopte. De terugrit verdiende absoluut geen beschrijving in Via Maria Sofia. Een langdradige opsomming zou dat zijn van snelheidsbeperkingen, wegversmallingen, wegwerkers in gele of oranje doorwerkpakken, zandbedden en dampende asfaltmachines en walsen. Het enige grappige was dat Silke met haar Kobus op een bepaald moment gepasseerd werd door vier identieke trucks met oplegger. De chauffeurs uit het wegrestaurant trokken veilig in konvooi de wijde wereld in.

Het was vijf uur toen ze eindelijk haar vertrouwde Hofmanslaantje inreed. Het regende nog steeds en het was nagenoeg donker. De automatische buitenlamp floepte aan. Ze stapte in de plas. Ze was weer thuis.

21

Hanneke en Maud waren stomverbaasd dat hun praktijkinformatie zo leuk kon zijn. En wat makkelijk te lezen! Bovendien maar voor één uitleg vatbaar. Jammer dat Bruin het nog niet kon trekken en dat in de wachtkamer voorlopig gewoon deze vernieuwde A4'tjes kwamen te liggen. Maar later moest de tekst in een mooie folder komen. Ze zagen het al helemaal voor zich, net als Silke.

Het werd een drukke tijd voor Silke. Meteen al door de brochuretekst voor Huub. Voor de kerstvakantie moest die bij de potentiële klanten zijn.

Een zalige opdracht was het. Het inleven in de sfeer van het Franse platteland was op zich natuurlijk al verrukkelijk. Buiten mocht de winter heersen met ijzige regenbuien en stormachtige noordenwinden, binnen had de zomer de touwtjes in handen met zonnewarmte, vakantievrijheid en natuur. Niet te geloven dat sinterklaas al in het land was.

Over de tekst en opmaak van de brochure gingen heel wat mails over en weer. De begeleidende tekstjes werden steeds minder formeel, persoonlijk zelfs met vaak een grapje en altijd een hartelijke groet. Daarnaast belden ze voor het gemak regelmatig, eerst omdat Silke niet alles op eigen houtje wilde doen ook al had Huub het volste vertrouwen in haar.

De ontwerpstudio wist een heerlijk uitnodigend sfeertje aan de brochure te geven. Met zo'n mix van Franse nonchalance en het Nederlandse maar-je-kunt-er-wel-van-op-aan. In de laatste dagen van november kon de drukker aan de slag. Waarna een koeriersdienst dozenvol glanzende brochures bij een Nederlandse vriend van Huub afleverde, en er een aantal voor Huub op de post gingen.

Nu moest de brochure zijn doelgroep gaan vinden, nu werd het spannend. Zouden ze er effect mee sorteren? Zouden de mensen reageren en in Petit St. Père appartementen gaan reserveren? De tijd van afwachten was aangebroken.

Silke duimde voor de goede afloop – voorzover ze tijd had. Want intussen waren in de stadskrant de advertenties van TipTopTekst verschenen met een feestmaandaanbieding voor persoonlijke 'eindejaarsbrieven'. Er kwamen nog aardig wat reacties op ook, die tussen de bedrijven door moesten worden afgehandeld. Het verlies van de maand oktober werd er een klein beetje door opgevangen. Ze – Silke sprak als het TipTopTekst betrof vaak in meervoud – ze hielden zelfs twee nieuwe klanten aan de actie over. De eerste was een slager met traiteursaspiraties. Hij zag er wel brood in om maandelijks nieuwsbrieven weg te geven, met tips, recepten, achtergronden en aanbiedingen.

De tweede was de schoonzuster van die slager. Ze was na de zomer met een kinderdagverblijf gestart. Ze wilde wel een leuke kerstbrief versturen naar haar eerste klanten. Silke deed haar het idee aan de hand van een veertiendaagse uitgave voor de ouders met huishoudelijke mededelingen, anekdotes, verhaaltjes over gebeurtenissen van de afgelopen tijd en een vooruitblik op de komende veertien dagen. 'Jij hoeft alleen maar de informatie te mailen. Ik maak er wel leuke tekstjes van.'

Ook het kinderdagverblijf werd klant. TipTopTekst spreidde daarmee het ondernemersrisico weer een heel klein beetje verder en zette een nieuwe stap op weg naar een gezonde toekomst.

Silke glorieerde ook nog als mannequin. Vier showtjes liep ze met Paula. Een zilvergrijze lange jurk hield ze eraan over, met een stola van kunstbont die ze aan Paula gaf, zwarte hooggehakte schoenen met open hiel en een wat ouwelijke blazer met bijpassende rok. Met een kleurig coltruitje eronder en de ketting van Maria Sofia was die set nog best draagbaar ook.

De shows waren enig. Te midden van al die hoogbejaarde ijdele dames voelde Silke zich een jonge blom. Ze paradeerde met haar neus in de wind en een van Paula afgekeken glimlach over de rode loper en via een speciale route langs de rolstoelen. Het was een dankbaar publiek. De mannequins hielden af en toe gewoon halt om vragen te beantwoorden of als er aan de stoffen gevoeld moest worden. En ze lieten bijvoorbeeld zien dat een tailleband elastisch was. Het waren enige avonden, die de twee mannequins steevast afsloten met wijn en bitterballen bij IJsbrand.

Lol hadden die twee ook bij hun bezoeken aan de relatie*site*. Telkens als Silke kwam eten, doken ze erin. Bittere noodzaak, vond Paula, nu Allard van het toneel ging verdwijnen. Er moest een vervanger komen. Silke speelde het spelletje mee, ze zochten toch voornamelijk de mannenmarkt af in de leeftijdscategorie van haar ex-schoonmoeder. Paula's inschrijvingstermijn was bijna verstreken en ze wilde er nog uithalen wat er uit te halen viel.

'Waarom verleng je dan de inschrijving niet?' vroeg Silke.

'Omdat ik dat nu met Wim heb afgesproken,' zei Paula. Wim was de eerder gevonden date. De man die ook actief was in een ouderenpartij. 'Hij vindt het niet sportief als ik door blijf zoeken.'

'Daar valt wat voor te zeggen,' vond Silke. 'Maar gaat Jozef ook geen eisen stellen?'

'Jozef heeft geen recht van spreken. Hij is gewoon een kennis met wie ik af en toe iets gezelligs doe.'

Toen kwam de laatste ontmoeting met Allard en afscheid nemen van Reigershof. Silke besefte dat een nacht in een luxehotel voor haar voortaan tot het verleden behoorde...

Ook al arriveerde ze er op de normale tijd, alles leek anders. De vroegere rituelen hadden hun betekenis verloren. Dus douchte ze de vermoeidheid van de dag weg in plaats van een schuimbad te nemen. De Maastrichtse krijtstreepbroek stond mooi. Het heupmodel toverde dikke billen om tot leuk en rond. De suède instappertjes stonden vlot. Ze misstonden echt niet in deze ambiance. En haar eigen eau de toilette was gewoon verdraaide lekker.

Ze had nu tijd over. Met een glas wijn erbij keek ze naar buiten. Ze polste zichzelf. Nee, ze was niet verdrietig. Misschien wat weemoedig, dat was al. Afscheid nemen is een serieuze zaak, dacht ze. Het is goed dat we er de tijd voor nemen. Het moet als het ware een afscheid met een gouden randje worden, zodat hij als een goede herinnering achterblijft. Fijn dat Allard dat ook vindt. En dat vindt hij, anders had hij niet de kamer voor me besproken.

Ze merkte dat ze eigenlijk ook nieuwsgierig was naar Allard. Was hij veranderd? Liefde kon mensen betoveren. Hij is vast minder degelijk en serieus, dacht ze. Luchthartiger. Grappiger. Het was niet pijnlijk om dat te denken. Of, beter gezegd, niet pijnlijk meer.

Toen hij aanklopte, reageerde haar lichaam nog heel even als vroeger op het klopje. Maar de lichte opwinding verdween meteen door het strijken van de broekspijpen tegen haar benen en de instappertjes, die heel anders naar de deur op weg gingen dan de pumps hadden gedaan.

Allard zag er precies zo uit als je bij woorden als puik of patent verwacht. 'Ik voel me geweldig,' zei hij. 'Ondanks de spanningen met mijn vrouw. Het leven straalt me gewoon tegemoet. Wat er tussen Marjan en mij is, is een groot wonder. Ik ben er vol van. Dit verliefd zijn geeft me leeuwenkracht.'

'Ik ben blij voor je,' zei Silke en dat meende ze, ook al voelde ze zich erg schraal vanbinnen.

Dat hij er nu zo patent uitziet, maakt hem tot een andere man, dacht ze. Maar wat mij betreft niet aantrekkelijker. Het is bijna niet voor te stellen dat we minnaars waren. Waren we dat wel? Hadden we niet meer een verbond, een zakelijke afspraak? Een afspraak die we net zo serieus nakwamen als acteurs in een toneelspel? Ja, zo was het. Het is oneerlijk er meer aan toe te dichten. En sentimenteel.

Ze dronken geen wijn op de kamer, maar gingen naar beneden. Aan de bar vertelde Allard over de strategie van zijn advocaat. Tijdens het diner over de adviezen van een bedrijfspsycholoog en de gesprekken die hij met zijn vrouw voerde onder leiding van een bemiddelaar. Ze wilden allebei hun functie in het bedrijf behouden. Ze leidden het nu eenmaal samen, en deden dat succesvol. Er moest dus een modus gevonden worden.

Zijn relaas had voor Silke dezelfde betekenis als een interessante casus bij Ikkanheksen. Door de gedegen aanpak met deskundigen zou het wel tot een goed einde komen. En de diverse strategische tussenstappen kon je in je oren knopen. Je leerde er weer wat van.

Ze tafelden kort na. Ze liep met hem mee naar zijn auto. Daarbuiten omhelsde hij haar kort. Ze bedankten elkaar voor de goede jaren. Ook dat hielden ze kort. Hij zwaaide toen hij wegreed. Ze zwaaide ook, maar ze keek zijn auto niet na.

Weer binnen in de hotelhal koos ze voor het zitje bij de open haard in de bar. Ze dronk een glas cognac en keek wat naar de vlammen en de andere gasten. Het was niet druk in dit jaargetijde. Er kwam een groepje zakenmensen uit het restaurant binnen. Zo te horen waren ze in een opperbeste stemming. Een nogal dikke man keek Silke lang aan. Hij groette daarbij buitengewoon vriendelijk en maakte zelfs een hoffelijk buiginkje.

Het is waar dat het innerlijk van de mens het belangrijkste is, dacht Silke, terwijl ze vriendelijk terugknikte. Maar op de relatie*site* had ik je toch echt overgeslagen, beste man. Desondanks deed het haar goed dat ze kennelijk leuk genoeg was om moeite voor te doen en tegelijkertijd afstandelijk genoeg om met rust gelaten te worden.

Zo zat ze lekker een poosje te niksen. Haar gedachten liet ze de vrije loop. Soms waren ze een beetje weemoedig. Bijvoorbeeld om het verlies van haar jeugd. Maar ouder worden is nu eenmaal iets waarop je geen invloed kunt uitoefenen, dacht ze. Het is dus handiger het maar domweg te accepteren. Trouwens, als ik nog dertig of veertig jaar leef, is het wel zonde om nu al te gaan treuren. Dertig jaar weemoed, dank je

132

feestelijk. Daarvoor krijg je het leven niet!

Ze bestelde nog maar mineraalwater. De dikke man begon een praatje, maar niet boeiend genoeg om haar in de bar te houden. De fase Reigershof in haar leven leek in haar beleving al voorbij te zijn. Ze wandelde op haar gemak door de lounge, langs de receptie en naar de trap. Door de krakende traptreden leek de viooltjesgeur wat muf. Omdat het voorbij is, wist Silke. Grappig dat de zintuigen dan andere interpretaties maken.

Op de kaptafel in haar kamer lag een pakje. Natuurlijk was het van Allard. 'Een herinnering' stond erop. Met een streepje tussen 'herinne' en 'ring'. Het moest dus wel een ring bevatten. Onwillekeurig schudde Silke met haar hoofd. TipTopTekst had iets beters weten te bedenken. Hoewel... dit paste precies bij Allard. En bij de relatie die ze hadden. Niets speciaals, niets bijzonders. Een poging, meer was het niet.

Bijzonder was wel de gouden ring, mooi vormgegeven en met een paar edelsteentjes. En hij paste precies. Ze was er blij mee. De ring mocht het gewenste gouden randje gaan toveren om de herinnering.

'Zijn dit nu diamantjes of briljantjes?' vroeg ze met haar hand in de lucht een paar weken later aan de juwelier. Hij had haar verrassend genoeg gebeld voor een afspraak. Over de boekjes wilde hij praten. En nog wel op korte termijn.

'Een briljant is een aan beide kanten met facetten geslepen diamant,' legde hij uit. 'Briljant is dus de wijze waarop de diamant is geslepen, en geen soort edelsteen zoals veel mensen denken.'

'Een vraag en antwoord als schoolvoorbeeld voor het boekje dat ik bedoel,' zei Silke.

'Exact.'

Vervolgens vertelde hij dat hij het idee had voorgelegd aan de regionale branchevereniging, waarvan hij bestuurslid was. Het was er met instemming ontvangen. Er was inmiddels een werkgroep geformeerd die de vragen en antwoorden inventariseerde. Er was een strakke planning. Medio januari had TipTopTekst de informatie in huis, als ze financieel tenminste tot overeenstemming kwamen. De boekjes moesten begin april, een maand voor moederdag, bij de leden in huis zijn. Mocht die productiedatum voor TipTopTekst te krap zijn, dan wist een medebestuurslid een ander tekstbureau dat de opdracht kon aanvaarden.

Dat nooit, dacht Silke. Ze onderdrukte haar woede over zo'n gemene ideeëndiefstal en vriendjespolitiek. Stoïcijns zei ze dat hij de volgende ochtend de offerte op de mail kon verwachten, mits ze nu natuurlijk concreet konden worden. Maar een uurtje later huppelde ze bijna terug naar de auto. Als de juweliersbranche het idee oppikte, waarom zouden al die andere branches dan niet volgen? Kon ze het idee beschermen? Wie bij Ikkanheksen kon daarover adviseren? Moest ze er geen hulp bij hebben, een office manager, of misschien zelfs een compagnon?

In een overwinningsroes reed ze naar huis, waar ze wat zaakjes afhandelde, uit de stad meegenomen lekkerbekjes at met een kant en klare salade, en zich verkleedde voor de lezing van een droomspecialiste bij Ikkanheksen.

Door het in het zijzaaltje van IJsbrand wat van zich af te praten kwam Silke weer op adem, want de roes leek eerst niet van wijken te willen weten. 'Ja, het gaat nu hartstikke goed met TipTopTekst,' antwoordde ze verschillende keren. 'Ik heb er een prima opdracht bij.'

Een paar vrouwen keken sip. Met hun bedrijven ging het juist moeizaam. Ze hadden net wat troost geput uit krantenartikelen over de tegenvallende economie. Veel startende ondernemers waren erdoor in de moeilijkheden geraakt.

Silke zat op het puntje van haar stoel.

'Dan is nu het moment gekomen om te laten zien wat je waard bent,' vond ze. Bijna had ze haar vuist in de lucht gestoken om haar mening kracht bij te zetten.

'Doordouwen moet je. Glashard doorgaan. Je nek blijven uitsteken. Trek een olifantshuid aan. Laat zien dat je er bent. En dat niet alleen, óók dat je de beste bént. Zeg dat tegen Jan en alleman in je omgeving en wees inderdaad de beste. Echt, dan red je het wel.'

Roomser dan de paus was ze. Het was dat de voorzitster de avond opende, anders had ze nog wel een poosje zitten oreren. Vooral ook omdat ze met haar woorden zichzelf motiveerde en zichzelf via de roes voor de toekomst een hart onder de riem stak...

De droomspecialiste gaf haar lezing aan de hand van schriftelijke vragen die je van tevoren via een formulier kon indienen. Maar eerst vertelde ze allerlei algemeenheden. Het kwam erop neer dat de meest waarschijnlijke betekenis van een droom die betekenis is, waarin je jezelf op een prettige manier thuisvoelt. Het is een verklaring die het gevoel geeft dat er een puzzelstukje exact op de juiste plek valt.

Silke was nieuwsgierig hoe dat zou zijn met haar droom, die over de zoektocht met Maria Sofia naar een klein zwart paard met een hoge staart en paarse hoefjes. Natuurlijk had ze er zo haar ideeën over. Zouden die stroken met de uitleg van een kenner?

Haar droom kwam pas na de pauze aan de beurt. Van die pauze maakte ze gebruik om Hansje te vragen naar de zaak met gynaecoloog De Vries. Om de een of andere duistere reden had ze, toen ze na de vakantieweek de verhalen van de vrouwen aanhoorde, niet verteld dat ze met diezelfde De Vries getrouwd was geweest. Dat zat haar niet lekker. Maar ook nu was de goede gelegenheid er niet.

De vier betrokken vrouwen vormden intussen een werkgroep. Hansje was er de voorzitter van. Ze was flink aan het veranderen. Ze was minder verlegen en stil. Als het tenminste die kwestie betrof, en niet haar persoon.

Nu hadden de vrouwen het probleem gedefinieerd en hun intenties vastgesteld. Zo ging het hen niet om straf of wraak, maar om erkenning. Daarna wilden ze naar buiten komen met wat hen was overkomen. 'Openbaren waar mensen geen weet van hadden,' zei Hansje. 'En tegelijk een soort waarschuwing de wereld insturen. En met "wereld" bedoelen we ook de medische wereld.'

Maud had geregeld dat Hanneke hen het een en ander vertelde over de tegenwoordige procedures en protocollen. Zo hielpen de vrouwen van Ikkanheksen elkaar ook nu weer stap voor stap verder.

'Wat de stand van zaken betreft, we zijn dus aan het inventariseren,' zei Hansje. 'En al die informatie moeten we gaan rangschikken. Maar voor ons heeft dit stadium al veel waarde. Allerlei diffuse gevoelens als verdriet, rouw, onvrede, boosheid en vernedering hebben een basis gevonden. Het is eigenlijk precies als wat er net in de lezing werd gezegd: de puzzelstukjes vallen op hun plek. Dat op zich doet al goed.'

Van Hansje ging Silke naar Maud, die een barkruk had veroverd.

'Je hebt vast wel geraden welke droom van mij was?' vroeg Maud lachend.

'Die over kruiwagens zonder bodem,' zei Silke. 'Het vordert dus nog niet met je plannen?'

Maud vertelde dat ze in concept een ondernemingsplan klaar had, maar dat ze er niet helemaal tevreden over was. Voor ze bij een bankinstelling ging praten over de financiering, wilde ze het plan met iemand doornemen die vaker met het bijltje had gehakt. Silke wist een vrouw die les had gegeven aan het middelbaar economisch onderwijs. Ze zou Maud na afloop van de lezing aan haar voorstellen.

'Ze bouwt nu een naam op als beeldhouwster. Ze heeft talent. Ze maakt indrukwekkende beelden van vrouwen met enorme handen en kolossale voeten, kuiten en biceps. Die biceps heeft ze zelf trouwens intussen ook van al dat hakken. Ingrid geeft haar les, ken je Ingrid trouwens al?'

Toen ze na afloop van het officiële gedeelte van de avond Maud aan de twee vrouwen voorstelde, was haar de betekenis van haar droom duidelijk. De droomspecialiste had haar een lichtje doen opgaan. Het genoemde puzzelstukje had een flinke blos op haar wangen getoverd. Zó zat het dus in elkaar!

De gezamenlijke zoektocht met Maria Sofia naar een klein zwarte paard, stond voor een paar dingen. Zoals de wens om niet solistisch, maar eendrachtig met iemand samen iets te vinden of te bezitten. Iets dat nog moest groeien en dat steeds levenskrachtiger zou worden. Iets waarop je trots kon zijn, want de staart was fier geheven. Het was ook iets dat hartstocht veronderstelde, want de paarse hoefjes duidden op passie.

De specialiste vond het gezien de doelstellingen van Ikkanheksen-vrouwen aannemelijk dat het om de opbouw van een bedrijf of beroep ging. Maar het kleine paard kon ook heel goed symbool staan voor de prille, dus eigenlijk sluimerende, behoefte aan liefde. En 'zwart' stond daarbij voor realiteit. Vergelijk maar met de prins op het witte paard, een beeld dat op romantiek duidt.

Silke vond het best indrukwekkend. Tegelijk voelde ze zich een beetje belachelijk. Het was maar goed dat ze het te druk had voor droomanalyses. Anders had ze vast de magische kracht van haar dromen en verlangens om zeep geholpen. Ze was dan, zeg maar, via de wegenkaart van haar verstand op reis gegaan. Het pad dat ze via Maria Sofia was ingeslagen, zou ze dan nooit verder betreden.

22

Het was goed dat de feestdagen een week vrije tijd opleverden. Silke kwam weer op adem. Ze kon uitslapen, ontbijten met de krant erbij en wat aanrommelen. Het druilerige, waterkoude weer was er ideaal voor. Ook trouwens om naar die vrolijk aangeklede werkzolder van haar te gaan. De treetjes van de smalle zoldertrap kraakten telkens weer een welkom. De werklampen moesten er de hele dag aan. Het vloerkleed was er des te zonniger door.

Ook figuurlijk gesproken hadden deze werkloze dagen bepaald een andere kleur dan toen de opdrachten ontbraken. Overigens kent de branche van TipTopTekst qua drukte nogal pieken en dalen. Hectische drukte en stilte na de storm horen er gewoon bij. Je moet er wel tegen kunnen. Silke was er al op het reclamebureau wat in getraind. 'De eerste stille dag ervaar je als een hemels geschenk,' zei ze ooit eens bij Ikkanheksen. 'Ook de paar volgende dagen zijn nog zalig. Allerlei lopende zaken kunnen eindelijk worden afgerond. Maar daarna begin je om je heen te kijken naar opdrachten. Als die er niet een, twee, drie zijn, ga je piekeren. Je gaat je afvragen of het je ooit weer lukt een klus binnen te halen. Je voelt je bloeddruk stijgen en begint koortsachtig mogelijke klanten te benaderen.'

Intussen wist ze dat het een luxe was om opdrachten op voorraad te hebben. 'Vroeger hadden tekstbureaus voor zo'n drie maanden werk in huis. Maar dat heb ik zelf nooit meegemaakt. Vandaar dat een financiële buffer zo belangrijk is. Het is echt een vereiste om een spaarrekening te hebben.'

Dat was wel mooi theorie. Wat haar betreft was de praktijk een jo-jo-rekening...

In januari begon het project van de juweliersboekjes. De informatie van de werkgroep kwam binnen. Samen met de ontwerpstudio had Silke een soort frame bedacht waarbinnen ze met de tekst moest blijven.

Nu was het zaak de omslachtig en hoogdravend geformuleerde vragen en antwoorden van de werkgroep te transformeren tot vlot leesbare, sprankelende stukjes tekst. Dat lukte natuurlijk – op den duur. Een vreselijk lastige vent in de werkgroep wilde echter steeds iets opnieuw geformuleerd hebben. Hij bleek dezelfde als die vervelende man die indertijd ook wel een ander bedrijf wist dat de klus absoluut op tijd kon klaren. Uiteindelijk koos de hufter dan toch de eerste tekstversie. Witheet werd Silke van die vent. De kans dat ze hem ging kelen werd met elk telefoontje groter.

En wat was er ook een hoop geharrewar over kleine en grote dingen! Dat lag aan de samenstelling van de werkgroep. Steeds was er wel een van de leden ergens op tegen. Al was het maar om een ander lid dwars te zitten. Uiteindelijk ging er veel water bij de wijn, maar één ding wist Silke erdoor te drukken: de serienaam 'TTT-reeks' op het omslag.

Die serienaam was voor haar verschrikkelijk belangrijk. Een reeks heeft namelijk een vaste formule. Nieuwkomers kunnen daardoor goedkoper instappen. Een reeks veronderstelt ook uitbreiding met nieuwe deeltjes. Dat maakt mensen nieuwsgierig. Na een aantal deeltjes kunnen er zelfs branches zijn die komen vragen of ze er óók in mogen.

Silke juichte dus inwendig toen het concept eindelijk voor akkoord getekend werd en de studio en drukkerij definitief aan de slag konden gaan. Paula moest er aan geloven, midden op de dag gingen ze aan de champagne bij IJsbrand. Overigens, IJsbrand had een huischampagne. Op een schoolbord stond een stimulerend tekstje om er gerust iets mee te vieren, zo duur was het niet. 'Maar wel superfeestelijk!'

'Dankzij de juweliers óp naar een gouden toekomst,' wenste Paula toen ze hun glazen lieten klinken.

'Vooral nu ik werkgroepen rauw lust,' zei Silke snel voor ze een slok nam. 'Met huid en haar. Want weet je...' Ze zette haar glas neer en keek haar ex-schoonmoeder met een opzettelijk leep lachje aan. 'Je moet gewoon een aantal kwesties inbouwen waar je ze gelijk in gaat geven. Daarmee kweek je goodwill voor de zaak die je principieel en per se wilt doorzetten. Snap je?'

'Slimme meid,' zei Paula. 'En die zaak die jij principieel wilde doorzetten, is de serienaam...'

Nu trok Paula een sluw gezicht. 'Weet je, we zoeken voor de ouderenpartij nog iemand die heel diplomatiek, vasthoudend en...'

Silke schaterde. 'Zal ik een superslim advertentietekstje voor jullie bedenken?'

Dat kon ze makkelijk aanbieden, want ook na deze stressvolle dagen zou de stilte na de storm volgen. Een mooie tijd om nieuwe *prospects* voor de TTT-reeks te benaderen. Zo heet dat in haar branche, maar Silke noemde het gewoon 'dat ze weer nieuwe klanten moest zien te vinden'. Een drogist bijvoorbeeld, met drie filialen in de stad. Ook de slager voor wie ze de nieuwsbrieven schreef. En het modehuis van de shows met Paula.

De drogist hapte toe. Hij wilde er zijn tienjarig bestaan mee inluiden. Helaas was dat jubileum pas het volgend jaar en het nieuwe jaar was amper begonnen.

Laat ik nu helemaal een opdracht op voorraad hebben, dacht Silke. Echt blij werd ze er niet van. Er schoot wel een scheef glimlachje over.

Met kleine opdrachten vulde ze de tijd, en de la van de kassa. Ze weerstond de verleiding om in kantooruren gezellige dingen te gaan doen. Wel stopte ze eerder, of begon ze later. Ook nam ze de tijd om via internet bedrijven te bezoeken. Hoe presenteerden ze zich? Hoe was de kwaliteit van hun teksten? Was het voor verbetering vatbaar?

Verder neusde ze virtueel rond bij collega tekstbureaus. Ze vergeleek hun aanbod en website met wat TipTopTekst bood. Ze vond dat ze het er niet slecht afbracht. TipTopTekst presenteerde zich op hun (ja, in meervoud) site vriendelijker en speelser. Oprechter, leek het. Met minder pretenties. Of dat nu positief of negatief was, daar moest ze nog eens over nadenken.

Nu ze de tijd had surfte ze ook maar eens naar de relatiesite van Wouter en Paula. Ze kende hem alleen van Paula's beeldscherm. Geroutineerde Paula had altijd 'even snel' de juiste pagina's naar voren gehaald. Nu bladerde Silke vanaf de startpagina de site door. Zo ontdekte ze een vragenlijst, die ze bij Paula nooit had gezien. Via die lijst kon je een verfijnde selectie maken. Je voorkwam ermee dat je je door vele honderden kandidaten heen moest worstelen. Met de vip-selectie, zoals dat heette, selecteerde je stap voor stap de partner van je dromen.

'Nou, dat wil ik wel eens zien,' zei ze voor zich heen. Ze liet haar ogen langs de vragenlijst gaan. Maar dan moet ik het wel serieus doen, dacht ze. Vind ik het daarvoor nu wel belangrijk genoeg?

'Welnee!' riep ze uit. 'Maar ik heb toch de tijd?'

Ze was ook best nieuwsgierig welke droomman de computer voor haar in petto had. Ze ging aan de slag.

Moest hij een vaste partner worden? Nee, niet speciaal.

Mocht een lat-relatie? Ja, hoor.

Welke leeftijdsgroep had de voorkeur? '50 – 60' klikte ze aan.

En haarkleur? Mocht kaal ook? Kinderen en huisdieren? Moest hij kunnen koken? Het huishouden kunnen doen? Rijk zijn? Sportief?

Er leek geen eind aan de lijst te komen, het begon flink te vervelen. De droomman begon zo steriel als een etalagepop te worden.

'Maar wie A zegt moet ook B zeggen,' mompelde ze. 'Als ik nu stop, heb ik al die tijd verknoeid.'

De telefoon ging. Meteen toen de hoorn weer op het toestel lag, kwam de vraag of hij van dansen moest houden.

'Ja.'

Er kwam een serie danstypes op scherm. Welke voorkeur had ze?

140

'Dat gaat wel erg ver, zeg!' riep ze uit.

Balorig klikte ze de keuzemogelijkheid 'Latijns-Amerikaans' aan. Meteen gevolgd door een klik op 'verzend.'

Er verscheen een dialoogvenster. 'U heeft niet alle vragen beantwoord. Het is dan niet mogelijk een passende relatie te selecteren. Wilt u doorgaan?'

Met een zucht klikte ze op 'ja'.

Het viel mee, er volgden nog maar een paar vragen. Toen ze eindelijk kon verzenden, vroeg de computer enige ogenblikken geduld. Al na een tel kwam de boodschap in beeld dat er vier kandidaten waren gevonden. Of ze die nu wilde bekijken? Of wilde ze de heren opslaan in haar vip-postbus?

'Nu' klikte ze aan. Het gebeurt tenslotte niet alle dagen dat er vier kerels op een presenteerblaadje worden aangeboden.

Warempel, daar stond kandidaat nummer een op het scherm. De portretfoto bleek beeldschermvullend vergroot te kunnen worden. Als een duiveltje uit een doosje verscheen er een vriendelijk ogende vent met een mooie bril en achterovergekamd haar op het scherm. Hij was weduwnaar en docent. Hij had twee zoons, drie katten, twee honden, postduiven, valkparkieten en een papegaai.

'Vond ik dat goed?' riep Silke verontwaardigd uit.

Ja, dat had ze goed gevonden... Ze moest aan Paula's waarschuwing over kampeervakanties denken.

Ze klikte de foto terug in zijn hokje en liet kandidaat nummer twee opdraven.

'Een vent met een paardenstaart en oorbellen! En die zou bij mij passen? Wat een engerd, weg ermee.'

Had ze nu toch maar 'kort' aangeklikt bij haarlengte. Maar ja, het haar van Huub van Heemskerck was ook niet bepaald kort geweest. En die lange lokken had ze verdraaide grappig gevonden.

Nummer drie sloeg ze per ongeluk over. De informatie over de vierde kandidaat vulde al het scherm. Een foto ontbrak. Of zijn profiel paste, geloofde ze wel. Het is niet de computer die zich vergist, maar de mens die hem instructies geeft...

Ze las de persoonsbeschrijving, die lekker kort was. Bij Paula had ze te veel ijdele en zelfgenoegzame verhalen moeten doornemen voor ze besefte dat geen vent gaat uitweiden over zijn smerige streken, geslachtsziekte, sadistische neigingen, gevangenisstraf en drugshandel. Kort maar krachtig, dat stond haar aan.

En dat was de beschrijving van kandidaat nummer vier.

'Binnenkort komt onze vriend weer in Nederland wonen. Hij is een gelukkige vent. Maar wij gunnen hem een vriendin. Bovenstaand profiel zegt veel. Verder is hij creatief en technisch. Ziet er goed uit. Doorzetter. Kan met hoofd en handen werken. Heeft hart en gevoel. Kookt de sterren van de hemel. Adoreert goede wijn. Zal nooit netjes worden en nooit aan de leiband lopen. Uitsluitend reageren met voorkeur voor lat-achtige relaties.'

'Net Huub van Heemskerck!' riep Silke uit.

Intussen kwam de pagina met zijn profiel in beeld. Maar Huub was niet blond, had geen bruine ogen en was absoluut langer dan 1.65-1.70. Opleiding en niveau klopten wel, voorzover ze wist. Gescheiden, zonder kinderen ook. Over een voorkeur voor de Italiaanse keuken had hij niet gerept. De rest was moeilijk te beoordelen, hoogstens dat het wonderlijk leek dat hij van dingen als dauwtrappen, watersport, historische romans, horrorfilms, autoraces, schaken en salsadansen zou houden. Maar daar kun je je op verkijken.

Zouden zijn vrienden hem op internet hebben gezet, vroeg ze zich af. Ik kan me tenminste niet voorstellen dat hijzelf zoiets zou doen. Hij wilde tenslotte geen vrouw.

Opeens herinnerde ze zich de Franse vriendin. Maar zij was alleen een bedgenootje. Dat had hij gezegd. Wat klonk dat trouwens gezellig. Speels ook. En wat klonk minnaar of minnares dan formeel. Ouderwets zelfs. Ze hoorde in gedachten een trap kraken en rook viooltjes.

Maar met de Franse vriendin zou het nooit iets worden. Dat had hij ook gezegd. Gek eigenlijk om zoiets van een zakenrelatie te weten. Tegelijk was het helemaal niet gek. Ze waren via Wouter met elkaar in contact gekomen, de start was daardoor al informeel. En verder was hij geen type dat belangrijk of formeel deed. Enthousiasme was zijn drijfveer en dat gaf richting aan de gesprekslijnen.

Dat hij op een relatiesite stond moest achter zijn rug om zijn gedaan. Nou, van je vrienden moet je het maar hebben...

'Maar het ís hem toch ook helemaal niet!' riep ze uit. 'Van dat profiel klopt geen hout! Weet je wat, ik ga een reactiemail sturen, dan heb ik het bewijs.'

Ze klikte op de betreffende knop op het scherm. Er floepte een dialoogvenster naar voren.

'U bent niet ingeschreven als lid. Een reactie is daarom tot onze spijt niet mogelijk. Klik op ja om de inschrijvingsprocedure te starten.'

'Aha!' mompelde ze. 'Dat is dus de truc. Daar is Paula ingeluisd. Kostte haar nog aardig wat duiten. En dat alles voor de grap.'

Dus klikte ze op 'nee'. Het was stukken goedkoper om Huub van Heemskerck gewoon te bellen. 'Hé, schaak jij eigenlijk?' En bij een positief antwoord: 'Krijg je veel reacties via die relatiesite?'

O nee, dat kon niet. Dan viel ze door de mand als partnerzoekende, zij die geen behoefte had aan een man...

Maar wat wél kon, was met hem bellen om te horen hoe er op de brochure werd gereageerd.

Dat had ze eigenlijk allang moeten doen. Ze stelde zoiets altijd uit, bang als ze was om te horen dat het tegenviel. Dat het een dure grap was geweest. Dat de ontvangers negatieve kritiek hadden gegeven. Dat er een storende fout in de tekst bleek te staan.

Onder de vrouwen van Ikkanheksen was dit een terugkerend gespreksonderwerp. Waarom twijfelden ze toch zo aan zichzelf?

Onwillekeurig had Silke het internetprogramma afgesloten en de brochure tevoorschijn gehaald uit de map met recent werk. Hij zag er mooier uit dan in haar herinnering. Ze las de tekst woord voor woord. Er zat geen enkel foutje in. Elke punt en komma stond op z'n plek. Geen slordige afbreking of verdwaald stukje wit was er te vinden. Eigenlijk kon hij haar goedkeuring wel wegdragen. De kleuren waren uitstekend. Groen was groen, blauw was blauw. Dat klinkt logisch, maar hoe vaak werd drukwerk niet te blauw of te rood? De kwaliteit van de aangeleverde foto's was dan ook uitstekend geweest. Dat had de drukker gezegd.

En niet alleen de kwaliteit, dacht ze, met de ordeningssystematiek in herinnering.

Tja... in een stille periode zou ik eindelijk orde gaan scheppen in de chaos van mijn foto's, dacht ze. Maar gelukkig heb ik geen albums in huis...

Maar ze kon toch beginnen met sorteren?

In kantoortijd?

Ontspanning was foto's sorteren toch niet?

Met een nors gezicht kiepte ze een poosje later de eerste schoenen-doos leeg. Het was echt een enorme berg op de werktafel. Een bescha-mende berg. Vaak zaten de foto's nog in de originele enveloppen. Er waren ook toegangskaartjes en suikerzakjes. Felicitatiekaarten zaten er tussen, en zelfs hele brieven met envelop en al.

Beschamend was het inderdaad. Maar kennelijk was het een fami-liekwaal. Want achter de schoenendoos was de scheerkist van haar va-der tevoorschijn gekomen. Een ding met een gescheurde spiegel en een scheefgetrokken deksel. Door de komst van het elektrische scheerap-paraat was de kist in onbruik geraakt. Haar moeder had de familiefo-to's erin gekiept omdat de schoenendoos waarin die eerst zaten van ouderdom uit elkaar was gevallen.

Heb ik mama niet ooit eens voor haar verjaardag een mooi, zwart-fluwelen fotoalbum gegeven? Er staat me toch vaag iets van bij... Ze grinnikte. De kans was groot dat haar moeder het album aan iemand anders cadeau had gedaan.

Eén blik was voldoende om te constateren dat kleurenkiekjes er broederlijk verenigd lagen met staatsieportretten van baby's op scha-penvachten, bij palmen. Die baby's waren intussen hoogbejaard of overleden, kennelijk waren schapenvachten en palmen in de mode in die tijd.

Bijna ging ze die foto's op haar gemak bekijken, maar ze wist zich tot de orde te roepen. Soort bij soort moesten ze liggen. Aan de slaap-bank kleefden inmiddels al stickers met daarop de verschillende categorieën. Omdat er al gauw niet genoeg ruimte was op de bank, kwamen er stickers op de vloer voor brieven, kaarten en diversen.

Twee ladingen schoenendozen en de scheerkist sorteerde ze. Toen was het zes uur, en gelukkig helemaal legitiem om een frisse neus en avondeten te gaan halen in de stad. Ze stapte op de fiets. De lichten van de stad weerspiegelden in het kanaal. Het water maakte geen geluid, wel was het goed te ruiken. Een koude geur was het, vermengd met die van algen en dieselolie. De hemel was bijna oranje gekleurd door de kassen van de kwekerijen aan de andere kant van de stad, waar Maud en Hanneke woonden. Echt donker was het daardoor nooit meer. Soms zag je zelfs de sterren haast niet meer.

Het carillon speelde. Het wijsje gaf Silke het aangename gevoel thuis te zijn. Hier lagen haar wortels. Ze kende alle straten en steegjes van het centrum op haar duimpje. En toch was de stad weer groot genoeg om er je anoniem te kunnen voelen.

Ze sprong af om de trap van de brug op te lopen, maar zag in de oranjeachtige duisternis een jogger net naar beneden gaan. Ze werd bang. Was hij dé jogger van toen? De grapjas die pal voor haar op de onderste tree was blijven staan, met zijn grijnzend ontblote tanden en zijn armen wijd uitgespreid. 'Ha, liefje,' had hij langgerekt gezegd.

'Uit de weg,' had ze kortaf teruggezegd. In haar oren was het oorverdovend gaan suizen.

'Geen gevoel voor humor, liefje?'

'Inderdaad,' had ze gezegd. 'Donder op!'

Maar hij was breeduit blijven staan, en die grijns werd steeds breder. 'Het is maar een grapje, hoor. Jullie vrouwen kunnen ook nergens tegen.'

Die hele kop leek uit louter grijns te bestaan!

De drift was opeens door haar heen gekolkt. Terwijl ze met haar ene hand haar fiets in evenwicht had weten te houden, had ze haar aanvaller keihard tegen zijn knie getrapt. Hoger kon niet vanwege de fiets, maar hoger durfde ze ook niet. Toch had hij gewankeld, hij viel zelfs toen zij met de fietswielen door de goot de trappen oprende. Op de brug was ze weg geracet, in een ruk door naar het politiebureau dat ze blindelings wist te vinden. Daar had ze een melding opeens onzinnig gevonden en het gelaten voor wat het was. Er was toch geen enkel bewijs dat de schoft echt iets van plan was?

Nu was de jogger bijna onder aan de trap. Het was een vrouw.

Silke slaakte een zucht van opluchting. Ze was echt bang geweest. Toen ze bovenaan de trap weer opstapte, fietste ze ineens vastberaden naar de sportschool waar ze ooit die ene proefles zelfverdediging had gevolgd. Bij de balie schreef ze zich in voor de eerstkomende cursus, en toen ze later thuis een glas wijn inschonk bij de kant en klare maaltijd van de supermarkt, was dat uit een uitermate grote tevredenheid met zichzelf. Met twee nalatigheden begon ze toch maar mooi korte metten te maken.

23

Silke stroopte letterlijk haar mouwen op. Nu die fotochaos! Met ijzeren zelfbeheersing negeerde ze de brieven en kaarten. Dolgraag wilde ze die lezen. Maar die dozen zette ze resoluut uit het zicht. Met oogkleppen op om de sentimenten voor te zijn, liet ze de foto's door haar handen gaan. Er moest doorgewerkt worden. De opdracht moest tot een goed einde komen. En dat einde was nog bij lange na niet in zicht.

Een voor een belandden de foto's in de fonkelnieuwe albums. Die hadden naar Huubs voorbeeld op provisorische etiketten categorienamen gekregen als familie, schooltijd, verpleging, vakanties, officiële dingen, huwelijk 1, huwelijk 2, Ikkanheksen en diverse. Voor de laatste categorie was het dikste album gereserveerd. Bij elkaar hadden de albums een klein kapitaal gekost, wat de zaak een serieuze status gaf. Investeren doe je immers niet zonder reden.

Achterop sommige foto's schreef ze namen van mensen of plaatsen. Vreemd, want als ze zich die namen nu herinnerde, hoefden ze toch niet vastgelegd te worden? Toen ze zich dat realiseerde, stopte ze er onmiddellijk mee.

Het werd een lange avond doorwerken aan de rijstebrijberg van foto's. Af en toe zaten er smakelijke krenten in de brij, zoals een foto van Silkes moeder als jonge vrouw op het strand in een badpak met pijpjes, en een van haar vader bij een klein vliegtuig. En een kiekje van haarzelf op de schommel in de appelboom, met in haar schoot een enorme berg appels, die zo zuur waren dat zelfs de spreeuwen ze niet aten. Er waren natuurlijk ook foto's van Eelco en Wouter. Vrolijke jonge knullen, hoewel Eelco ook vaak vereeuwigd stond met een loodzware intellectuele levensernst. Dat was toen mode onder studenten. Filosofisch deden ze. Gediscussieerd werd er over de dreigende milieurampen, de overbevolking en het zelfgekozen levenseinde.

Maar toch, gestaag slonk de berg. Foto na foto, minuut na minuut, uur na uur. In de avond was er geen berg meer, maar een heuveltje dat vlakker en vlakker werd en opeens was verdwenen. Gore papiersnippers, kleverige pluizen en een onbestemde stofvlek was wat er restte.

Het was toen precies middernacht. Door het open dakraam woei met de waterkoude nachtwind het wijsje van het carillon naar binnen omdat er geen stadsgeluiden meer waren. Het voegde zich harmonieus in Silkes gemoedsgesteldheid. Ze had, symbolisch gesproken, haar leven netjes op een rijtje. Daar pasten heldere carillonklanken bij.

Pas na een paar dagen was er gelegenheid de brieven en kaarten te lezen. Praktisch alle brieven waren gericht aan Silkes moeder. Ze waren vooral van vrouwelijke familieleden, de mannen schreven blijkbaar niet. Schrijftalent hadden de vrouwen overigens niet. Silke was duidelijk een buitenbeentje in de familie. Beleefd informeerde men eerst naar de gezondheidstoestand alvorens met de rubriek nieuws en mededelingen werd begonnen.

Of de brieven bewaard moesten blijven, was maar de vraag. Wie had er ooit wat aan? Kenmerkend voor de tijd waren ze hoegenaamd niet. Er gebeurde niets bijzonders in. Doods en gevoelsarm waren ze eigenlijk. Zo kondigde een zusje haar eerste zwangerschap aan met: 'Ik heb dit keer nieuws, wij verwachten in april onze eerste kleine.' Waarna de boodschap kwam dat de erwten en aardappels er best bij stonden, en dat ze het gevraagde recept van peperkoek bijsloot.

147

Of moesten ze daarom nu juist wel bewaard worden? Als documentatie van de Hollandse nuchterheid?

De familie van mijn moeder was inderdaad altijd wel broodnuchter, dacht Silke. Neem het onderwerp Maria Sofia. Een wuft nest werd ze gevonden, een stadse nuf met prinsessenallures en daardoor geen nette vrouw... Dingen als elegantie en reislust neigden in hun ogen naar hysterie...

Ze pakte een stapeltje brieven uit de doos en keek naar de afzenders; de enveloppen zaten er vaak nog om. Verreweg de trouwste schrijfster was het zusje van de peperkoek – tot de komst van de baby. De enige brief daarna begon met de kennelijke beantwoording van de vraag hoe het met de baby ging. 'Ja, ze groeit als kool.' Punt, ja. Terwijl het meisje aan de briefdatum te zien toch kraaiend met de knuistjes moet hebben gezwaaid in het zomerzonnetje.

In een van de enveloppen was een ansichtkaart terechtgekomen. De afgebeelde kerk herkende Silke als die in de straat van haar opa en oma. Rechtsachter was een speeltuin en links om de hoek een postzegelhandel, waar opa zegels ruilde en zij iets uit de snoeppot kreeg. De kaart was dichtbeschreven in priegelig kleine letters.

'Lieve dochter,' stond er, 'mede namens je vader wens ik jullie een fijne vakantie toe in Frankrijk. Schrijf ons s.v.p een bericht van goede aankomst. We hopen maar op mooi weer, vanwege dat kamperen. Ik herinner mij nog als de dag van gisteren hoe mijn ouders vertrokken naar de Champagne. Ik mocht niet mee en bleef in tranen achter op het perron, onder de hoede van een vrouw voor wie ik bang was. Maar vrees niet dat ik nu huil, meiske. Lieve groeten van je moeder.'

'De Champagne?!' zei Silke stomverbaasd voor zich uit. 'De streek waarin Petit St. Père ligt? Hoe bestaat het!'

Ze herlas de kaart. De ouders van mijn oma reisden naar de Champagne, dacht ze intussen. De ouders van mijn oma... Dat waren dus Maria Sofia en Hendrik! Dat wufte nest met haar prinsessenallures reisde met Hendrik naar de Champagne!

Wat een wonderbaarlijk toeval dat precies op dat moment de telefoon in Silkes werkkamer ging. En dat het Huub van Heemskerck was.

Nou ja, eigenlijk viel het wel mee met dat toeval. Silke had hem zelf gebeld en de voor startende vrouwelijke ondernemers kenmerkend aarzelende vraag ingesproken op zijn voice mail of hij eigenlijk wel wat reacties kreeg op zijn brochure.

Er was een informele avond van Ikkanheksen. Silke was er zo vol van, dat ze daar met het onderwerp 'toeval' kwam aanzetten. 'Precies op het moment waarop ik las dat Maria Sofia naar de Champagne was gereisd, toetste in diezelfde Champagne Huub van Heemskerck mijn nummer. Belde hij mij, de achterkleindochter van Maria Sofia!'

Een vuurwerk van reacties. Iedereen had wel een sterk verhaal over toevalligheden. Een dik boek kon ermee gevuld. Boeiende verhalen waren het. Maar bij elk ervan kon je je afvragen of het zuiver om toeval ging. Neem dat van Silke. Het werd een stuk minder magisch als je incalculeerde dat ze zelf Huub had gebeld. Als ze haar aarzeling eerder had overwonnen en een paar dagen eerder had gebeld, dan had hij natuurlijk ook... maar goed, het is een feit dat ze dat niet deed.

Er waren vrouwen die het een aanwijzing vonden. Een teken. Maar Silke hoorde dat niet. Ze stond net te vertellen over het succes van de brochure. 'Voor diezelfde Huub van Heemskerck, ja. Er zijn boekingen gedaan voor het hele seizoen. Ik heb het 'm dus geflikt, en de opdrachtgever verdient zijn investeringen dubbel en dwars terug. Zo ben ik nu in het rijke bezit van een uitermate tevreden klant. Ik ga het vanavond maar eens lekker vieren.'

'Ook foto's van een halve eeuw gearchiveerd,' zei ze even later in een ander groepje. 'En ingeschreven voor een cursus zelfverdediging,' in weer een ander. 'Plus een heel succesvolle brochure, had ik jullie dat al verteld?'

Ze mocht even opscheppen, het was niet mis wat ze gepresteerd had. Trouwens, Huub had zich uitgebreid verontschuldigd dat hij niet het succes van de brochure had doorgebeld.

'Ik schaam me diep,' had hij gezegd. 'Maar ik ben dag en nacht aan het werk geweest om alle appartementen voor de eerste boekingen klaar te krijgen. Dat is natuurlijk geen excuus, een telefoontje plegen is een kleine moeite. Talloze telefoontjes gaan tenslotte tussen neus en lippen door. Het stomme is dat het juist komt omdat ik dit niet in twee minuten wilde afhandelen. Maar ik had je best even de cijfers kunnen mailen. Waarmee maar weer bewezen is, dat iets misloopt als je het té goed wilt doen. Perfectionisme leidt nergens toe. Maar iets anders, wanneer kom je de boel bij me bekijken?'

'Bij je bekijken?' had ze herhaald.

'Ja, je zou toch in het voorjaar komen? De eerste vogels zijn wél al gearriveerd.'

Zou ze dan in het voorjaar komen? Ze had toch alleen beaamd dat het er dan schitterend moest zijn? Ze had toch niets beloofd of afgesproken?

'Ik heb toch wel een slag om de arm gehouden?' vroeg ze meer aan zichzelf dan aan hem. 'Want ja, ik heb het natuurlijk druk met mijn werk.' En zomaar uit het niets had ze erop laten volgen dat er ook zoveel uren gingen zitten in de bewerking van het reisjournaal.

'Knap hoor. Ik heb oneindig veel bewondering voor mensen die kunnen schrijven. Wat een fantasie moet je hebben om tastbaar te kunnen vertellen hoe mensen toen leefden. Neem de tekst in de brochure. Precies zoals je man had voorspeld. Je bent nooit in Petit St. Père geweest, maar de lezer ruikt gewoon de geuren, voelt de zonnewarmte en hoort de stilte in z'n oren suizen. Ongelooflijk dat je dat kunt.'

In plaats van te bedanken voor het compliment, zei ze een beetje ongemakkelijk, maar tegelijkertijd heel spontaan, dat zíj technische mensen juist zo ontzettend knap vond. En dat Wouter allang haar man niet meer was.

Hoe vaak was dit al niet bij Ikkanheksen besproken! Leer nu eens met complimenten omgaan. Bijna alle vrouwen waren ermee behept.

Een beetje beschaamd door die herinnering begon Silke nu een praatje in het groepje van Ingrid. 'Weet je, ik ga binnenkort een cursus zelfverdediging doen,' zei ze. Met zelfspot (want dat kunnen vrouwen juist heel goed) vertelde ze over de zenuwen uit het begin van de tocht met Kobus. Dat ze alleen maar kon denken aan de gevaren. En aan een ronddolende serieverkrachter.

'Maar de echte aanleiding was de herinnering aan een jogger bij de brug.'

Ze vertelde het verhaal nog eens in geuren en kleuren. Ook dit onderwerp leverde tal van reacties op, en weer dwaalden Silkes gedachten af. Dit keer door een verhaal van een vrouw over autopech en hoe haar redder in de nood een vrijpartij bij wijze van beloning voorstelde. Want Huub had voorgesteld dat ze met hem kon meerijden naar Petit St. Père. Omdat haar auto oud was. 'Stokoud,' had ze gezegd. Dat ze het eng vond naar Frankrijk te rijden had ze natuurlijk voor zich gehouden. Dat ze een vrijpartij met Huub niet onaantrekkelijk vond, verdrong ze.

'Ik zal de komende tijd toch vrij vaak naar Nederland rijden,' had hij gezegd. 'Ik moet wat zaken regelen voor mijn terugkomst. En terug neem je gewoon de TGV. Fantastisch zoals die door het land flitst. Je overgrootvader moest eens hebben geweten...'

Maar ze had nog niets willen afspreken. Ze kon toch TipTopTekst niet zomaar een week alleen laten! Bovendien ontbrak het geld. Voor niets ging de zon op, tenslotte. Maar verleidelijk was het wel. Alleen al door wat ze er zelf over had geschreven, haha...

Het groepje lotgenoten van Hansje kwam binnen. Ze hadden overleg gehad, Hanneke van Maud was er ook bij. Hansje vertelde Silke over de stand van zaken. Hanneke was via de baas van het ziekenhuisarchief achter de medische achtergronden gekomen, die tot de sterilisaties leidden. Met de mogelijkheden van toen, had dokter De Vries zuiver medisch gezien geen slechte beslissingen genomen. Ethisch gezien bleef het beschamend dat hij de operaties had uitgevoerd op grond van alleen de toestemming van de echtgenoten. Over de mogelijke psychische gevolgen daarvan had het groepje informatie gekregen van een psychologe. Nu gingen ze oproepen plaatsen in vrouwenbladen om te inventariseren of er ook landelijk lotgenoten waren. Het ging er niet om gynaecologen aan de schandpaal te nagelen. Het ging om erkenning. Om hun gevoelens beter te begrijpen.

Toen Silke wat te drinken ging halen, liep Hanneke mee. 'Klopt het dat geen van die vrouwen weet dat jij met De Vries getrouwd bent geweest?' vroeg ze.

Silke schrok.

'Dat klopt,' zei ze. 'Geen idee waarom ik het heb verzwegen...'

'Dat doet er ook niet toe. Maar ik wist het van Maud en vroeg me af of het pijnlijk voor je is als het bekend wordt.'

'Welnee, helemaal niet!' Ze meende het van harte. 'Ik sta achter de groep van Hansje. Dat huwelijk is bovendien zo lang geleden en...' Ze onderbrak zichzelf. 'Opeens snap ik waarom ik mijn mond hield! Weet je, ze vroegen juist mij om advies omdat ik bewust kinderloos ben. Ze verwachtten van mij een afstandelijker mening, objectiviteit. Terwijl ik juist roomser dan de paus kon zijn...'

Hanneke knikte. 'Het is beter als ik het alsnog zeg,' vond Silke.

Maar dat het niet nú hoefde, daarover waren ze het eens. Het was veel te druk en lawaaiig. Menig drankje ging over de bar. Ze moesten steeds harder praten om boven de stemmen uit te komen. Wat Maud vertelde over de modeltuin die ze rondom het praktijkgebouw aan het aanleggen was, ging voor Silke grotendeels verloren. Wat ze wel verstond, was dat het uit reclameoogpunt bezien een slimme zet was om het praktijkgebouw op te sieren met een bijzondere tuin. En dat het vroege voorjaar de mooiste tijd was om een tuinbedrijf te starten.

Het vroege voorjaar is kennelijk voor meer dingen geschikt dan voor een bezoek aan de Champagne, dacht Silke. Ze moest er nogal om giechelen. Tegen een vrouw die vertelde over het importeren van Portugees aardewerk, zei ze zomaar: 'Tja, Portugal... hoe is het daar in het vroege voorjaar? Ach, nee, ik denk toch dat ik dan de Champagne in duik...'

Foei toch, het was duidelijk de hoogste tijd om op te stappen.

Het fietste zalig in het ritme van 'feestvieren in de Champagne'. Bestond er wel een zinnetje waarop het lichter trapte dan dat? Het was alsof er belletjes in de lucht zaten en vleugeltjes aan de wielen. De nachtwind maakte de bochten fluweelzacht, rechte straathoeken werden zwierig. Het leek wel of gebouwen voor haar bogen. 'Mevrouw Erenhuis, ga uw gang.'

Jammer alleen dat ze niet hard genoeg reed om haar sjaal glorieus als een wimpel te laten waaien. Haar sjaal? Ze voelde bij haar hals. Nou, die was ze mooi vergeten. Het mocht de pret niet drukken. Ook zonder sjaal vloog het zalig over 's heren wegen.

Alles werkte mee voor een behouden thuiskomst. Binnen mikte ze van een afstandje haar jas op de kapstok en haar tas op de keukentafel. Ze hoefde er niet eens het licht voor aan te klikken, het schemerlicht van de straatlantaarn door het ruitje in de voordeur was voldoende.

Vanuit de huiskamer klonk de telefoon. Dat was een van de lieverds van Ikkanheksen over haar sjaal! In danspasjes ging ze eropaf.

Ze nam op. 'Hoi, hier ben ik. Ik miste hem al!'

Het bleef net even te lang stil.

'Pft,' giechelde ze. 'Sorry, hoor, met Silke Erenhuis. Ik dacht dat het iemand was om te zeggen dat ik mijn sjaal bij IJsbrand had laten hangen.'

Aan de andere kant werd gelachen.

'Huub!'

Silke was meteen een stuk nuchterder.

'Sorry, maar je had gezegd dat ik te allen tijde kon bellen om de cijfers door te geven. "Als ik niet gestoord wil worden, staat mijn antwoordapparaat aan," zei je. Vandaar dat ik op dit onmogelijke uur bel. Tien over een. Je zou het normaal toch niet in je hoofd halen.'

'Nou, ik sliep niet, hoor.'

Weer werd er gelachen. 'Dat nam ik al aan. Je hebt vast een gezellige avond met IJsbrand gehad.'

'Bij,' corrigeerde ze. 'IJsbrand is een grand café. We huren er de zijzaal. Met Ikkanheksen, bedoel ik.'

Dat het niet duidelijk was, wist ze zelf ook wel. Ze begon het uit te leggen, ook dat ze vriendinnen had bij Ikkanheksen. Vandaar dat ze een telefoontje over de vergeten sjaal logisch vond. 'En vriendschappen zijn belangrijk in het leven van alleenstaanden,' zei ze. 'Hé, want jouw vrienden willen je dus ook aan een leuke vriendin helpen...'

'Mijn vrienden...?'

'Nou, je staat op een relatiesite. Ik zag het zelf.'

'Welnee, joh.' Hij schaterde het uit. 'Ik op een relatiesite!'

Serieus begon ze punten uit zijn profiel en persoonsbeschrijving op te sommen.

'Ze hadden geen foto van je geplaatst. Maar ik weet wel zeker dat...'

Opeens sloeg ze met een verschrikt gezicht haar hand voor haar mond. Wat stom! Nu weet hij dat ik rondneus op...

Ze was meteen weer bij haar positieven. Er zat maar één ding op. Liegen.

'Ik zoek namelijk voor mijn ex-schoonmoeder naar een leuke man,' zei ze glashard. 'Voor Wouter zijn moeder, dus.'

'Juist ja,' klonk het aan de andere kant.

Je kunt het bij Wouter navragen, wilde ze zeggen, maar ze begreep bijtijds dat ze daarmee de zaak juist verdacht zou maken.

'Intussen heb ik pen en papier,' loog ze verder. 'Kom op met de cijfers, ik ben razend nieuwsgierig.'

24

Het was gek, maar door het opschepperige gedoe over het reisjournaal ging Silke de tekst van Via Maria Sofia overzetten in de computer. Tussen de bedrijven door moest dat snel gepiept kunnen zijn. Er waren alleen wat lopende zaken bij de ontwerpstudio, en geen schrijfklussen.

Het idee dat Via Maria Sofia een computerdocument werd, suste haar geweten. Dat gebazel van 'dan stuur ik het misschien wel naar een historisch tijdschrift' mocht niet helemaal in het luchtledige blijven. Er was dan tenminste iets mee gedaan. Ze kon later altijd nog toegeven dat het gewoon niet lukte er een echt verhaal van te maken. Daarvoor hoefde ze zich niet te schamen. Voor deftig doen wel.

Grappig, het document kon eigenlijk op dezelfde manier structuur krijgen als de berg foto's. In plaats van etiketten waren er hoofdstuktitels. Dit was wel veel en veel leuker. Razendsnel verschenen de titels op het beeldscherm. Korte metten op de Afsluitdijk. Terpdorp Warffum. Zomers paardenspan op Groninger klei. Regensluiers in Drenthe. Hanzehandel en hazenpad. Geen violet in Reuver. Porselein en krijtstreep in Maastricht. De vier stromen.

Opeens snapte ze hoe de werkelijkheid tot inspiratiebron voor fictie kan dienen. De titels waren eigenlijk de brillenglazen waardoor je naar de feiten keek. Door het ene glas werd iets sterk vergroot, door het andere veranderde de kleur. Het hing er maar van af welke bril je koos.

Dat soort dingen overdacht ze terwijl ze typte en alvast de taal en stijl wat kuiste. Ook dat computers ongelooflijk fantastische uitvindingen zijn en dat ze zonder de handigheden van het tekstverwerkingsprogramma nooit aan de klus was begonnen. Ze klikte het ene na het andere commando aan. 'Knippen' als de logica van de tekst op die plaats niet klopte, en voor een plaatsing elders weer 'plakken'. Sommige stukken zette ze in cursieve letters, andere onderstreepte ze. Ze haalde de wegenkaart erbij en voegde een stukje in over het interieur van de bus.

De werkdag vloog om. Ze liet alles afdrukken. Het stapeltje papier bij de printer maakte het journaal opeens echt. Uit de herinneringen en aantekeningen was een heus verhaal geboren! Ruw nog, onaf ook en vaak onduidelijk, maar toch.

Tijdens het eten las ze het hele relaas achter elkaar door. Algauw zat ze met de pen verbeteringen en aanwijzingen aan te brengen. Het viel bijvoorbeeld op dat haar eigen persoonlijke verhaal en het verhaal van Maria Sofia te veel verweven waren. Waarheid en fictie onderscheidden zich niet duidelijk, zelfs voor haarzelf niet. Was het op te lossen door twee lettertypen te gebruiken? Of door haar eigen verhaal in kaders te plaatsen terwijl dat van Maria Sofia de doorlopende tekst werd?

Eigenlijk waren haar eigen belevenissen te mager. De feiten stonden er wel, maar niet wat ze erbij had gevoeld. Hoe ze het had beleefd. Het stond er niet in geuren en kleuren. Maria Sofia had ze wel gevoelens toegedicht, zelfs seksuele. Wat ze haar, schematisch nog, in Maastricht had laten beleven was duidelijk om het verlies van Allard te verwerken...

Ze overzag de pagina met losse aantekeningen die er intussen was ontstaan. Hoe laat was het? Ze kon er toch nog wel een paar uurtjes extra aan besteden?

Huub mailde twee keuzemogelijkheden voor een week in Petit St. Père. De eerste was wel op erg korte termijn. Dat lukt me nooit, dacht Silke. Ze had een paar tekstopdrachten liggen. Bovendien had ze geen geld, en was haar auto opeens absurd veel olie gaan gebruiken. Daarmee kon ze niet naar Frankrijk. Het zag er trouwens ook naar uit dat het verhaal Via Maria Sofia zou lukken. Ze was er helemaal van in de ban geraakt, dus een begrip als vakantie was ver weg.

Dat schreef ze allemaal in haar antwoordmail. Over de auto schreef ze dat hij al twaalf jaar oud was en dat hij nu om de tankbeurt een liter olie moest krijgen. Huub was tenslotte technisch. 'Uit de uitlaat komt behoorlijk blauwe rook. Dat kan niet goed zijn. Ik denk dus niet dat het me lukt om te komen, ook al ben ik erg nieuwsgierig om te zien of de brochuretekst eigenlijk wel klopt...'

Huub reageerde meteen. Het verblijf kostte niets, dat was toch logisch, en bovendien afgesproken. Als ze voor de eerste mogelijkheid koos, kon ze met hem meerijden vanuit Utrecht. Bij de tweede keuze had ze lang niet zo'n leuk appartement. Er stond overigens een computer voor haastklussen tot haar beschikking. En er was internet. Kon het reisverhaal niet een weekje rusten?

Dat vond Paula nou ook. Silke at weer eens een keer bij haar.

'Doe niet zo belangrijk, Silke. Zonder jou draait de wereld heus wel door. Wat is nou een week? Gebruik je verstand. Je komt trouwens weer lekker uitgerust terug. En dan kun je ook nog een spannend verhaal schrijven over de terugtocht met een hogesnelheidstrein. Een mooi contrast met de boemeltjes van je overgrootouders. Neem trouwens ook een cognacje. Een *pousse café* heet dat in Frankrijk.'

'*Digestif*,' zei Silke protesterend.

'Mijn Franse *amant* noemde het een *pousse café*,' herhaalde Paula.

'Aha!' riep Silke uit. 'Heb jij dan een Franse minnaar gehad?'

'Minnaar niet. Het was platonisch. Hij adoreerde me, het was tijdens een vakantie.'

Ze wuifde met haar hand. 'Ach, het stelde niets voor, maar ik wist toen nog niet beter.'

Silke zwichtte, voor de cognac en daarna voor Huubs uitnodiging.

De volgende dag belde ze hem.

'Het is wel al de tweede keer in korte tijd dat ik onverwacht een week vakantie neem,' zei ze. 'Maar ik heb er enorm veel zin in. Het klettert hier van de regen.'

'Hier ook,' klonk het nuchter aan de andere kant. 'Je ziet de sneeuw gewoon wegsmelten. Voor morgen wordt er zon voorspeld, dat is boffen voor mijn rit naar het vaderland. We zijn precies op tijd terug om de grote metamorfoseshow van de natuur te kunnen aanschouwen. Want een paar dagen zonnewarmte en je ziet de knoppen aan de takken openbarsten. O, ik vergeet bijna iets, ik kan je van huis ophalen want ik heb een afspraak ingelast in Friesland. Ik kom de Afsluitdijk over, dat scheelt jou het gedoe en gesjouw naar Utrecht.'

Op dat moment kreeg ze een goede inval. Ze kon Via Maria Sofia op een prachtige manier in Petit St. Père laten eindigen! Maria Sofia reisde er met Hendrik Gerritszoon heen omdat ze geneeskrachtige lucht en rust zochten. Ze was zo moe, ze zag zo bleek, ze hoestte zo. Hun arme dochtertje moest achterblijven onder de hoede van de huishoudster. Ze zou haar moeder nooit weer zien. Het kuren op het kasteel baatte niet. Maria Sofia stierf er...

Het flitste allemaal door haar heen. 'Huub, is er een kasteel bij jou in de buurt?' vroeg ze.

Een poos geleden had er in de weekendkrant een reportage gestaan over een Frans kasteel dat allerlei bestemmingen had gehad, waaronder tuberculose kuuroord. Nu was een Nederlands stel er een hotel in begonnen.

'Jazeker. Château Beaufôret. Het is in gebruik als hotel. Je zult het wel zien.'

Ze had nog een paar werkdagen om orde op zaken te stellen en zich reisvaardig te maken. Op zaterdag werkte ze een opdracht af. Dan kon tenminste de rekening de deur uit... Op zondag belde ze Paula, Wouter, Hansje, nog een paar vrouwen van Ikkanheksen, haar broer en haar zus in Australië. De volgende dag verschoonde ze het bed, deed ze de was, ontdekte ze dat twee planten luis hadden en dat er in de koelkast nog drie verse kant-en-klaarmaaltijden stonden. Dan moest er nog worden gestreken, er moest een spijkerbroek, een trui en slipjes worden gekocht, en spullen worden bijeengezocht. Dan wilde ze ook nog naar de kapper.

Laat nu precies de eigenaresse van het modehuis van de showtjes bellen. Die vraag-en-antwoordboekjes, wilde ze daar iets over komen uitleggen? Ze voelden er wel voor. Vanuit oogpunt van extra service, ze waren tenslotte een zeer klantvriendelijk bedrijf, maar af en toe werd je wel gek van die steeds maar terugkerende vragen...

Silke ging er maar eens goed voor zitten. Ze luisterde meelevend. In gedachten applaudisseerde ze. De TTT-reeks ging een feit worden! Juwelier, drogist en nu modehuis. Het derde visje bungelde dus aan het haakje.

Kon ze op korte termijn een afspraak maken? Over twee weken kwam de voorjaarscollectie binnen, dan was er absoluut geen tijd meer voor gesprekken.

Natuurlijk kon dat. Ha, ha, anders viel het visje voortijdig van het haakje. Dan maar niet naar de kapper. Dan maar geen spijkerbroek. In Petit St. Père wist niemand dat ze er goed gekleed, modieus gekapt en in nieuwe slipjes had willen rondstappen.

Maar wel moest de buurvrouw op de hoogte zijn van haar afwezigheid. De kant-en-klaarmaaltijden kon ze vast wel aan haar slijten. Ze moest er alleen wel koffie blijven drinken. Over bladluis viel veel te vertellen. Maar vooral ook over olieverbruik bij oude auto's.

'Weet je wel dat de hele laan in een blauwe wolk gehuld is als jij wegrijdt? Je moet die auto wegdoen. Mijn neef heeft een uitstekende auto te koop. Je moet even mee om hem te zien. Hij staat bij mij in de garage. Tegen een redelijke vergoeding kan mijn neef hem voor je onderhouden. Hij is zo technisch, het scheelt je een bom duiten. En zonder auto kun jij als ondernemer toch niet?'

Waardoor het nog haasten werd met dat strijken. En van de oude spijkerbroek bleek de rits kapot, maar die uit een nog oudere functioneerde nog prima. Ikkanheksen moest worden gemaild, de luis bestreden met een sopje met spiritus en het presentatiepraatje voor het modehuis voorbereid. Op die manier snak je inderdaad opeens naar vakantie.

25

Voor veel mensen was Boer Hofmanslaantje onvindbaar omdat ze gewoon niet goed naar links keken op de straatweg naar het centrum. Hoe duidelijk de routebeschrijving ook was, bezoek voor de bewoners van het laantje kwam gewoonlijk na veel gezoek te laat aanzetten.

De laatste jaren loodste Silke visite per mobieltje van de snelweg naar het laantje. Op de ochtend van vertrek, realiseerde ze zich dat ze vergeten was dat tegen Huub te zeggen. Ze moest hem alsnog bellen! Hij reed nu vast op de snelweg.

Ze deed opeens van alles tegelijk. Koffiezetten omdat ze naar koffie snakte. Haar agenda pakken voor zijn mobiele nummer. Haar eigen mobieltje bleek opeens spoorloos. Waar was het ding nou? Bellen vanaf de vaste lijn betekende dat ze zelf geen kant meer op kon. Maar via de vaste lijn belde ze wel haar mobieltje. Ze hoorde 'm in de gang piepen, in de zak van haar rode jack. Natuurlijk, dat was zo'n handige plaats voor onderweg. Daar vond ze ook haar leesbril. Gelukkig, want zonder bril kon ze geen telefoonnummer meer lezen.

Net toen ze probeerde te ontcijferen of het zesde cijfer nu een vier of een zeven was, ging de telefoon. Het was Huub, die doorgaf dat hij eerder dan gepland al dicht in de buurt was. Het was hartstikke rustig op de weg, op de Afsluitdijk had hij lekker gas kunnen geven. Mooi dat je daar van kilometers afstand kon zien of er op snelheid werd gecontroleerd. De snelheidsmeter had weer eens boven de 180 gestaan, dat was lang geleden.

'En er vloog geen helikopter? Want ze controleren vanuit de lucht, weet je.'

Op de lucht had hij niet gelet, en ze hoefde hem niet te loodsen. De route zat wel in zijn hoofd.

'Hoe kan dat nou?'

'Gewoon, een stratenatlas. Ik moet de eerste straat links in, als ik van de snelweg af de route naar het centrum volg. Dat is het B. Hofmanslaantje.'

'Boer, ja,' zei Silke automatisch. 'Dat betekent dat je er al bijna bent!'

'Over een minuut of vijf, schat ik.'

Silke zette net haar tassen in de gang toen ze een auto hoorde stoppen. Hij stapte al uit. Hij zag er anders uit dan in haar herinnering. Jonger. Zorgeloos. Of kwam dat door z'n blauwe jack? Hij streek zijn haar achterover terwijl hij de auto afsloot. Zeker ook geen tijd gehad voor de kapper. Een sjaaltje! Ze vergat een sjaaltje!

'Geweldig dat je me komt ophalen,' riep ze hem toe. 'Kom binnen. Even iets pakken, anders vergeet ik het.' Ze draafde de trap op, griste het favoriete sjaaltje uit de kast, draafde weer naar beneden en propte het in haar jackzak.

Hij stapte net de gang in.

'Wil je koffie? Of wil je liever meteen vertrekken?'

'Koffie!'

Ze zette verse.

'Zal ik intussen mijn twee tassen in de auto zetten?'

Dat 'twee' zei ze erbij omdat ze trots was niet meer bagage te hebben. Moest je eens horen bij Ikkanheksen wat vrouwen allemaal meesleepten op vakantie.

Het viel hem niet op. 'Welnee, die tassen gaan straks in één moeite mee. We hebben trouwens geen haast. Er zit niemand op me te wachten. En jij hebt vakantie.'

'O ja, dat was ik bijna vergeten...'

Ze schonk koffie in. Hij keek waarderend in het rond.

'Wat een leuk huis heb je. Een leuke plek ook, dit laantje. Was het huis al zo toen je het kocht? Gezellig ingericht. Lekker rommelig. Mooie kachel, je stookt zeker hout? Goeie plankenvloer. Grenen? Maar, sorry dat ik zo rondkijk. Nu ik binnenkort weer in Nederland zal wonen, hebben huizen nogal mijn belangstelling.'

'Natuurlijk.'

Ze vertelde over de geschiedenis van het laantje. Ze legde uit hoe het kwam dat je op de fiets zo in het centrum was. En natuurlijk verklaarde ze waarom het rommelig was.

'Dat vind ik nu juist gezellig.'

Hij was met een dwangmatig nette vrouw getrouwd geweest! Het was een compliment, zij tuinde er weer in. Zij verontschuldigde zich weer voor de doodnormale sporen van een druk leven. Want natuurlijk moest ze de perfecte zakenvrouw, huisvrouw, gastvrouw en duizend-en-een andere vrouw zijn.

Stom, wilde ze zeggen. Bijtijds stonk ze daar níét in. Bij Ikkanheksen had ze kennelijk toch wat geleerd.

'Ik had nog een leuke bespreking met een nieuwe klant. Een modehuis,' zei ze. 'Ik ga een vraag-en-antwoordboekje voor ze maken, zoals ik ook al voor juweliers heb gedaan. Vind je het leuk om het te zien?'

Ze stond al op. 'Kom even mee naar mijn werkzolder, de plek waar je brochure is geboren.'

Daar bleek de gaskachel nog aan te staan...

Ze keken door de dakramen. Het was een grauwe dag, maar droog. Er vlogen meeuwen langs.

'En zie je die toren? Dat is De Waag. Daar is ook IJsbrand. Het is echt maar tien minuten fietsen.'

Huub draaide zich om en keek in het rond. Silke vertelde over de verschillende verbouwingen.

'Een leuke mix van zakelijkheid en warmte is het hier,' vond hij. 'Ik hou van die vrolijke, sprekende kleuren die je hebt toegepast. Ze horen trouwens bij je. Logisch dat m'n brochure energie uitstraalt. Dat zit ook in deze ruimte.'

Bijtijds slikte Silke in dat ze nogal wat tips uit binnenhuistijdschriften had gebruikt.

Ze liet hem het juweliersboekje zien. 'Mooi in stijl is het met dat diepgroene omslag met gouden schrijfletters, vind je niet? Kijk, hier staat de naam van de reeks.'

Ze schoot in de lach. 'Dit is nummer 1 nog maar. Dat modehuis, een drogist en een slager gaan volgen...'

Hij bekeek het op de slaapbank. Als vriendinnen de slaapbank zagen, zeiden ze altijd dat ze daar natuurlijk inspiratie lag op te doen.

'Voor logees,' merkte ze op. 'Ik heb namelijk geen logeerkamer. Maar tegenwoordig gaat iedereen naar zijn of haar eigen huis terug, of er moet wel heel erg veel zijn gedronken...'

161

'Je hebt het goed voor elkaar,' vond Huub. 'Huis, zaak, stamcafé, vrienden.'

Silke knikte. 'Arm maar gelukkig, dus. Zin in de toekomst. Dat komt door TipTopTekst. Zo'n zaak wil je toch body geven. Dat geeft een kick.'

Zo praat ik nooit tegen mannen, dacht ze verbaasd. Wel tegen vrouwen. Maar alleen bij Ikkanheksen. Komt het omdat hij zelf open is? Of omdat hij er een jaar tussenuit is geweest en tijdens dat bouwen mentaal orde op zaken stelde? Want dat ken ik, bij Ikkanheksen is het eerder regel dan uitzondering. Nou ja, in Maastricht hebben we ook het persoonlijke gespreksonderwerp niet gemeden.

Ze gingen weer naar beneden.

'Hé, achter heb je een tuin,' stelde Huub in de keuken vast.

Ook daar keken ze naar buiten. De kale takken van de esdoorn bewogen in de wind. Er landde een roodborstje op de rand van de gieter, die er sinds de zomer verzonken in het hoge gras stond. Een beetje slordig was de afgebroken waslijn.

'Ik ben niet zo'n tuinier,' zei Silke. Het klonk dit keer constaterend, niet verontschuldigend. 'Tegelijk zou ik een tuin niet willen missen. Ik ben alleen te lui. En het interesseert me te weinig. Ik zit er graag, dat wel.'

Opeens zei ze iets dat ze nog nooit tegen iemand had gezegd.

'Eigenlijk hou ik helemaal niet van die verzorgende dingen. Huishouden, koken, nee, het liefst mik ik iets kant en klaars op mijn bord. Hé, ik weet opeens een oplossing voor de tuin. Een vroegere schoolvriendin van me gaat beginnen in het tuinonderhoud...'

Hij knikte haar toe. 'Zullen we de koffie opmaken?'

Silke grinnikte. 'Goed idee.'

Ze spoelde natuurlijk wel netjes de bekers om voor ze vertrokken. 'Niets vergeten?' vroeg hij.

Had hij nu tóch bruine ogen? Dan stond het wel goed op die relatiesite. Nee, het leek maar zo. Het viel niet mee haar blik los te maken van de zijne. Dat gebeurde pas toen hij zijn haar achterover streek.

'Jij had dus ook naar de kapper moeten gaan,' zei ze.

Ze liepen de gang in, naar de voordeur. Met haar tassen in zijn handen wachtte hij tot ze de voordeur op het nachtslot had gedraaid.

'Ik heb me ontzettend verheugd op onze afspraak, Silke,' zei hij. 'Ik vind je bijzonder. Dat je zomaar aan de hand van wat foto's zo'n wervende tekst kunt schrijven... Geweldig dat ik je Petit St. Père kan laten zien. Ik ben erg benieuwd hoe je het er zult vinden. Zullen we gaan?'

Huub had in Friesland een te koop staande camping bekeken. Dat vertelde hij toen ze de snelweg opdraaiden. Eigenlijk was hij het meest geïnteresseerd in de bijbehorende jachthaven. Op het meer bij Petit St. Père was veel watersport. Recreatie had toch de toekomst. Maar de boel daar in Friesland was volstrekt verwaarloosd. Dat was tot daar aan toe, want opknappen was natuurlijk geen bezwaar. Maar het was allemaal zo afschuwelijk goedkoop gebouwd. Wilde je er iets moois van maken, dan moest alles tegen de vlakte. Maar voor je in Nederland alle vergunningen voor elkaar had. Hij had besloten andere mogelijkheden te zoeken.

'Net als ik met auto's,' zei Silke. 'De auto van de neef van mijn buurvrouw staat te koop. Een opgedoft ding met extra lampen, een sportuitlaat en een spoiler op zijn kont. Van die goedkope rotzooi, net wat jij zei. Wat moet ík daar nou mee?'

Ze praatten over de prijzen van tweedehands auto's, garagekosten en de voordelen van Huubs wagen, een Renault met zes zitplaatsen waarvan er ten behoeve van het vervoer van bouwmaterialen vier waren verwijderd. Inderdaad zaten er achterin overal klonters cement. Er was een bak voor losse spullen, waarin nu hun tassen en jacks lagen. Er was nog zo'n bak met gereedschap, en in een hoek lagen oude dekens.

'Dit is mijn werkpaard,' zei Huub. 'Op de heenweg heb ik een geleend betonmolentje teruggebracht.'

Er klonk totaal geen verontschuldiging in door. Hij vertelde hoe hij de auto op de kop had getikt. Daardoor over onderhandelen in gebrekkig Frans en de blunders en flaters die hij had geslagen. Silke begon hem verdraaid sympathiek te vinden. Ze schaterde het af en toe uit.

De opengevouwen wegenkaart op haar schoot bekeek ze nauwelijks. Terwijl ze daarop de treinreis van Hendrik en Maria Sofia had willen volgen om het landschap te kunnen beschrijven. Er moest tenslotte wel sfeer komen in het verhaal. De spoorroute lag weliswaar oostelijker, maar dat maakte niet uit. Ze had ook de geprinte tekst mee, en het intussen beduimelde schrijfblok stak uit het portiervak. Toen ze het opborg, had Huub voorspeld dat er in Petit St. Père weinig terecht zou komen van schrijven.

'Er is zoveel te zien. En zoveel te doen. Je kunt bijvoorbeeld om het meer fietsen. We verhuren fietsen, zie je. Dan is er het vogelreservaat. Ook daar kun je via een speciaal pad omheen, maar alleen te voet, niet op de fiets. Dan hebben we nog St. Père zelf, een grappig provinciestadje met een leuke markt. En Château Beaufôret. We gaan daar in elk geval eten. Ze koken er fantastisch. Hé, je houdt toch wel van lekker eten, hè? Ik heb trouwens trek.'

Intussen was de bewolking enigszins gebroken. Recht voor hen uit was het grijs nogal fel, daar moest de zon staan. Ze zagen een reclamebord van een wegrestaurant, maar misten al pratend de afslag. Dat kwam achteraf goed uit, verderop wist Huub een dorp met een chauffeursrestaurant waar je veel beter at voor minder geld.

'Als je tenminste van Hollandse pot houdt,' zei hij. Hij keek haar vragend aan. Met een man als tafelgenoot lust ik alles, wilde ze in vakantiestijl zeggen.

'Ik hou van alles wat ik niet zelf hoef te bereiden,' zei ze in plaats daarvan.

Hij wist verdacht gemakkelijk de weg naar het chauffeursrestaurant te vinden. Ze plaagde hem ermee.

'Logisch. Ik ben nogal eens hierlangs naar de Champagne gereden. En er moet nu eenmaal gegeten worden, anders ga je dood.'

Ze schaterde. Wat was vakantie heerlijk. De dagschotel was hachee met rode kool en aardappelpuree. Huub nam ook de griesmeelpudding met bessensapsaus en slagroom.

Silke stond erop later alle kosten te delen. Zomaar zei ze dat het toch al bijzonder was om als zelfstandige vrouw een man te laten betalen, de deur te laten openhouden, je jack te laten aannemen en het eten te laten bestellen. Die vrouwenrol paste haar trouwens best. Het was heerlijk om met een man op stap te zijn. Totaal anders dan met vrouwen. Er was andere gespreksstof en een andere sfeer.

'Ik zit privé echt in een vrouwenwereld,' zei ze. 'Maar zakelijk niet. Mijn opdrachtgevers zijn bijna allemaal mannen. En jij?'

Hij lachte. 'Je bedoelt of ik ook privé in een vrouwenwereld zit?'

Ze lachte mee. Wat stelde ze ook absurde vragen.

Voor ze weer in de auto stapten, strekten ze op de parkeerplaats de benen. Aan de zijkanten stond het er tjokvol geparkeerd met vrachtwagens. Volgens Huub kon je daaraan zien dat het eten er goed was. Het was een betrouwbaarder teken dan de classificaties bij de entree. Het waaide flink tussen die kolossen door. Er waren trouwens stukjes blauw in de lucht gekomen. In de Champagne zou de zon volop schijnen, voorspelde Huub. De temperatuur zou er heel lekker zijn. Vorig jaar had hij zijn ogen niet kunnen geloven, zo snel kon de thermometer er oplopen.

Tijdens het voortslenteren vouwde Silke het sjaaltje uit haar jackzak tot een sjerp. De haren voor haar ogen en in haar mond irriteerden haar. Tegen de wind in knoopte ze het vast.

'Aha, eerst volop hachee eten en daarna vegetariër worden,' zei Huub. 'Zo kan ik het ook.'

'Hoe bedoel je?'

'Dat vroeg ik toen aan jou. Sjaaltjes waren vegetarisch. Onbegrijpelijk.'

Silke lachte. 'Dat is zo!'

Ze vertelde het verhaal van de vrouw op de camping, inclusief het gekke bekken trekken voor de spiegel. Ze waren intussen weer bij de auto. Silke deed ter illustratie de gekke bekken voor. Ze kreeg een enorme lachbui. De tranen biggelden langs haar wangen.

'Sorry,' hikte ze er tussendoor. 'Sorry.'

Alsof er een golf over haar heen rolde die alle ernst wegspoelde, zo voelde die lach. Een ouderwets vakantiegevoel brak door. Ze was een week lang vrij! Er waren even geen verantwoordelijkheden. Ze hoefde niet aan het werk. Er was geen enkele zorg over de auto, de route, een verblijfplaats voor de nacht, serieverkrachters of jachtige medeweggebruikers.

'Wat heerlijk vind ik dit,' riep ze uit toen ze op de voorstoel neerplofte. 'Ik besef het nu pas. Ik heb vakantie!'

Een prima gespreksonderwerp was dat na-mij-de-zondvloed-gevoel. Huub kende het van als hij er tussenuit piepte naar oncle Henri. Elk bezoek weer bevestigde dat gevoel hem dat het goed was wat hij deed. De boel de boel laten was goud waard. Trouwens, ook oncle Henri wist zijn zorgen en problemen altijd weer te relativeren. Hun verstandhouding was geweldig.

Henri, of Henk, was de oudste broer van zijn moeder. Hij had alle rechtschapen broers en zussen uit het gezin overleefd. Het kronkelige levenspad dat hij had verkozen was kennelijk zo slecht nog niet geweest.

Op de een of andere manier paste wat Huub over hem vertelde prachtig bij de glooiende snelweg die zich intussen voor hen uitstrekte. Het leek net of het hier al voorjaar werd. Er zat gewoon meer kleur in het landschap, misschien omdat de hemel nu licht doorliet.

Ze praatten door over familie en kwamen op grappige gelijkenissen. Ze waren beiden de jongste in het gezin geweest, na een veel oudere broer en een zus die geëmigreerd was. En hun ouders leefden niet meer.

'Maar ik heb uitstekend contact met mijn ex schoonmoeder,' zei Silke.

Huub keek verrast opzij. 'En ik met mijn schoonouders,' zei hij. 'Op een goeie dag kwam mijn schoonvader zomaar aankarren in Petit St. Père. Ik was stomverbaasd. We liepen het spulletje daar eens langs. Hij klauterde mee de steigers op en de kelders in. Op een bepaald moment waren we samen een aanhangwagen aan het wegduwen. Toen zag ik die ouwe heer voor het eerst van mijn leven met een enthousiaste kop. Hij ging mee klussen. Toen hij na een paar dagen afscheid nam, schudde hij heel lang mijn hand. Dat was een teken dat we waren vrienden geworden. "Kom terug," zei ik. Dat heeft hij gedaan. Hij heeft nu voor oktober een studio gereserveerd.'

'Toch niet voor je ex?' vroeg Silke lachend.

Huub schoot in de lach. 'Zij met vakantie? Naar onbekende oorden? Het is wel duidelijk dat je geen ervaring hebt met dwangneurosen...'

'Gelukkig niet,' zei Silke. 'Voor mij geen keurslijf.'

Ze moest meteen aan Maria Sofia denken. Door dit landschap had ze gespoord. Op een glanzend gelakte houten bank gezeten, had ze naar buiten gekeken. Of geknikkebold, of zelfs geslapen en misschien ook wel gedroomd over een klein zwart paard met paarse hoefjes.

Ze glimlachte. Levenskracht. Passie. Het waren woorden die naadloos pasten bij haar huidige gevoel. Ze pakte de kaart en zag dat ze in korte tijd erg ver waren gekomen. Files hadden ze ook niet gehad, hoogstens even oponthoud. Langs de blauwe hemel verplaatsten zich nu kleine grijze wolken, de omgekeerde wereld van daarnet. De wereld zag er vriendelijk uit. Nu de dagen weer lengden, zouden ze voor het donker in Petit St. Père kunnen zijn.

Ze keek opzij. Hij had een leuke kop, zo van opzij. Misschien was zijn neus aan de grote kant. En in dit licht zag je inderdaad grijze haren. Ze reden flink door. Ze gluurde om te zien hoe hard ze gingen.

'Honderdzestig,' zei hij. 'Zie jij helikopters?'

Ze lachten. Het landschap schoot voorbij. Ze dronken ergens koffie. Ook nu wandelden ze een stukje heen en weer voor ze weer *en route* gingen. Dit keer opende hij het portier voor haar. Waarom wist ze niet, maar opeens trok ze daar naast de auto weer gekke bekken. Hij ook, en gierend van de lach omhelsden ze elkaar zomaar opeens.

26

Ze spraken af geen verklaringen te zoeken voor hun omhelzing. Waarom ook zou je dat doen als je er allebei alleen maar om lachen moest? Sommige dingen gebeuren nu eenmaal. Het zit in de lucht, zoiets. Het hoort bij een snelle autorit, leuke gesprekken en lekker eten. Bij onbezorgdheid hoort het ook. Spontaan is eigenlijk het sleutelwoord. Bovendien scheerde er zonlicht langs de groene heuvels, waren er prachtig tegen de hemel afgetekende eenzame bomen, en op sommige hellingen schitterden restanten sneeuw.

'Mooi hier,' zei Silke.

'De rit verveelt me dan ook nooit,' klonk het van opzij.

'Leuk dat dit me is overkomen,' zei Silke na een tijdje.

'En mij,' klonk het weer van opzij.

De zon zakte nu snel. Toen hij achter een heuvel verdween, sloegen zij van de snelweg af. Een provinciale weg voerde door een zacht glooiend landschap. De hemel kleurde azuurblauw. Alles tekende zich er haarscherp tegen af. Lelijke dingen zoals bedrijven op een industrieterrein en enorme loodsen van coöperaties van wijnboeren. Mooie kerktorentjes ook, en weelderige wijnboerderijen of weer van die eenzame bomen die met hun kale takken de hemel decoreerden.

Ze reden een wat verstedelijkt dorp uit en een smalle buitenweg op. Er zaten wat bochten in, de weg steeg een beetje, daalde weer en kwam uiteindelijk een stuk hoger uit op een nog smaller weggetje.

Na een scherpe bocht lag opeens, stukken lager en te midden van reusachtige bomen, een groepje huizen bij een boerderij. Ze leken met elkaar verbonden door een vestingwal waaraan ouderwetse lantaarns brandden.

Silke slaakte een uitroep. 'Petit St. Père!'

Ze had het silhouet herkend. Huub remde en draaide de motor uit, midden op de weg. Met een weids armgebaar zei hij met een trotse lach: 'Voilà, we zijn in je brochure aangekomen.'

Hij zette de handrem los en langzaam en geluidloos rolden ze het gehucht tegemoet. Intussen wees hij aan. 'Links zie je de twee appartementen in wat vroeger het schooltje was. Dan komt het vestingwerk met een groepje studio's. Dat deel is opgebouwd uit de stenen van de boerenarbeidershuizen die we hebben gesloopt. Het volgende huis, dat hoog boven de andere uitsteekt, is het nieuwe huis voor groepen en families. Dan komt de boerderij zelf. Van hier zie je goed dat het een hofboerderij was. Zie je de cour? Dat is die open ruimte in het midden. Nu zijn er hotelkamers aan de voorkant en boven het restaurant, in het linkerdeel. Rechts zijn de winkeltjes, met erboven de goedkope, een-voudige kamers voor doortrekkers. De cour wordt afgesloten door het deel waarin vroeger de paardenstal was en de rijtuigen stonden. Nu zijn daar het magazijn, de werkplaats en de garage.'

De auto rolde recht op de boerderij af. De grote boogvormige toe-gangsdeur week uiteen.

'Gewoon door deze afstandsbediening,' zei Huub. Hij legde het ding terug in het vak onder zijn armleuning.

Ze reden door de poort de binnenplaats op die Huub de cour noemde. Daar was wel duidelijk dat links het restaurant was, er brand-den kaarsen voor de ramen. Rechts brandden alleen wat van diezelfde ouderwetse lantaarns als in de vestingmuur. Huub legde uit dat de winkeltjes alleen nog in de weekenden ook 's avonds open waren. 'Maar morgenochtend om acht uur staan de klanten er in de rij voor vers brood.'

Hij somde op welke winkels erin gevestigd waren. 'Een kleine su-permarkt, een drogisterij, een sportshop, een boeken-en-tijdschriften-winkel en een cadeauwinkeltje met kleding.'

'Waar woon je eigenlijk zelf?'

Huub wees lachend naar de achterkant van de cour. 'Daar, op de zolder. Je zult het wel zien.'

Hij stapte uit om de sleutel van haar appartement te halen. Silke wachtte in de auto. Door het open raampje klonken keukengeluiden en stemmen. De avondlucht rook naar dauw. Ze hoorde Huubs stem tussen de geluiden door. De hemel was opeens donker geworden, er was geen spoortje azuur meer te bekennen.

Ze reden achteruit, de binnenplaats af. De deuren sloten weer. Huub wees op een verlicht raam in wat een voortzetting van de ves-tingmuur leek. 'Daar is jouw heel speciale appartementje. Je herinnert je het misschien wel, het is ons kroonjuweel.'

'Wat enig, logeer ik daar?!' riep Silke uit. Ze wist van de foto's hoe de studio's en appartementen waren ingericht, en ook dat er één heel spe-ciaal appartement was, voor bijvoorbeeld bruidsparen.

Ze stapten er naar binnen, het was op de begane grond. Het had

169

witgepleisterde muren, een donkere houten vloer en een balkenzoldering in de woonkamer. Er was een zeer royale slaapkamer met bontgekleurde kussens op het bed. Midden in de badkamer stond een enorm ligbad op pootjes. De muren waren met kleine, kleurige tegeltjes betegeld, op één wand na die uit spiegelglas bestond.

Huub maakte haar wegwijs in het appartement. Hij opende de tuindeuren in de huiskamer om de patio te laten zien, maar het was al donker. 'Zie ik je over een uur in het restaurant voor een souper?' vroeg hij. 'Onze vorige maaltijd is lang geleden...'

'Een souper? Dat klinkt geweldig. Graag!'

Zodra Silke alleen was, neusde ze overal rond. Alle knopjes probeerde ze uit. Die van de magnetron en de minivaatwasser in de kitchenette, die van tv en cd-speler, en natuurlijk die van de verlichting. Ze gluurde in alle kasten en laden, borg snel haar spullen op en probeerde de speciale kurkentrekker uit op de fles welkomstwijn.

Met een glas wijn ging ze naar de badkamer. Ze liet het bad vollopen en spoot er het badschuim in van Allard. De muziek uit de kamer klonk hier via luidsprekers. Wat een comfort!

Ze legde schone kleren klaar en kleedde zich uit. Haar spiegelbeeld zei dat ze er hier vrolijker uitzag dan thuis, en haar billen waren minder dik. Ze oogde ook absoluut niet moe, alleen een beetje al te opgetogen. 'Positieve stress,' zei ze tegen haar spiegelbeeld. Ze trok gekke bekken en voelde weer de zoen van de omhelzing.

'Volgens tekstschrijvers van reclameboekjes is dit precies het goede moment voor een weldadig schuimbad. Het luidt feestelijk het begin in van een lange en veelbelovende avond,' zei ze tegen haar spiegelbeeld. 'Schreef ik dat onlangs niet voor de drogist met de drie filialen?'

Er stond in de badkamer ook een parmantig karretje met handdoeken en allerlei miniverpakkingen toiletbenodigdheden. Het was een slim ding, een wijnglas kon er bijvoorbeeld goed op staan, en er was plek voor boeken of tijdschriften plus een bakje waar precies een bril in paste. Ze pakte de brochure van Petit St. Père uit de huiskamer om straks in bad te verifiëren of de tekst echt wel overeenstemde met haar beleving.

Logisch dat de prijzen niet mals zijn, dacht ze, nog eens in het rond kijkend. Logisch ook dat Huub blij is dat het hele seizoen is volgeboekt. Het bewijs dat er een markt is voor deze formule. Eigenlijk was het absurd dat ze niet eerst was komen kijken. Net zo absurd als het feit dat Huub haar toch de opdracht had gegeven. Wouter mocht haar dan de hemel in prijzen, Huub had een groot risico genomen door op Wouters oordeel te vertrouwen.

Ze installeerde zich in bad. Goddelijk was dit. De geur die Allard ooit had uitgezocht voegde zich grandioos naar de ambiance. Ze trappelde wat met haar voeten. Het badschuim steeg gevaarlijk hoog boven de kuip, het water moest bijzonder kalkarm zijn. Waren er misschien minerale bronnen? Wie weet was Maria Sofia ook daarom met Hendrik hier naartoe gereisd.

Handen vol schuim legde ze achter haar rug om er in te gaan liggen zoals ze eens in een film had gezien. Toen ontdekte ze aan het voeteneind de afbeelding van een paars viooltje. Ze boog zover mogelijk voorover om het goed te kunnen bekijken. Het viooltje was omlijst door lettertjes. Om die te kunnen lezen, pakte ze haar leesbril van het karretje.

'Mosa Maastricht,' las ze fluisterend. 'Mama mia, een heus ligbad uit Maastricht. Fantasie en werkelijkheid. Heeft dit nu echt betekenis?'

De badkuip was antiek, vertelde Huub bij het souper, dat uit een salade met rivierkreeftjes bestond, met boerenbrood en natuurlijk een glas champagne. Hij had het bad op een veiling gekocht. Het was helemaal gaaf, alleen ontbrak een van de pootjes. Uiteindelijk waren er vier nieuwe gemaakt, in de stijl van de originele. Op diezelfde veiling had hij een paar spiegels gekocht voor andere appartementen.

'Dat je dit nu allemaal zelf hebt gedaan,' riep Silke uit. 'De bouw alleen al. En dan alles wat er komt kijken aan...'

Hij onderbrak haar. 'Nee, nee, er is ook een aannemersbedrijf aan de slag geweest, en behalve allerlei andere vakmensen de door mij geronselde Hollanders. Nee, dit is geen klus voor één man. Ik heb wel overal aan meegeholpen. En het sloopwerk heb ik gedaan. Schitterend was dat. Met een soort bulldozer en zo'n sloopkogel, echt grote jongensspeelgoed. Daarbij hielpen trouwens mijn Hollandse vrienden. Het is een schitterende tijd geweest. Slopen en opbouwen, mooier kon het voor mij niet wezen. Wat een symboliek! Het enige minpunt was de tijdsdruk waar je op een bepaald moment mee te maken krijgt. Ik wilde per se vanaf Pasen kunnen draaien. Dat is gelukt, uit deze periode van proefdraaien komen geen akelige verrassingen. Alles functioneert, zelfs de internetverbindingen, en dat is in Frankrijk een waar wonder.'

Later wandelden ze buitenom langs het gehucht. Via de garage aan de achterzijde van de boerderij kwamen ze weer op de binnenplaats. De nacht was gevallen. Er schitterden sterren aan de hemel, maar de maan moest zich als een smal sikkeltje ergens achter de heuvels ophouden. Heel in de verte hoorde je auto's voorbijrijden en zag je lichten uit de duisternis opdoemen. Ook sloeg heel ver weg de kerkklok van St. Père. Op dat soort dingen maakte Huub haar attent.

Ze gingen het magazijn in, waar een deur naar een trap naar boven leidde. Huub ging voor, en het licht ging aan: een gigantische zolder strekte zich voor Silkes ogen uit. Er was een soort zitkamer afgescheiden, en een kantoorachtig deel met een soort slaapzolder. Het was er bepaald een rommel, maar naar Silkes smaak wel een nette rommel, omdat het er schoon en fris rook. Achterin bevond zich in een grote nis de keuken. De potten en pannen stonden er te flonkeren of het diamanten waren. De ruimte links van de keuken bevatte een badkamer en daarnaast was weer een kleine sauna.

'De manager en zijn gezin komen hier wonen,' zei Huub. 'Die stellen heel andere eisen dan ik. Als ik hier vertrek, wordt hun appartement erin gebouwd. Dan is het project pas echt helemaal af. En dan ook is de officiële opening.'

Er hingen zwartwitfoto's aan de muur van de verschillende fasen van de bouw, en de wand tussen keuken en badkamer hing van boven tot onder en van links naar rechts vol met foto's van de meest verrukkelijk ogende gerechten. Gerechten die Huub had gekookt en als herinnering op de foto had gezet.

'Ongelooflijk!' riep Silke als keukenprinses van de kant-en-klaar-keuken naar waarheid uit.

Ze keek haar ogen uit. 'Het lijkt wel of ik in een droomwereld ben!'

'Kijk, dat is nu precies wat jij in de brochure hebt opgeroepen. Als de mensen hier komen, zien ze dat idee bevestigd. Ze zijn echt dolenthousiast.'

Intussen had hij twee glazen gevuld met een goudkleurig drankje. Hij reikte haar een glas aan. 'Hier, een likeurtje van de streek. Je moet het proeven. Het is een heerlijk slaapmutsje voor straks.'

Het was lekker en niet zo zoet. Ze zette haar glas in de vensterbank en ze keken samen naar buiten, zoals ze die ochtend nog door de dakramen van haar werkzolder hadden gedaan. In het schijnsel van de lantaarns was de cour het veilige hart van het gehuchtje. De stress van het dagelijks leven werd hier buiten gehouden zoals in vroeger tijden roversbenden of oorlogsvijanden. Dat was wat Maria Sofia en Hendrik misschien hadden gezocht, een cour als plaats van bestand tegen de tuberculose.

En dat zij als achterkleindochter hier zomaar een hele week in die schilderachtige streek mocht vertoeven! Het was letterlijk en figuurlijk een onbetaalbare belevenis.

Ze draaide zich van het raam af. Huub liep naar een hoge keukenkruk en ging zitten. Hij lachte haar toe. Van de haarlok voor zijn ogen trok hij zich nu niets aan. Ze kon haar blik maar moeilijk van hem losmaken.

'Weet je, ik voel me wonderbaarlijk gelukkig,' zei ze opeens. 'Je geeft me met deze vakantie iets dat ik mijn leven lang niet zal vergeten. Het is een verrukkelijk gevoel van vrijheid. Alsof ik heel lang in een keurslijf zat, dat nu zomaar in het niets is opgelost. Het is iets waarvan ik weet dat ik het mezelf vaker moet geven.'

Hij stond op van de kruk. 'Dat is wat oncle Henri bedoelde,' zei hij. 'Kom los van jezelf. Overstijg je eigen ik. Ik ben hem er eeuwig dankbaar voor.'

Met een blik van verstandhouding hief Silke haar glaasje nauwelijks merkbaar op voor ze het leegdronk. Toen liep ze op hem toe. 'Mag ik nog zo'n zalig slaapmutsje?'

Hij schonk in. Ze snoof genietend de geur op. 'Het ruikt echt heerlijk...'

'Net als jij.'

Ze glimlachte.

'Je hebt een heerlijk parfum.'

'Ja? Ik vind het zelf ook lekker. Het is mijn badschuim.'

Ondanks de champagne, ondanks de likeur en los als ze was van haar eigen ik, wist ze binnen te houden dat een minnaar het haar cadeau had gedaan.

'En nu ga ik uitproberen of dit drankje wel echt als een slaapmutsje werkt.' Ze zoende hem op zijn wang. 'Dank je wel voor alles.'

Het was een goed idee van hem om haar weg te brengen. Zo samen in de nachtelijke kou onder de sterrenhemel voelde ze zich volslagen gelukkig.

27

Voor de hele week werd zonnig weer verwacht. Dat ontcijferde Silke bij het ontbijt in de krant. Ze had broodjes gehaald. Veel te veel, omdat het zo verrukkelijk rook en de broodjes er zo fantastisch uitzagen. Met plakkerige vingers van de abrikozengelei sloeg ze de pagina om. Gemorst bladerdeeg van de croissant dwarrelde naar de grond. Daarvoor was de stoffer met blik goed uit de kast bij de voordeur. En straks moest ze een woordenboek aanschaffen, van de stukjes in de krant snapte ze geen jota, net als van de teksten in de toeristische brochures. Haar schoolfrans was wel heel erg versleten, ze moest het echt van de foto's hebben van kathedralen, kastelen en boten op meren en kanalen om te snappen dat ze in een heel bijzonder gebied terecht was gekomen.

De zon scheen intussen in de patio, maar het was nog te koud om er te zitten. Bovendien was zitten niet goed na een rijk ontbijt. Beweging, dat was nodig. De omgeving verkennen, te beginnen bij Petit St. Père zelf.

De schaduwen waren nu minder lang dan voor het ontbijt. Afgetekend tegen de koele, blauwe hemel en belicht door de zon waren de verschillende delen van het gehucht goed te onderscheiden. Als fris gewassen stonden ze er in hun harmonische lappendekens van oude en nieuwe stenen. De geur van vers brood was verdreven door die van kruidige bosschages. Op de pannendaken kwetterden spreeuwen. Eigenlijk kwamen overal vandaan vogelgeluidjes. Het was duidelijk voorjaar, het groen aan de bomen kon elk ogenblik doorbreken. De wind bracht onmiskenbaar de geur van water mee, het was een geur die Silke uit duizenden herkende door het kanaal. Hier moest het afkomstig zijn van het meer met de zeilbootjes van de toeristische folder.

Een bestelbus kwam bestellingen voor de supermarkt afleveren. Alle winkeltjes hadden nu zo'n beetje hun voorraden binnengekregen. Er werd druk geëxperimenteerd met de winkelinrichting. Er kwamen nu ook buiten de weekenden mensen uit de omgeving een kijkje nemen. Zo kon er worden proefgedraaid voor het seizoen, net als het restaurant dat deed met nieuwsgierige lekkerbekken uit de streek.

De verwachtingsvolle sfeer die er hing, had dus niet alleen met het voorjaar te maken. Wat zou de toekomst gaan brengen? Dat voelde Silke er tenminste heel duidelijk hangen.

In de boekwinkel kocht ze een pocketwoordenboek en een gedetailleerde wegenkaart van het gebied. En inderdaad verhuurde de sportwinkel fietsen. Ze koos een hippe lila. Het was een heel wat sportiever ding dan haar degelijke Hollander met zijtassen thuis. Ongelooflijk veel versnellingen had deze, en een elegant soort racestuur.

Ze reed eerst een proefrondje om het gehucht. Het was fris op de fiets. In het felle tegenlicht begonnen haar ogen te tranen. Dat werd neus snuiten en sjaaltje omknopen. En meteen het zadel met de slimme sluiting lager stellen. Op een stijgend weggetje probeerde ze de versnellingen. Met een volle maag viel klimmen helemaal niet mee. Bovenaan overzag ze hijgend de zonovergoten hellingen rondom. Het was echt een uitgelezen dag om er op de fiets opuit te trekken.

Afdalen was tamelijk eng in racehouding, vooral toen er in een bocht steenslag lag waarin het voorwiel slipte. Maar over de vlakke weg terug naar de bebouwing fietste het vederlicht. En het wende eigenlijk al om voorover te zitten.

Thuis maakte ze zich reisvaardig voor een tochtje. De bidon met water, de rugzak met de overgebleven broodjes, de kaart en het woordenboek. Met toch nog maar een lekkere kop espressokoffie erbij, stippelde ze een route uit met de minste hoogteverschillen.

Ze zwaaide uitbundig naar Huub, die net de binnenplaats overliep toen ze langs de open toegangsdeuren peddelde. Leuke vent om te zien, schoot het door haar heen. Ze zou 's avonds bij hem eten. Wat er op het bord zou komen liggen was, naar zijn zeggen, ook voor hem zelf altijd tot het allerlaatste moment geheim. Zijn maag vertelde wel bijtijds waaraan behoefte was.

'Tot vanavond! En luister maar goed naar je maag!' riep ze.

Eerst ging het van richtingbord naar richtingbord naar het vogelreservaat. Daar behoorde de fiets te worden achtergelaten, begreep ze met behulp van het woordenboek. Niets daarvan, ze voerde hem aan de hand mee over een overschaduwd pad. Het was er koud, maar in de vogelkijkhut was het nog veel kouder en erg vochtig. Ze gluurde door een grof soort verrekijker en had geen idee wat er in de moerasachtige vegetatie te zien hoorde te zijn. Overal was vogelzang en het koeren van duiven, maar het was geen kunst dat te onderscheiden.

Algauw fietste ze verder. Langs een beek ging de route, nu gelukkig in de zon. Er was nog geen medemens te zien geweest. Dat zou je in Nederland niet gebeuren. Zou het hier over een aantal weken wel druk zijn? Het was hier veel groter en dunner bevolkt. Op de richtingborden stonden allemaal afstanden van minimaal 8 kilometer, wat op fietsrouteborden in Nederland zo'n beetje het maximum is...

Bij een groepje huizen op een plek waar drie wegen samenkwamen, raadpleegde ze de kaart. Ze was al bijna twee uur onderweg en volgens de kaart niet zo erg ver opgeschoten. Het voelde wat vreemd in haar kruis, maar dat raakte op de achtergrond toen uit de deur van een van de huizen een vrouw kwam met een aan zijn poten bungelende kip. De vrouw had óók een sjaal om haar hoofd geknoopt.

Silke zei gedag met een bonjour en lachte haar bij gebrek aan meer woorden maar eens vriendelijk toe. Vroeg de vrouw nu of ze de weg wilde weten?

Silke lachte nog maar weer eens terwijl ze demonstratief de kaart opvouwde en wegstak in de rugzak. Daarna maakte ze een gebaar naar de kip. '*Pour le diner?*'

De vrouw hield hem lachend omhoog. Ze leek het over soep te hebben en over een Marie. Had de kip bij leven Marie geheten? Of bedoelde ze *mari*, en was het haar echtgenoot die de kip had geslacht, of moest opeten.

'Heette de kip Marie?' vroeg ze, terwijl ze wees, lachte en gebaren maakte.

'*Non, non,*' zei de vrouw. Ze klopte met haar vrije hand op haar borst. '*Aha, vous êtes Marie!*'

Silke tikte op haar borst. '*Et moi Silke.*'

Belachelijk. Stond daar een volwassen vrouw van middelbare leeftijd als een kleuter met een andere kleuter voornamen uit te wisselen. Want Marie leek toch een tikje debiel met dat sjaaltje om haar hoofd. Silke wrong haar been over de stang om weer te kunnen opstappen, terwijl ze zich heilig voornam in St. Père naar de kapper te gaan. Ze moest trouwens een radicaal andere coupe nemen. Er was toch wel meer dan één model te creëren bij mensen met vierkante kaken en boerse wangen?

'Ik ga weer door,' zei ze intussen maar gewoon in het Nederlands. De kip bungelde opeens vlak voor haar neus. Allemaal veren en een slap roze kammetje.

'*Moi Marie Sophie, mon mari 's appelle Henri et il est Jacques,*' zei de vrouw in een moordtempo terwijl ze de kip heen en weer bewoog. Ze grijnsde van oor tot oor.

'Ik Marie Sofie, mijn man heet Hendrik en dit is Sjaak,' vertaalde Silke dommig.

'O, het is dus een haan,' zei ze terwijl haar voet de trapper zocht. 'Hu!' riep ze opeens. 'U heet Marie Sofie en uw man heet Hendrik? Wat krijgen we nu? Ik ken ook een Maria Sofia en een Hendrik. Ik volg nota bene hun route. Via Maria Sofia, ziet u.'

Die onzin leverde wederzijds gegrijns op. Ze fietste maar weg, terwijl ze hartelijk zwaaiend 'Marie Sophie, Henri, Jacques' riep en als een debiel haar duim in de lucht stak.

Hoe bestaat het. Wat een toeval. Dat dacht ze wel tien keer, maar daarna relativeerde ze het toeval. Half vrouwelijk Frankrijk heet Marie, net als de Henri's de helft van mannelijk Frankrijk vormen. Het waren nu eenmaal doodgewone namen. Maar het was een leuk verhaal om mee thuis te komen. Hilarisch zelfs als ze haar eigen rol eerlijk schetste.Wat een stom gegrijns. En dan ook nog wegfietsen of je een hartsvriendin achterlaat, met je duim omhoog...

Ze wist nu exact wat Huub bedoelde toen hij zei dat hij zich nooit thuis zou kunnen voelen bij de Fransen. De taal was echt een barrière. Terwijl Huub toen hij vanmorgen zo over de binnenplaats liep, daar helemaal thuishoorde. Hij was alleen te lang voor een Fransman. Z'n postuur was ook te stoer, door een jaar lang lichamelijke arbeid. Franse vrouwen moesten zich enorm tot hem aangetrokken voelen. Logisch dat hij een Franse vriendin had kunnen versieren. Zij als Hollandse vond hem trouwens ook wel aantrekkelijk, vooral door dat relaxte van hem. Maar ze was net een paar jaar te oud. En ze had van die oer-Hollandse billen. Helemaal vergeleken met die frêle Françaises.

Intussen fietste ze over een soort balkenbruggetje van weer een ander beekje naar de andere oever. Het roffelde vanuit het zadel omhoog tot in haar kruin. Ze had de neiging staand door te fietsen, maar er stonden wat mannen te vissen. Het was de tweede keer dat ze medemensen zag. Wat voor vis zou er eigenlijk in dat beekje zwemmen? Forel? En ving je die in het vroege voorjaar? Ze vertaalde in het voorbijfietsen de vraag of de vis soms voor de lunch bedoeld was. Hoe was het ook al weer? *Est-ce que le, la poisson est pour le, la déjeuner?* Ze hield het maar op een bonjour en vroeg zich af of het leuk zou zijn als ze van Huub wat Franse conversatielessen zou krijgen. Ze zag zich al over de woorden struikelen en in schaterlachen uitbarsten en vrolijk zoenen zoals ze bij de auto hadden gedaan. Daardoor zag ze een hele poos niets van de prachtige omgeving terwijl er talrijke doorkijkjes waren door de bosschages naar de oprijzende heuvels. Ze volgde domweg de weg, maar bij een zijweggetje stapte ze af om opnieuw de kaart te raadplegen.

Het voelde onwezenlijk om weer met beide voeten op de grond te staan. Of er schuimrubber tussen haar en de grond was. Dat was het eerste dat zich aan haar opdrong. Vervolgens vulde een loden last vanuit haar buik haar kruis. Van schrik zette ze grote ogen op. Haar hele schaamstreek was dood! Bloedsomloop, zenuwen, alles was natuurlijk hopeloos afgekneld. Als dat maar goed kwam. Dat had je nu van zo'n sportieve zit op een spits zadel. Alles lag op apegapen. Het moest gereanimeerd worden, het bloed moest weer stromen. Ze keek om zich heen. Er was niemand te bekennen. Ze keek naar beneden. Nee, beter was het om rustig af te wachten voor ze erover ging wrijven.

Ze bestudeerde de omgeving. Uitbottend groen. Wegschietende vogeltjes. Een scheefhangende afvalbak aan een vermolmd paaltje. Van onderen leek het leven terug te keren. In volle hevigheid deed het dat opeens, met een mitrailleurvuur van spelden, naalden en spijkers. Overal prikte en stak het, maar dat was beter dan helemaal niets te voelen.

In afwachting van volledig herstel, pakte ze de kaart te voorschijn. Via het zijweggetje kon de tocht worden bekort. Wat een zegen. Met een zucht van verlichting stapte ze op. Duizenden fietskilometers had ze op een oeroud zadel gezeten, nog nooit eerder was dit gebeurd. Onder het motto voorkomen is beter dan genezen, wisselde ze zittend en staand fietsen af. Er was toch geen kip. De timing van de wissels was eenvoudig, die ging al naar gelang het dode gevoel weer kwam opzetten. Wat was dit alles symbolisch voor de status van alleenstaande vrouw, vond ze. Een slapend kruis en geen man om de boel wakker te houden. En aan eigen initiatief had het ook al ontbroken. Ze dacht aan Huub, maar steeds frequenter moest ze wisselen van houding. Wat een rotfiets. Daarom zat er natuurlijk zo'n slimme sluiting om het zadel te verstellen. Ze stapte af en liet het zadel zakken. Maar dat was geen fietsen in combinatie met het racestuur. Alsof ze op een kermisfiets zat.

Zo sukkelde ze voort tot ze weer bij de beek van het vogelreservaat was. Ze herkende de brug naar de overkant, maar ook een bankje dat nu in de volle zon stond. Het was er lekker warm. Heen en weer kuierend at ze er de broodjes. Eén auto passeerde. Verder niemand. Zou ze nog gewoon kunnen plassen? Ze probeerde het in een bosje achter het bankje. Het kletterde gelukkig. Vlakbij begon een vogel te zingen. Een koeltje streek langs haar kruis. Dat voelde ze! Alles zou er vast weer goed komen. En ook lopend kwam Petit St. Père vanzelf wel nader. Het was een mooi verhaal voor Paula. Of voor een avond bij Ikkanheksen. Huub zou ze het vanavond maar niet vertellen...

Maar avond was het nog lang niet. Tijd te over dus had Silke om te luieren. Dat hoort ook op vakantie. Ze zat wat te soezen in de patio. Eigenlijk was het er nog te koud, maar een kwartier was het er best uit te houden.

Opeens vroeg ze zich af of ze zich op haar tocht met Kobus nu meer of minder alleen had gevoeld dan nu in Frankrijk. Het was echt zo'n gewetensvraag, zo een van het soort dat door de ontspanning los komt. Ze schoof de print Via Maria Sofia van zich af. Ze had er een stukje willen bijschrijven over het ligbad met het viooltje en de nieuwe pootjes.

Welnee, antwoordde ze zichzelf. Het is me ook toen best bevallen in m'n uppie. Zelfs in de stromende regen.

Meteen rees vraag nummer twee: zou een buitenstaander niet een leegte constateren in haar leven?

Een leegte, herhaalde ze. Wat nu leegte? Ik heb werk. Een doel. Vervulling.

Deelde ze haar leven wel met anderen?

Delen? Jazeker, antwoordde ze. Ik heb Paula, een schat van een ex-echtgenoot, lieve vrouwen van Ikkanheksen, een broer en een zus. Dus?

Dus beviel het haar wel om als eenling in het leven te staan?

Het werd verdorie een echte inwendige dialoog. Was die vragensteller soms de stem van haar twijfels?

Ja, antwoordde ze zichzelf. Het bevalt me uitermate goed om als eenling in het leven te staan.

Een gevoel iets of iemand te missen kende ze niet?

Wat je niet kent, dat mis je niet.

Wel een erg gemakkelijk antwoord, hè?

Daar ging ze natuurlijk niet op in. De innerlijke dialoog verstilde.

Maar opeens was hij er weer.

Ze kon het dus kennelijk nogal goed met zichzelf vinden?

Is daar dan iets verkeerd mee...

Stilte.

Ben je dus gelukkig?

Nou en of! Gisteravond heb ik dat onder die prachtige sterrenhemel in volle glorie mogen ervaren.

Toen was je niet alleen. Toen was je samen.

Hm, dacht ze. En na een tijdje: geluksgevoelens hebben meer te maken met de dingen binnenin, en niet met externe factoren.

Maar het leek je laatst wel leuk om een vaste vriend te hebben voor vakanties en andere uitstapjes. Alleen al om je verhalen aan te vertellen of de avonden mee te delen. Bij welke gelegenheid zei je dat ook al weer?

Heb ik dat gezegd? Ik kan het me niet voorstellen.

Want het is met een man toch spannender dan met een vrouw, zei je. Met mannen krijg je totaal andere gesprekken.

Aha, dat was in Maastricht.

Ja, na de kennismakingslunch met Huub van Heemskerck. Leuke naam, overigens. Met vrouwen ga je de diepte in, zei je. Met mannen trek je als het ware in linie door de verhalen omdat de onderwerpen breder zijn. Met vrouwen kun je neuzelen, met mannen ga je op zoektocht door de velden...

Hm, dat is rijkelijk bloemrijk uitgedrukt.

Over velden gesproken, wat zei de droomspecialiste over jullie zoektocht naar een klein zwart paard? Was het niet zo dat je de wens hebt om niet solistisch maar samen op te treden?

Dat slaat op mijn werk! Vooral nu de TTT-reeks wel eens tot wasdom kan gaan komen. Het gaat om assistentie. TipTopTekst wordt namelijk levenskrachtiger. Op de zaak kan ik trots zijn, de staart van mijn droompaard is immers fier geheven!

En die paarse hoefjes dan? Duidden die niet op passie?

Ze schoot opeens in de lach. Passie! Met een dood kruis zeker!

Begin dan in elk geval weer met een seksleven!

Een seksleven?

Snap je nu nog niet waar je over moet nadenken? Over een nieuwe vriend. Een man in je leven. Word wakker, je hebt de kans van je leven.

Aha, vandaar dit dwaze vraag-en-antwoordspel. Iets in haar vond dat er verandering moest komen in haar solobestaan. Dát was door het vakantiegevoel opgeborreld uit haar onderbewuste, net als tijdens de vorige vakantie dat zwarte paardje in haar dromen was verschenen.

Maar nu was het genoeg geweest. Afgelopen. Ze had vakantie. Een prima tijd om gewoon eens de dingen te laten komen zoals ze kwamen. Om gewoon te genieten zonder serieus gedoe.

Dat zei ze inwendig. Tegen dat stemmetje dat nu stil bleef.

'En nu ga ik lekker in bad,' zei ze hardop. 'Met dat exquise geurende schuimbad van Allard. De oogjes toe. De spieren ontspannen.'

Daarop kwam wel weer antwoord.

Verstandig. Dan kun je alles nog eens overdenken.

Ze reageerde er niet op en liet het bad vollopen. Uit de kast pakte ze alvast de broek en het shirtje voor speciale gelegenheden. En ook het bordeauxrode lingeriesetje, dat mee was om het gemis aan nieuwe slips te compenseren.

'Heb je al trek?' vroeg Huub. Hij vond het leuk om weer eens voor een gast te koken. Silke keek toe vanaf de hoge keukenkruk. Eerder had ze de zolder nog eens bekeken en in de badkamer gegluurd, waarvan de deur openstond. Of ze de deur open wilde laten, had Huub gevraagd. Er was nog geen ventilatie en hij had net gedoucht. Hij had een vrachtwagenlading onbruikbare stenen met een kruiwagen moeten lossen bij een stortplaats omdat het kiepmechanisme van het gehuurde kreng niet bleek te functioneren. Een knap warm klusje met de zon erbij. Maar zo onderhield een mens zijn conditie, zo had alles z'n voor en z'n tegen.

In een pan stond iets te pruttelen, en in een andere pan, met kokend water, gooide hij allerlei soorten groenten.

'Is dat voor die vegetarische bonenschotel met knoflook, uien en pittige kruiden?' vroeg Silke.

Hij gooide net een paar handenvol reepjes blank vlees in de pan. 'Vegetarische... Hoe kom je daar nu bij?'

'Dat beloofde je toen we in Maastricht lunchten.'

Hij sloeg met zijn hand tegen zijn voorhoofd. 'Helemaal vergeten. Nou, kom dan nog maar eens aanschuiven...'

'Maar wat zit er dan in die pan?'

'Kip.'

Silke schoot in de lach. 'Geen haan?'

Ze vertelde over Marie met de hoofddoek, en wijdde erover uit of het nu wel of geen toeval was op een Marie Sofie met een Hendrik te stuiten.

De kip van Huub diende voor de *blanquette*. Die gingen ze eten met *pain de campagne*. Vooraf wat warme prei in *jambon* met *vinaigrette*, en toe werd het een vlaaitje met *fromage frais au citron*.

'O,' zei Silke. 'Wat is het allemaal? En eet je altijd zo uitgebreid?'

De tijd waarin ze nog echte maaltijden had gekookt, lag heel erg lang achter haar. Toen ze nog met Eelco getrouwd was, was lekker koken in de mode. Gehaktbrood maakte je bijvoorbeeld, met hardgekookte eieren erin verscholen. Of een Vlaamse runderstoofpot of Italiaanse ossobucco. Wouter had ze in het begin ook nog verwend. Maar op de een of andere manier was de zin er af gegaan. Ze kon zich nu niet heugen wanneer ze voor het laatst een dineetje had gemaakt.

'Uitgebreid?' herhaalde Huub. 'Dat vinden ze hier in Frankrijk niet. Met z'n tweeën eten mag hier best avondvullend zijn. Een voorafje voor de eerste trek. En natuurlijk naderhand nog espresso met likeur en wat snoeperijtjes. Een gezellige avond en eten, dat hoort onlosmakelijk bij elkaar.'

Silke bekende maar meteen hoe het met haar kookkunst gesteld was. 'Als je een keer bij mij komt eten, komt het vast bij de slager vandaan voor wie ik nieuwsbrieven schrijf. Hij is namelijk ook traiteur.'

'Dat klinkt veelbelovend,' vond Huub met een lach. Zijn haar hing half voor zijn ogen. Hij gooide het met een hoofdbeweging naar achter.

'Bij koken hoor je er uit hygiënische overwegingen een sjaaltje om te binden,' zei Silke plagend. 'Dat weet ik door de nieuwsbrief voor de slager.' Ze trok het hare demonstratief los en vouwde het opnieuw op. 'Kom op.'

Ze bekeek het resultaat. 'Het staat je goed. Helemaal niet vegetarisch. En een ordinaire zeerover word je er ook niet van.'

'Merci,' zei hij terwijl hij ham uit de koelkast tevoorschijn haalde. Olie, azijn, mosterd en peper klopte hij tot een sausje. Met een tang pakte hij een stuk dampende prei uit de pan, de ham ging erom en de saus erover. 'Kom op,' zei hij. 'Aan tafel. Neem jij het brood en de glazen mee?'

Ze toostten, Huub dwaas met dat sjaaltje en Silke met knalrode wangen door het bad en de buitenlucht. Twee vijftigers, dacht ze. Maar het voelde precies hetzelfde als toen ze twintig, dertig en veertig was. Hoogstens miste ze de verlegenheid van toen.

De wijn was afkomstig van de wijngaard van de buren, die te klein was voor echte productie maar te groot voor de boer en zijn vrouw. Huub hielp ze met opmaken.

'Een straf kan dat niet zijn,' vond Silke. Ze loofde het voorgerecht. 'Ik mag dan geen keukenprinses zijn, ik weet heel goed wat lekker is en wat niet.'

Het begon verrukkelijk naar bouillon te ruiken.

'Tijd om de *blanquette* te maken,' zei Huub. 'Want die geur hoort in de pan te blijven en niet hier te komen.'

Boter en bloem bruisten op het vuur tot een geurig mengsel met wat wit van prei en knoflook. Er ging heet groentenat bij, met room en de reepjes kip. '*Voilà*,' zei de kok terwijl hij een lepel van het spul aan zijn mond zette. 'Een pracht van een blanke ragout. Geurig als een voorjaarsochtend, romig als een... nou ja, romig zoals het hoort.'

Hij proefde. Een leuke vent stond even nadenkend te kijken, pakte de pepermolen en draaide aan het ding met handen die huizen sloopten en een toeristendorp bouwden. Hij proefde weer en knikte tevreden. '*Comme l'amour*,' zei hij. 'Roomzacht en pittig tegelijk.'

Silke verstond niet 'dat zeggen de Fransen zo,' zo bloosde ze opeens. In tegengestelde richting als een opvlieger schoot de hitte uit haar wangen naar haar hals en door naar beneden. Ver naar beneden zelfs, naar waar het dood was geweest. Nu tintelde het er opeens van leven, zonder ook maar het minste speldenprikje.

Intussen praatte ze over haar eigen pepermolen. 'Een huwelijkscadeau nota bene, maar wel mooi in de vaatwasser terechtgekomen. Sindsdien strooit hij behalve peper ook roest. Mijn eerste ex beweerde dat het goed was tegen bloedarmoede. Hij was gynaecoloog aan het worden, hij kon het weten.'

Bloedarmoede en gynaecoloog, het opdringerige gevoel beneden verdween meteen. Ze aten verder. Er was voldoende eten, wijn en gespreksstof.

Neervliegers bleven uit. Terwijl er toch herhaaldelijk triggers waren, zoals dat bij opvliegers heette.

Of ze nog steeds happy was in Petit St. Père, vroeg Huub bij de espresso, die 'een dekentje van schuim' had 'om de geur vast te houden'.

'*Si*,' antwoordde Silke, die opeens weer wist dat die twee letters voor een sterker *oui* stonden.

Samen wasten ze af. Ook toen hadden ze nog genoeg gespreksstof. Voor nog wel honderdduizend borden, dacht Silke, maar toen had ze eigenlijk een glaasje likeur te veel op.

Al die tijd had dwaas dat sjaaltje om zijn haar gezeten. Om de hygiëne was het niet langer nodig.

'Kom eens,' zei ze.

Hij sloot overdreven glimlachend zijn ogen. 'Dat klinkt heerlijk...'

Hun omhelzing bij de auto flitste door haar heen. Ze knoopte het sjaaltje los en legde haar armen om zijn hals. Lachend gaf ze hem een zoen. 'Dank je wel voor het heerlijke eten.'

Hij zoende terug. 'Dank je wel voor het heerlijke gezelschap.'

Echt, de ernst ontbrak. Ze waren een man en een vrouw die grappen maakten.

'Maar hoe ver gaan we?' vroeg Huub opeens.

Gewoon wat genieten, zonder serieus gedoe. Dat was de conclusie die Silke voor ze in bad ging had getrokken. 'Zo ver als we willen gaan,' zei ze.

'En dat is...?'

Ze lachte. 'Misschien wel een feest.'

Een feest, dat was nu precies wat ze noch met Allard, noch met twee echtgenoten had gehad. Werd het geen tijd dat nu te gaan realiseren?

'Een feest... Daarvoor is jouw appartement bedoeld,' zei Huub.

Silke lachte. 'En omdat jullie hier nog in een proeffase verkeren...'

'Gaan we daar naartoe om de feestmogelijkheden te testen.'

28

Wat is het luchtig en lichtvoetig als je bij vrijen geen dingen hoeft te zeggen als 'ik hou van je', en geen beloften hoeft te doen over trouw en toekomst. De jaren waarin dat een rol speelde, zijn gepasseerd. Elkaar respecteren, sympathiek en aantrekkelijk vinden is voldoende. Ieder heeft zijn eigen heden, verleden en toekomstplannen. Ieder weet wat hij wil, en dat hij verantwoordelijk is voor zijn eigen welbevinden.

Je bent gelijkwaardig aan elkaar. Je houdt je aan de afspraken. Je stapt in hetzelfde schuitje. Het is iets tussen jullie en daar blijft het. Niemand anders dan jullie weet ervan. Daardoor zijn er geen redenen voor schaamte of angst door de ander belachelijk gevonden te worden. De grenzen en spelregels zijn bepaald. Het is daardoor een veilig spel van teamspelers, met het gezamenlijke doel plezier te beleven.

Je kunt dus, losgekomen van de zwarigheden, makkelijker genieten. Hoe zou het zijn met deze nieuwe medespeler? Dat is wat het extra spannend maakt.

Dat was zo ongeveer waarover Huub en Silke praatten toen ze buiten Petit St. Père om naar haar appartement wandelden. Ook toen was de maan niet te zien, maar flonkerden er wel sterren. De nachtwind ruiste door de bomen. Eiken waren het. Een ervan zou volgens kenners een kleine honderdvijftig jaar oud zijn. Tijdens de bouw waren ze stuk voor stuk met een bekisting om hun stam beschermd tegen beschadigingen. Ze waren intussen bevrijd en konden voorjaar gaan vieren.

Symbolisch vond Silke dat voor haar eigen situatie. 'Wat ik al zei, het keurslijf van het dagelijks leven is er even niet. Er zijn geen ogen die meekijken. Ik voel me vrij van allerlei vage, onderhuidse verplichtingen. Van die ongeschreven calvinistische wetten over hoe het hoort.'

Of die wetten in Frankrijk soepeler waren, betwijfelde Huub ernstig. Maar opvallend was dat een begrip als *plaisir d'amour* er normaal was. Agnès, zijn Franse vriendin, had dergelijke woorden gebruikt. En bestond daarvan nu een Nederlands equivalent? 'Liefdesplezier', dat was toch geen Nederlands woord? Dat gebruikte je toch niet als Nederlander?

'Je Franse vriendin...,' zei Silke. Hoe zit het daarmee, wilde ze eigenlijk weten. Ze besefte dat de onderhuidse wet om je niet in een relatie te dringen, zich bij haar ook weer niet zomaar monddood liet maken.

'Is verleden tijd,' vulde Huub aan. 'Anders deed ik dit niet. Ik ben op dit vlak de calvinistische Nederlander die zich erop laat voorstaan dat hij een nette vent is. Ik heb ontzettend veel van Agnès geleerd. Je kunt wel op je klompen aanvoelen dat de seks in mijn huwelijk knudde was en om nou zonder kennis van zaken de boer op te gaan en lukraak wat te versieren, daar moet je ook maar het type voor zijn. Toen verscheen Agnès op het toneel. Ze was gescheiden omdat haar echtgenoot het wat al te bont maakte met de drank en de vrouwen. De drank woog overigens het zwaarst. Agnès vond dat voor haar nu de tijd van *plaisir d'amour* was gekomen. En ze gokte erop dat die idioot van een solitaire Hollander met zijn puinhopen er wel voor te vinden zou zijn.'

'En dat gokte ze goed?' vroeg Silke.

'Ze heeft er erg veel moeite voor moeten doen. Wist zij van mijn onhandige verlegenheid op dat vlak. Ze zag in mij een charmeur. Een stoere kerel, een macho op de bouw die wel van wanten zou weten.'

'Maar jullie belandden toch op een goed moment in...'

'Elkaars armen,' vulde Huub aan. 'Inderdaad. Voor ik het wist en erover kon nadenken. Dat had ze aardig voor elkaar. Ik ben haar er nog altijd dankbaar voor. Met haar werd het werkelijk plezier.'

Hij begon te lachen. 'Ik had nooit gepraat over seks. Ja, de beroemde lolletjes met kerels. Maar niet praten met je partner over wat je wilt en niet wilt. Over een ander scenario proberen dan het vertrouwde. Dat soort dingen... Maar bij haar viel mijn verlegenheid om bijvoorbeeld sommige woorden te gebruiken weg. Want zij kende de Nederlandse woorden toch niet, net zomin als ik de Franse. Ik kon dus opeens zomaar zeggen wat ik wilde. Terwijl ik ook haar vocabulaire weer napraatte zonder te weten wat ik zei. Dat werd natuurlijk enorm lachen, plus dat lichaamstaal belangrijk werd.'

Ze waren intussen bij Silkes appartement beland.

'Praten over seks hebben we natuurlijk ook nooit geleerd. Dan heb je ook geen specifieke woordenschat tot je beschikking,' zei Silke.

Dat was heel wat afstandelijker dan wat ze tegelijkertijd allemaal dacht. Zoals dat hij dus in bed vast een vrolijke Frans zou zijn. Dat hij door Agnès wel erg ervaren moest zijn. Dat dat spannend leek, maar was zij met haar weinig opwindende ervaringen wel een goede medespeler?

Een specifieke woordenschat... Ze hoorde zelf wat afschuwelijk serieus en degelijk het klonk.

Ze gaf de deursleutel aan Huub. '*Voilà.*' Voor een Hollandse klonk het best koket.

'Agnès is overigens intussen hertrouwd,' zei Huub terwijl hij de deur voor haar openzwaaide. 'Dat was nog de gebeurtenis van de eeuw. Het zit zo, de *médicin* had ook iets met haar. Ze reden allebei paard en ontmoetten elkaar in een of ander verlaten bouwsel verderop in de heuvels. Hij was net gepensioneerd en zijn opvolger aan het inwerken. Agnès was tegen de zestig, en dan een *liaison amoureuse*... Want ja, zijn vrouw kwam er achter en pikte het niet. Zo gaat dat. Het zijn dingen van alle tijden, die overal voorkomen, met alom narigheid natuurlijk. Maar één ding weet ik zeker, de beste man moet nu een grandioos seksleven hebben.'

Hij gepensioneerd en zij bijna zestig... Er is dus hoop, dacht Silke. Ze zag het stel voor zich, te paard hun *plaisir d'amour* tegemoet galopperend. Het was een charmant idee, vooral omdat aan Huubs gezicht was af te lezen hoeveel plezier hij zijn vroegere vriendin en haar lijfarts nu toedichtte.

'Door wat je zo allemaal vertelt, ga ik wel verwachtingen koesteren, hoor,' zei ze lachend terwijl ze hun jacks ophingen. Om dat te illustreren legde ze haar hoofd even tegen zijn schouder. Zijn armen sloten zich meteen om haar heen. 'Laat dat nu precies mijn bedoeling zijn,' zei hij. 'De pret begint immers ver voor het bed, en niet alleen voor vrouwen. Natuurlijk heeft een snelle actie ook z'n charme, maar voor echt plezier moet je een aanloopje nemen.'

Dat ze daarmee al langere tijd bezig waren, wisten ze allebei. Ze gingen ermee door toen ze samen nog eens het appartement bekeken, gewoon omdat het er zo vindingrijk, kleurig en speels was. Huubs arm lag daarbij om Silke heen. In deuropeningen liepen ze gewoon dichter tegen elkaar aan. Van hun spiegelbeeld in de badkamer vonden ze dat het er goed mee door kon. Ze zagen er leuk uit met die lachende koppen. Ze lieten allebei expres hun haar voor hun ogen vallen en Silke demonstreerde met een extreem holle rug dat ze bolle billen had, waarna Huub zijn maag opblies om aan te geven hoeveel dikker hij was voor hij aan het verbouwen was gegaan.

Toen kwam het op de spelregels. Over veilig vrijen, over wat wel en niet gewenst was, en vooral over hoe het gezellig kon zijn. Een muziekje hoorde erbij, en wijn. De zes grote kaarsen in het ornament aan de patiomuur moesten branden zodat schijnsel van buiten de slaapkamer zou verlichten. De verzameling kussens op het bed werd een ruggensteun voor het lui liggend drinken van wijn, want de glazen konden op hun beurt weer veilig in de muurnissen naast hun hoofden staan.

Helemaal fout waren de bedlampjes. Ze schenen veel te fel. Mooi om bij te lezen, maar niet om de liefde bij te bedrijven. Ze knipten ze uit.

Het licht in de patio flakkerde. De slaapkamer veranderde in een beveiligd vertrek van een middeleeuws verdedigingswerk, met hun schaduwen op het pleisterwerk van de muur. Dat zagen ze opeens, dat ze een schaduwspel speelden op de muur. Ze maakten er een toneelstuk van. Silke reikte met een ellenlange arm naar het plafond. Huub spande als grote zwarte stripfiguur overdreven bolle biceps. Hun uitgerekte silhouetten slopen geruisloos langs de muur. Dan weer vormden ze één romp met vier benen en vier armen, of kregen twee armen en benen met een dubbele romp.

'Wat een enig spel!' riepen ze uit.

Naar hartelust speelden ze verder. Staand, zittend en liggend volgden ze zelf verwonderd hun schimmenspel. Opwindend reikte op de muur een reuzenhand naar een vrouwenborst. Hij zweefde er langs als een adelaar langs de bergen. Twee schaduwen rezen op, daalden weer en dansten als één omhoog naar het plafond. Opeens fladderden er vleermuisachtige spoken van weggeworpen kledingstukken langs de muur en bogen de schaduwen dubbel van het lachen en strekten ze zich weer. Tot het genoeg was en ze geen afleiding meer wensten. Ze sloten het gordijn.

Om half drie 's nachts aten ze in bed de resterende broodjes van het ontbijt. 'Wanneer vertrek je eigenlijk definitief uit Frankrijk?' vroeg Silke terwijl ze het badlaken strakker om haar schouders trok. Hun haar was nat na een proefneming met het tweepersoons bad.

'Ik vertrek na Pasen. De manager is ingewerkt, hij draait al twee maanden mee. Toch zal ik de eerste tijd nog vaak terugkomen. Ach, het is ook zo vlakbij.'

'Zal het je niet erg tegenvallen in Nederland? Het is zo klein en vol met al die steden, nieuwbouwwijken en snelwegen. Hier is zo'n fantastische ruimte en rust.'

'Het blijft natuurlijk voor mij toch een plek waar ik heel vaak hoop te zijn. Anders was ik ook zeker niet zo blijmoedig onder mijn aanstaande vertrek. Maar het heeft zoveel verschillende kanten. Voordelen en nadelen. Doorslaggevend blijft dat ik gemakkelijk met de mensen om me heen wil kunnen communiceren, en een hechte vriendenkring wil hebben. Dat is een van de dingen die ik in Nederland moet opbouwen.'

'Een vriendenkring is helemaal belangrijk als je alleen bent en geen kinderen hebt,' zei Silke. 'Dat geldt ook voor mij. Je wilt ergens bij horen. Een vangnet hebben. Iets betekenen voor anderen. Voor belangrijke dingen een gesprekspartner zijn, maar ook zelf kunnen praten met vertrouwde mensen.'

Daardoor werd hun zelf gekozen solitaire staat onderwerp van gesprek. Natuurlijk waren er wel nieuwe levenspartners in zicht gekomen, maar ze hadden allebei de boot afgehouden. De vonk sloeg niet makkelijk over als je er niet voor openstond. Sterker, je zag de vonk niet eens.

Wat Huub wel zag zitten was een vast maatje. Iemand voor de leuke dingen in het leven, en die iemand moest natuurlijk een vrouw zijn.

'Precies,' zei Silke. 'Een vriend voor weekends of vakantie. Een man dus, want het trekt me niet met een vriendin op stap te gaan. Dat komt vast omdat ik in het dagelijks leven al zoveel vrouwen om me heen heb.'

Dat vaste maatje hoefde voor Silke noch voor Huub elk weekend op te komen draven. Het lag vanzelfsprekend anders als je verliefd was, vonden ze. Maar verliefd worden moest je ook maar willen, en later zat je met de consequenties. Liet je elkaar de ruimte? Dat was al zo'n vraag waarop menigeen teleurgesteld antwoordde. Vrijheid, blijheid, dat gaf toch meer lucht.

'Ik moet een beetje mijn gang kunnen gaan,' zei Huub. 'Eens even lekker doorwerken als het moet, zonder het gevoel te hebben dat er iemand op me wacht. Dat benauwde me. Hoe erg, merkte ik pas hier. Toen ik heer en meester was over mijn dagen, en dat ook moest zijn om dit project te kunnen verwezenlijken. Wat een rust gaf het om me alleen daarop te hoeven concentreren. Zo'n project ga ik straks in Nederland natuurlijk ook tegemoet. Daar ga ik tenslotte ook weer iets opbouwen, al zal dat niet zo letterlijk zijn als hier. Maar ik wil het wel doen met dezelfde zielenrust als ik hier heb ervaren. Dan verzet je bergen, echt waar.'

Silke knikte bevestigend. 'Aan TipTopTekst heb ik op een plezierige manier mijn handen vol. Met een man in huis zou ik nooit de hoeveelheid energie in de zaak kunnen steken die ik er nu in stop. Ik werk bijvoorbeeld graag in het weekend door. Dan kun je jezelf doordeweeks ook eens wat speciaals gunnen. Door wat ik nu zeg, realiseer ik me dat ik ook zo'n weekend en vakantievriend vaak zou moeten afzeggen...'

Wat haar opeens aan de mensen op de relatiesite deed denken, die voor hun naar Nederland terugkerende vriend een vrouw zochten. Het bleef toch een wonderbaarlijk toeval, of zouden er veel Hollandse mannen het Franse land de rug toekeren?

'Hoor je wel eens van Nederlandse mannen in Frankrijk die ook teruggaan?' vroeg ze. 'Want ik blijf die oproep op die relatiesite erg toevallig vinden.'

Huub sloeg haar lachend op haar schouder. 'Ja, ja, geen partnerwens maar wel op zo'n site rondneuzen...' Wat stom! Ze had nooit meer over het bestaan van die site willen reppen!

Ze reageerde verdedigend dat het kwam door Wouter en zijn moeder. Dat zij erop hadden aangedrongen. Dat ze het maar had gedaan om er vanaf te zijn. 'Maar na twee huwelijken kan ik echt zeggen dat het voor mij niet meer hoeft. Zelfs een lat-relatie zou me al... o, dat stelden jouw vrienden als voorwaarde, dat de sollicitante een lat-achtige relatie wilde.'

'Míjn vrienden? Die zijn niet gek, die hebben mij echt niet aangemeld. Ze weten wel beter. Hoewel... Aha... wat zou kunnen... met een vaste kern van kerels werden we na een dag hard werken, goed eten en stevig drinken wel eens sentimenteel. Zíj betreurden de gemiste avonturen door hun huisje-boompje-beestje met hun vrouw en kinderen. Ik beurde ze dan op door te doen alsof het vrijgezellenleven ook niet alles is. Hé, ik moet toch maar eens op die *site* kijken. Wat is het adres? Wie weet herken ik een manier van uitdrukken.'

Silke noemde het. 'Maar het is een speciale vip-oproep,' waarschuwde ze. 'Laat mij het maar zoeken.'

29

Voor ze de volgende dag naar Château Beaufôret gingen, activeerden ze op Huubs computer het internetprogramma voor de relatiesite. 's Morgens was Silke naar St. Père gefietst, dat gelukkig dichtbij was. Het plaatsje had een klein, historisch centrum met een mooie kerk en aardige winkels. Een leuke afwisseling was het na al het natuurschoon van de vorige dag. Maar om er nu nog een keer heen te gaan voor de kapper, die alleen volgens afspraak werkte, daar had ze geen zin in.

Net toen de site op het beeldscherm werd opgebouwd, ging de telefoon. Huubs beheersing van het Frans leek prima. Hij praatte ongelooflijk rap. Silke verstond er helemaal niets van, ze moest toch maar serieuze conversatielessen voorstellen. De zoete woordjes in de nacht wist ze ook al niet meer...

'Sorry, ik moet even beneden iemand te woord staan...'

Silke klikte toen net de link naar het vip-systeem aan. Op hetzelfde moment realiseerde ze zich dat ze de pagina over Huub alleen kon terugvinden door die idiote vragenlijst opnieuw in te vullen. Ze was geen lid. Ze had geen codenummer van de kandidaat... Wat een bof dat de niet-virtuele kandidaat even weg moest. Wat een flater had ze anders geslagen. Nu hoefde hij niet te weten hoeveel moeite ze had gedaan, zij die geen partner wilde...

Maar wel nogal gecharmeerd was geraakt van hem, dacht ze terwijl ze de eerste antwoorden op de vragenlijst intikte. Meteen in Maastricht al. Was ze anders naar zijn gehucht komen kijken? Zo belangrijk was het verhaal van Maria Sofia nu ook weer niet. Belangrijk was het pas geworden toen ze erover had zitten opscheppen. Een historisch tijdschrift... Het zou wat.

Ze tikte verder. Het was maar goed dat ze de eerste keer in alle eerlijkheid had geantwoord. Hoe moest ze anders bij de vip-kandidaten terechtkomen?

Of ze heteroseksueel van aard was? Ze glimlachte. *Plaisir d'amour*, dacht ze. Wat dát betekende zou ze van haar levensdagen niet vergeten. Als je de inhoud van woorden kende, onthield je ze überhaupt gemakkelijker. En de inhoud van *plaisir d'amour*... wat een plezier hadden ze gehad bij het schimmenspel. Prima teamspelers waren ze! Had deze relatie*site* dat straks ook voor hen in petto?

Razendsnel vulde ze nu verder de ellenlange lijst in. Haarlengte, huisdieren, Latijns-Amerikaans dansen, de bekende items kwamen langs. Het was te hopen dat ze bij die onwijze vragen ook een beetje hetzelfde antwoordde als de vorige keer. Ze hoorde Huub de trap op komen. De laatste items gokte ze. Ze klikte op verzenden toen Huub binnenkwam.

'Over enkele ogenblikken komt het op het scherm,' zei ze lachend. Later zou ze wel vertellen hoe de vork echt in de steel zat. Ze hoopte maar dat de antwoorden die ze had gegeven echt kandidaat Huub zouden opleveren. De belangrijke, principiële zaken had ze natuurlijk exact hetzelfde...

'Kijk, daar staan de kandidaten.'

In één oogopslag zag ze dat de eerste vier dezelfde waren als de vorige keer. Er waren er alleen twee bijgekomen. Er ontsnapte haar een zucht van verlichting.

'Ik geloof dat jij nummer drie was. Nee, die is het niet. Kijk, hier, dat ben jij!'

Ze keken naar de tekst. Zij op de bureaustoel, hij naast haar staand.

'Binnenkort komt onze vriend weer in Nederland wonen,' las hij hardop. 'Een gelukkige, alleenstaande vent. Wij gunnen hem een vriendin.... Goeiedag. Bovenstaand profiel zegt veel. Verder is hij creatief en technisch. Ziet er goed uit... *Merci bien*. Doorzetter. Kan met hoofd en handen werken. Heeft hart en gevoel. Kookt de sterren van de hemel. Adoreert goede wijn... *Mais si*! Zal nooit netjes worden en nooit aan de leiband lopen. Verdraaid, dat zou Pietje de Leeuw gezegd kunnen hebben! Dat is een bijnaam, dat begrijp je, vanwege zijn grote bek... Uitsluitend reageren met voorkeur voor lat-achtige relaties.'

Er was in cursieve letters een mededeling onder gekomen. Nu las Silke hardop.

'Door een systeemfout is aanvankelijk de bijbehorende persoonsbeschrijving niet opgeslagen. Onze excuses hiervoor. De fout is inmiddels hersteld.'

Dus toch!

'Wat bedoelen ze daarmee?' vroeg Huub.

'Dat komt straks wel,' zei ze.

Huub vroeg verder niets. Hij stond stomverbaasd de tekst te herlezen. Opeens bulderde hij van het lachen. 'Die idioten moeten dat inderdaad hebben gedaan. Dat woord "leiband" ligt Pietje de Leeuw in zijn muil bestorven. Wat een reclame maken ze voor me. Ik hoop maar niet dat er is gereageerd. Vreselijk, zeg. Straks zit ik argeloos bij een van hen aan het bier en word ik intussen gekeurd door een gegadigde. Wat doen ze me aan!'

Opnieuw las hij de tekst. 'En nu weet ik ook wie de aanstichter van dit alles is. Hansje Pansje. Reed altijd in een vw Kever. Informatietechnoloog. Zat ons al ver in de vorige eeuw achter de broek om de boel te automatiseren. In eeuwige aanbidding voor internet. Wat is dat eigenlijk, dat profiel?'

Silke klikte het aan. Ze keek gespannen toe. Verdraaid, nu klopte alles wél precies... Ze klemde haar lippen opeen om dat nu niet te zeggen. Dat ze intuïtief had geweten dat het om Huub ging!

Huub bulderde van het lachen. 'Hé, Silke, kun je er nu achter komen hoeveel vrouwen zich hebben gemeld?'

'Geen idee.' Dat was volkomen naar waarheid.

Hij roffelde met zijn vuisten op zijn borst. 'Maar jij hebt toch wel gereageerd op deze superman, hè?'

'Welnee. Dat kost een boel geld. Moet je zien...'

'Een boel geld. Heb je dat er niet voor over?'

Ze hield het op een pesterig lachje en klikte met de muis op 'ja' in antwoord op de vraag of ze op de kandidaat wenste te reageren. Floep, daar was weer de tekst dat ze eerst lid moest worden.

'Zijn alle vrouwen zo gierig?' wilde Huub weten.

Silke had hem door. 'Dat denk ik wel,' zei ze gemaakt ernstig. 'En vrouwen die er veel geld voor over hebben om een vent aan de haak te slaan, zijn natuurlijk moeders mooiste niet. Snap je?'

Hij snapte het. Ze sloten de computer af. 'Kom op, we gaan naar Beauforet.'

Onderweg legde Silke uit waarom ze een kasteel in de buurt wilde bekijken. Ze vertelde over de brief van haar grootmoeder die ze thuis tussen de foto's had gevonden, en het idee om haar eigen rit met Kobus, vanwege het kuren van Maria Sofia, zogenaamd in de Champagne te laten eindigen. Nu ze het vertelde, vond ze het eigenlijk inderdaad een leuk gegeven.

'Moet je voorstellen hoe dat geweest moet zijn. Maria Sofia als dochter van een Terschellinger zeekapitein belandt in Frankrijk, dat was toch heel wat voor die tijd.'

Huub onderbrak haar. 'Hé, daar komt jouw naam dus vandaan. Silke, de vrouwelijke vorm van Sil. Je bent naar hem vernoemd.'

Silke lachte. 'Jammer genoeg wel. In onze familie is de naam nogal sleets. Het wemelt er van de Silkes. Ze waren weinig creatief in het verzinnen van wat anders. Als kind wilde ik Sylvia worden genoemd, maar niemand deed het.'

'Weet je ook waarom je overgrootouders speciaal voor de Champagne kozen?'

'Nee. Maar ik heb wat verzonnen. Maria Sofia is namelijk overleden aan tuberculose. Dus kan ik haar omdat ze zo moe was, zo bleek zag en zo moest hoesten geneeskrachtige lucht en rust laten zoeken op het Franse land. Want een poos geleden las ik in een weekendkrant een reportage over een Frans kasteeltje dat allerlei heel verschillende bestemmingen heeft gehad. In de twintigste eeuw was het een kuuroord voor tuberculoselijders. Nu heeft een Nederlands stel er een hotel in. Als schrijver heb je zoveel vrijheid in je verhaal. Zo is de Champagne op een logische manier een geschikte bestemming geworden voor Maria Sofia. Het is niet alleen een schitterend gebied, zoals ik nu met eigen ogen zie, maar het heeft ook een mooie ouderwetse klank, net als Madeira. Waarbij komt dat champagne een bijzondere wijn is, voor bijzondere gelegenheden. Dat past bij deze bijzondere vrouw. Champagne heeft ook iets romantisch, en dat past weer bij het slot van mijn verhaal. Ik wil namelijk een Franse dokter de diagnose tuberculose laten stellen en haar dan laten sterven.'

'Het is maar wat je romantisch noemt!' riep Huub uit.

'Mijn overgrootmoeder moet toch een keer dood,' zei Silke. 'Dan is die tuberculose iets wat er op een romantische manier bij past. Hartstochtelijk geleefd, jong gestorven, door echtgenoot en enig kind betreurd. Mooi toch?'

'Ze hadden dus een kind?'

Silke schoot in de lach. 'Anders was ik er niet geweest, snap je?'

Hij snapte het.

'Hun dochtertje, mijn oma dus, hadden ze onder de hoede van de huishoudster achtergelaten. Er was genoeg geld in de kapiteinsfamilie om Maria Sofia langere tijd onder medische begeleiding te laten kuren.'

Ze was even stil. Toen grinnikte ze. 'Jammer dat het kapitaal daaraan is gespendeerd, anders had ik misschien wat meer geërfd. Maar dat is natuurlijk maar gekheid.'

Ze waren intussen vlakbij het kasteel. Het was een ritje dat vast veel toekomstige vakantiegangers vanuit Petit St. Père zouden maken. Met de auto kostte het een kwartier, met de fiets moest het in een uur te doen zijn. Het landschap was lieflijk, met zachte glooiingen en prachtige bomengroepen waarin nu echt een groen waas hing. De zon scheen in de middag al aardig warm.

Na een korte bochtige weg heuvelopwaarts torende opeens het kasteel op achter een hoge groene haag. Het grind van het parkeerterrein knarste onder de wielen.

'We zijn er,' zei Huub ten overvloede. En met een taxerende blik over het vrijwel lege parkeerterrein: 'Voor een goede exploitatie is het hier een beetje te rustig.'

Château Beaufôret was lang particulier bezit geweest voor het verkocht werd aan de huidige eigenaar, een keten van luxehotels in vermaarde wijngebieden. Een kuuroord was er nooit in gevestigd geweest, maar dat gaf niet. Het inspireerde Silke voldoende tot een mooie fantasiebeschrijving. Ze verklapte Huub al enkele details. Hij vond het onbegrijpelijk dat ze dat zomaar terwijl ze wat rondneusden kon verzinnen. Ze haalde er haar schouders over op. De ene mens had nu eenmaal die aanleg en de andere mens een heel andere.

Ze bleven wat langer voor een venster staan in de muur van een van de torens. De trap was smal zoals dat bij torentrappen hoorde en veel geheimzinniger dan de smalle trap naar Silkes werkzolder. De muur was zeker een halve meter dik, en voor het raam zat een gietijzeren framewerk.

'Door zo'n raam kan Maria Sofia naar buiten hebben gekeken,' fantaseerde Silke. 'Ze zag glooiende velden, het uitspansel van de hemel, en misschien wel voor de laatste keer de Ford of de koets met Hendrik achter de heuvel verdwijnen.'

'Snik, snik,' zei Huub lachend.

Silke glimlachte. 'Ik kan via hem een draad naar de toekomst spinnen. Hij rijdt de Champagne uit en komt tenslotte weer thuis, bij zijn dochtertje, dat weer de toekomst ingaat als de moeder van mijn moeder. Maar nee, dan wordt het een roman.'

Ze keek weer naar buiten. Nu doe ik er weer opschepperig over, dacht ze. Terwijl ik betwijfel of het geschikt is voor het historische tijdschrift. Hoewel ze wel verzonnen verhalen plaatsen, gewoon om interesse voor de geschiedenis te wekken. Een verhaal leest nu eenmaal gemakkelijk. En wat ik heb geschreven doet dat ook... Het is gewoon een aardig gegeven.

Ze wandelden nog wat door het park. Er was een doolhof, waar ze natuurlijk in gingen omdat Maria Sofia dat ongetwijfeld ook had gedaan. Ze vonden snel het midden. Doodstil was het daar, geen geluid van buiten drong er door. Alleen een vogel begon opeens schel te zingen. 'Een winterkoning,' zei Huub, die er verstand van had omdat hij opgegroeid was op het platteland. 'Je wist gewoon van vogels, planten en bomen. Dat kreeg je van je vader mee als je samen ging vissen of naar het voetbalveld liep.'

Intussen waren ze wel mooi verkeerd door de doolhof gelopen.

'Voor geliefden in vroeger tijden de gelegenheid voor een gestolen kus,' veronderstelde Silke. 'Zo heette dat, een gestolen kus. Wie weet heeft Maria Sofia hier een *amant* gehad. Volgens mij verlangde ze er wel naar om uit het knellende keurslijf van provinciale burgervrouw te kunnen breken. Ik heb haar tenminste ook al met die gedachte naar Maastricht laten reizen, weet je nog, voor die porseleinen toiletpot en het ligbad van Mosa.'

Door al dat gepraat liepen ze opnieuw dood op een heg. Waar ze elkaar maar historisch verantwoord kusten. Want waarom een gehuwde overgrootmoeder wel en zij tweeën in haar voetsporen niet?

'Wachtte er trouwens ook op jou een *amant* in Maastricht?' vroeg

Huub. 'Of gunde je dat alleen Maria Sofia?'

Silke lachte. 'Ik moest me daar met een zakelijke afspraak behelpen...'

En verwerken dat Allard ermee stopte, dacht ze. Maar daar zei ze niets over. Dat van Huub en Agnès was functioneel. Van haar had hij het *plaisir d'amour* leren kennen. Daar kon zij in het geval Allard niet op bogen.

'Maar gelukkig heb ik hier wel een vakantieliefde,' zei ze van de weeromstuit wat frivool. Lachend omhelsden ze elkaar. Heerlijk was het om er geen verplichtingen bij te voelen.

Daarna kozen ze wel de goede weggetjes en opeens waren ze de doolhof uit. Ze konden verderop door de haag het parkeerterrein op en moesten dan een klein stukje teruglopen. Nu stonden er meer auto's geparkeerd, waaronder een paar hele dure.

'Dat is wel zakelijk,' zei Huub met een hoofdbeweging die kant op. 'Grote wijnboeren uit de omgeving kiezen het kasteel graag voor besprekingen.' Hij wilde weten of een van die auto's een Maserati was en liep een stukje die kant op.

Silke liep over het gras langs de heg naar de Renault. Er stond een vent bij de achterklep. Wat moest die daar nou? Het koffertje van Huub stond achterin. Omdat het nogal zwaar was van de paperassen had hij het niet willen meenemen. Een van de dekens lag erover.

Op hetzelfde moment klonk er een krakend geluid en schoot de achterklep omhoog. De auto werd opengebroken!

In het wilde weg schreeuwde ze: 'Donder op jij!' Tegelijk stond ze oog in oog met de autokraker. Die greep haar schouder vast om met zijn andere vuist uit te halen. In een reflex trapte ze hem waardoor hij wankelde en mis stootte. Met haar vrije arm duwde ze, nog altijd in datzelfde automatisme zijn romp naar achter terwijl ze haar been achter het zijne haakte en naar voren trok. Met een klap viel hij achterover op het grind tussen de auto's. Hij krabbelde meteen weer op. 'En nu wegwezen jij!' schreeuwde ze. 'Laat ik je nooit meer terugzien!'

Als een pijl uit een boog schoot de vent weg achter de haag. Op hetzelfde ogenblik was Huub er.

'Een autokraker,' zei ze. Ze veegde net in een automatisch gebaar haar handen af. 'Dat was dat...'

Toen pas drong het tot haar door wat ze had gedaan. 'Ik vloerde hem! En dat na drie lessen!'

30

Huub had door die mooie Maserati niets van de autokraak gemerkt, maar het geforceerde slot van de achterklep was er het bewijs van. 'En jij hebt hem gevloerd?' Hij geloofde zijn oren niet.

Ook de hotelmanager keek vol ongeloof toen Silke hem het verhaal met tolkenhulp van Huub vertelde. Of er nog proces-verbaal moest worden opgemaakt? Nee, de auto was oud. Een nieuw slot zette Huub er zelf wel in. Maar misschien moest het terrein beter in het oog worden gehouden. Het was een eldorado voor autokrakers met die vlucht- weg achter de haag het park in, en een autoalarm wisten die criminelen binnen de kortste keren uit te schakelen.

'Je begint voor mij steeds specialer te worden,' zei Huub toen ze te- rugreden naar Petit St. Père. 'Je schrijft een brochuretekst waar de va- kantiegangers als vliegen op de stroop op af komen. Je rijdt in een kam- peerbus een route langs spoorwegstations en maakt er een verhaal over. Je bent een leuke speelkameraad in bed en vloert in één klap een autokraker. Wat is het eigenlijk een wonder dat ik je ben tegengeko- men.'

'En nog wel door Wouter,' zei Silke lachend. 'Ouderwets, hè? Niet eens via internet. Dat de brochuretekst goed aansloeg, komt trouwens omdat jij fantastisch goede informatie had. Dat maakte het gemakke- lijk. Je had het goed voorbereid. En goed overdacht. Je doelgroep bena- derde je op een slimme manier door de brochure via je eigen vrienden- en relatiekring te verspreiden. En door dat vlak voor de kerst te doen. Iedereen had de tijd om de brochure te bekijken. En iedereen wilde wel dat akelige kille regenweer ontvluchten.'

'Dat was op jouw advies, hoor!'

Silke negeerde het. Op zo'n logisch idee was hij zelf ook wel gekomen. De kronkel in haar gedachtegang viel haar niet op.

'En de tocht met de kampeerbus was louter omdat ik geen werk had en de bus kon lenen. Ik moest het mezelf toch een beetje zien te verkopen? Welke idioot gaat er nu in een verregende herfstvakantie in zijn eentje door Nederland rijden? Praktisch alles zag ik in het ritme van de ruitenwissers...'

'Echt een vrouw om zo te reageren!' riep Huub uit.

Opeens had ze het door. Hij sloeg de spijker op de kop. Bij Ikkanheksen hamerden ze erop, maar als vrouw raakte je het maar niet kwijt. 'Altijd weer reduceer je je heldendaden. Nooit schep je eens lekker op over je successen.' Silke hoorde de woorden echoën over valse vrouwelijke bescheidenheid.

Van de weeromstuit erkende ze dat hij volkomen gelijk had dat ze die autokraker toch maar mooi had neergelegd. Het voelde best goed om dat zo te zeggen. Ze deed er een schepje bovenop.

'Ik had hem echt binnen de seconde zoals ik hem hebben wilde. Plat. Uitgevloerd.'

Automatisch ging ze rechter zitten. 'Het gaat op die cursus zelfverdediging ook om zelfvertrouwen, weet je.'

Ze reden toen net Petit St. Père binnen en parkeerden voor de achteringang van de cour.

'Eh...,' zei hij terwijl hij uitstapte, 'kan ik je zonder gevaar voor eigen leven met een zoen bedanken? Of vloer je me dan?'

De dagen vlogen om. Het weer bleef aantrekkelijk om er op de fiets op uit te trekken – maar wel met een andere fiets. Vooral bij het meer was het erg leuk. Nu was het er nog stil, maar in de zomer moest het bij het strand en de havens een drukte van belang zijn. Er was een enig romantisch hotelletje. Huub en zij lunchten trouwens een keer in château Beaufôret. Of er een fantastische keuken was! Silke was de hele middag slaperig door de zalige wijn die de eigenaar hun had gegeven vanwege die autokraker.

Ze bezocht toch nogmaals St. Père, om er naar de treinenloop te informeren. De folder erover uit de boekwinkel was raadselachtig. Er werd voornamelijk in gesproken over toeslagen, maar over vertrektijden niets, laat staan over het prijskaartje. Ook met behulp van het woordenboek werd ze niet wijzer.

Van de uitleg van de geüniformeerde stationsbeambte snapte ze geen jota, maar ze had nu wel de vertrektijd. Het moest maar voldoende zijn. Ze zag wel, en dwaalde wat over de markt. Daar bezweek ze voor een wollen trui, terwijl ze niet eens wist hoeveel het treinkaartje kostte. Met het oog op haar budget niet onbelangrijk. Ze zag er ook grove worstjes en prachtige kroppen andijvie. Heel vroeger was haar ovenschotel van andijvie met saucijsjes nogal gewaardeerd. Ze belde Huub of hij het leuk vond als zij voor hun samen een specialiteitje kookte. En of hij aardappels had en bepaalde specerijen.

Die avond demonstreerde ze hem behalve haar kookkunst ook hoe je een onverlaat vloert, hoewel heel wat zachtzinniger dan op het parkeerterrein. Ze stond erop alleen af te wassen. 'Knap jij maar een uiltje. Je ziet er hartstikke slaperig uit.'

Hij bracht haar terug naar haar appartement en bleef. Het werd weer een nacht vol plezier. Omdat het niet meer de moeite was om te gaan slapen, reden ze met de Renault naar het natuurreservaat. Van alle kanten zongen de vogels de ontwakende wereld toe. In het gouden ochtendlicht barstte inderdaad het voorjaar los. De bomen kleurden groen. Gele, witte en blauwe bloempjes sprongen in de bermen te voorschijn.

Het speet Silke werkelijk dat haar tijd om was. Ze zei het met een zucht.

'Het is omgevlogen. Nog één nacht hier en dan de trein van even na tien uur naar het druilerige Nederland. Ik ving tenminste het weerbericht op. Regen en zacht voor de tijd van het jaar. Het zal wel... Iets anders, zou jij me naar het station willen brengen? Of gaat er een bus?'

Nu werd er naast haar heel erg lang en zwaar gezucht.

'Natuurlijk wil ik je naar het station brengen. Wat een vraag.'

'Sorry,' zei Silke. 'Wij vrouwen zijn onverbeterlijk. Ik probeer het opnieuw.'

Ze schraapte haar keel en kuchte geaffecteerd.

'Huub, kun je me morgenochtend uiterlijk om tien voor tien afzetten op het station?'

'Nee,' luidde het antwoord. 'Ik heb namelijk een vraag aan jou. Kun jij mijn kleine Renault naar Nederland brengen? Hij is oud maar gereviseerd en heeft een Nederlands kenteken. Ik ben er namelijk vóór de bouw mee hier naartoe gekomen. Maar omdat hij niet geschikt is voor transporten, is hij al die tijd gestald bij mijn buren de wijnboeren, je kent ze. Het was bij mij natuurlijk al die tijd een puinhoop.'

'Er zitten drugs in?' vroeg ze met een stalen gezicht.

'Ja, natuurlijk. Maar serieus. Stom dat ik er niet eerder op ben gekomen. Dan had je veel meer van de streek kunnen bekijken. Maar ik heb er gewoon niet eerder aan gedacht. Je kunt hem blijven gebruiken tot ik hem zelf weer nodig heb. Want wat je vertelde over dat oliegebruik van je auto, dat klinkt niet goed. Je zult moeten uitkijken naar een nieuwe. Daar heb je dan mooi even de tijd voor. Een haastaanschaf is meestal veel te duur.'

Silke sloeg haar hand voor haar mond van schrik. 'Mijn auto! Ik was het helemaal vergeten!'

'Zullen we het Renaultje meteen even ophalen?' Hij legde intussen uit dat hij met de grote Renault zijn spullen nog terug naar Nederland wilde transporteren, waarna die auto waarschijnlijk wel naar de sloop moest. Hij zou niets meer opbrengen, hij was echt op. Meer dan driehonderdduizend kilometer had het ding gereden. Het zei Silke weinig. Ze wist niet eens hoeveel haar eigen auto op de teller had staan. Ze vertelde wel over het afgebroken sleuteltje.

Ze draaiden het erf op van de wijnboer. Terwijl ze stapvoets doorreden riep Huub vanuit het open portierraam iets naar een vrouw die in een open raam geleund stond. Ze lachte en riep dat het goed was. Zoiets maakte Silke er maar van.

'Dit is niet te geloven!' riep Silke uit. 'Het lijkt wel een droom! Rij ik me daar in een rood sportwagentje van een hartstikke leuke vent door de zonovergoten Franse heuvels huiswaarts. Wat ben ik een bofkont. Het is toch geweldig?'

Ze begon van de weeromstuit te lachen. Ze schaterde het uit. In plaats van met de trein, reed ze als god in Frankrijk met wat voorheen het speeltje was geweest van de vrouw van een industrieel. Oncle Henri had Huub er indertijd op geattendeerd. Het had Huub nog vreselijk veel gedoe bezorgd om 'm op Nederlands kenteken te krijgen. En toen bleek er iets met de versnellingsbak te zijn. Die had hij vervangen, net als de radiateur en nog wat van dat spul. Helemaal gereviseerd was het ding uiteindelijk, want jong was hij niet meer. Het was zo'n model met wulpse rondingen en weelderige wielkasten. Hij glom als nieuw, de roestplekken waren behandeld en overgespoten. Het was echt een juweeltje. Op Huubs kantoor had Silke, toen ze de papieren rompslomp hadden geregeld, tenminste meteen met haar buurvrouw in Nederland gebeld om te vragen of ze een plek kon krijgen in haar garage, en dat kon.

Ze dacht aan hun afscheid, dat eigenlijk één groot au revoir was, en wierp een blik op de memosticker met de wegnummers die ze moest volgen naar de snelweg en sloeg af, een provinciale weg op. Daar miste ze haar sjaaltje, dat kennelijk bij Huub was, want in het appartement was echt niets achtergebleven.

Ze draaide een parkeerplaats op en zette die lastige haarlok vast met haar leesbril. Een vrachtwagenchauffeur daar stak met een lach zijn duim naar haar op. 'C'est une beauté,' meende ze dat hij zei, maar of dat goed Frans was wist ze niet. Wat deed het ertoe, ze lachte terug.

Het lijkt nu net of ik rijk ben, dacht ze. En tegelijk: maar ik bén ook rijk. Steenrijk zelfs! Ik zie zelfs niet op tegen de drukte op de Nederlandse wegen.

Net over de grens met België lunchte ze. Toen ze eindelijk het goede toegangsnummer had ingetoetst op haar mobieltje, belde ze Huub om haar vorderingen te melden. 'Het rijdt fantastisch,' zei ze enthousiast. 'Ik ben dolgelukkig!' Ze vergat naar het sjaaltje te vragen.

Of Pasen dat jaar vroeg of laat viel, vroeg ze zich af toen ze verder reed. En of ze Huub dan thuis kon uitnodigen. Had hij dan eigenlijk zelf al een huis? En waar dan? Wat waren zijn plannen eigenlijk? Ging hij zoiets opknappen als die camping met jachthaven in Friesland? Of iets totaal anders doen? Wat raar dat ze over dat soort praktische zaken hoegenaamd niet hadden gepraat. Over talloze onbenulligheden hadden ze zitten kletsen, maar op vragen die er toe deden moest ze het antwoord schuldig blijven.

Opeens drong tot haar door dat ze zich een week lang als een verliefd stel hadden gedragen. Een vakantieliefde, oké. Met de Franse slag geleefd, prima. Maar intussen reed ze wel met zijn auto terug naar huis. Had ze niet wat meer haar verstand moeten gebruiken? Hadden ze geen afspraken moeten maken?

Toen ze had getankt, belde ze Huub opnieuw. 'Kom je met Pasen bij mij logeren?' vroeg ze. 'Het hoeft natuurlijk niet, maar ik dacht...' De lach aan de andere kant was zo luid dat ze het telefoontje wat van haar oor afhield. 'En wanneer is Pasen precies? O, dat doet er natuurlijk helemaal niet toe.'

Om het spitsuur te overbruggen at ze een warme maaltijd in het chauffeursrestaurant van de heenweg. Witlof in ham met kaassaus was dit keer de dagschotel, nota bene een van de schotels die ook zij vroeger regelmatig op het menu zette. En er was chocoladepudding toe. Weer kon ze het niet laten Huub te bellen. 'Witlof met ham en kaassaus,' zei ze. 'Lust je dat ook?'

Tegen half elf in de avond reed ze het Hofmanslaantje in. Kennelijk had het de afgelopen dagen veel geregend, de plas naast het huis was groot en diep. Ze sjouwde haar tassen naar binnen en checkte wel drie keer de portiersloten. Het liefst had ze de auto binnen gezet. Maar bij de buurvrouw was het zoals gewoonlijk om deze tijd donker. Het was kil in huis en het rook een beetje muf. Ze zette de thermostaat hoger. Het was de moeite niet de houtkachel aan te steken.

Het leek of ze maanden van huis was geweest, door de vele indrukken, en alsof ze een ander mens was dan voor de vakantie. Dat ze toch maar één week was weggeweest, bewees de geringe hoeveelheid post en kranten op de deurmat. Ze sloot de gordijnen. Nieuwsgierig naar mail startte ze de computer. Intussen liet ze de boodschappen op het antwoordapparaat afspelen. Om een ervan moest ze onbedaarlijk lachen. Ze liet hem wel drie keer herhalen, alleen al omdat het zo ongeveer

twintig jaar geleden was dat ze de stem van haar arrogante eerste echtgenoot voor het laatst had gehoord. 'Nog één toegift dan,' zei ze nog na-
lachend.

'Met Eelco,' klonk het dus voor de vierde keer. 'Ik wens verschoond
te blijven van je vuile rotstreken met die vrouwenclub. Als je me niet
direct terugbelt, heb je per omgaande mijn advocaat op je dak.'

31

Als Eelco denkt dat ik na twintig jaar zonder ook maar het minste contact uit rancune over onze scheiding een groep vrouwen ga opjutten, is
hij niet goed bij zijn hoofd, concludeerde Silke. Of hij is bang. Hij weet
natuurlijk al heel lang dat zijn dictatoriale gedrag van dokter-die-
weet-wat-goed-is, niet meer getolereerd wordt.

Ze peinsde er niet over hem terug te bellen. Hij kan zoveel willen, ik
ben net terug van een fantastische vakantie en heb wel wat anders te
doen, dacht ze. Hij heeft het trouwens zo hoog in z'n bol dat hij niet
eens zijn telefoonnummer noemt.

Ze schoot in de lach. 'Wat een verschrikkelijk stomme hark is deze
intellectueel!' riep ze uit. 'Nu geeft hij me carte blanche om naar het ziekenhuis te bellen. "Waarover kan ik dokter zeggen dat het gaat?" vraagt
zijn secretaresse dan. Jippie! "Over zijn zonder toestemming uitgevoer-
de sterilisaties," kan ik dan lekker antwoorden!' Ze proestte het uit.

Jammer alleen dat ze dat niet kon doen tegenover de groep van
Hansje. Ontzettend jammer zelfs.

Enfin, als ik al contact met hem opneem, dan bepaal ik dat zelf,
dacht ze. Hij mag best een tijdje hangen. Laat zijn advocaat maar komen. Ik kan de man aardig wijzer maken – man ja, want een vrouwelijke advocaat zal Eelco nooit nemen. Vrouwen hebben in zijn ogen nu
eenmaal geen gezond verstand.

Is het overigens verstandig Hansje te waarschuwen? Nu de groep
weet dat ik ooit zijn vrouw ben geweest zal een eventuele aanval van Eelco minder onverwacht zijn. Maar waarom zou Eelco hen aanvallen? Hij

zal daar gek zijn, hij gaat zichzelf niet voor de leeuwen gooien! Want hij weet niet dat ze dermate bescheiden en timide zijn dat ze helemaal niet tot een persoonsgerichte actie zullen overgaan. Hij heeft lucht gekregen van hun bestaan. Ikkanheksen timmert nu eenmaal aan de weg met haar visie, vooral nu het eerste lustrum gevierd gaat worden. En vanuit zijn arrogante levenshouding is hij ervan overtuigd dat 'die vrouwtjes' een leidster hebben. Die rol geeft hij mij. Complimenteus eigenlijk.

Ze liet het dus op zijn beloop. Taal noch teken kwam er van een advocaat. Hoe onbenullig de zaak dus feitelijk was, toch was hij een kleine stoorzender in haar gemoedsrust. Daar wilde ze eigenlijk wel van af. Toen het op een avond bij Ikkanheksen op dat onderwerp kwam, vertelde ze het verhaal aan Maud. Die reageerde er net zo laconiek op als ze zelf had gedaan.

'Maar waarom blijft het me dan toch dwarszitten?'

'Gewoon, omdat je er met niemand over hebt gepraat. Het lijkt wel of zoiets dan enorme proporties aanneemt. Opeens is het een kwestie. Hoe is het ook al weer, als een zaadje ontkiemt het en voor je het weet woekert het rond.'

Waardoor ze verder over het onderhoud van Silkes tuin kwamen te praten. Mauds bedrijfje kreeg diezelfde avond in Silke zijn tweede klant, toch nog maar in ruil voor een eenvoudige praktijkbrochure.

Aan het werven van klanten was Silke trouwens ook begonnen, maar nu specifiek gericht op de TTT-reeks. 's Avonds werkte ze aan de tekst van het deeltje voor het modehuis terwijl ze overdag mogelijke klanten benaderde en de gewone klussen deed. Toen de tekst eenmaal ter beoordeling bij de directrice van het modehuis lag, bracht ze weer eens een hele avond bij Paula door.

Paula vond dat Silke alweer veel te hard werkte na de vakantie. Het was toch te gek dat ze amper tijd had om even aan te wippen... Daarom kookte ze extra gezond voor haar ex-schoondochter. Ze ging roerbakken, in de wok. Omdat Silke popelde om over Huub te vertellen ('hij kookt de sterren van de hemel, Paula'), negeerde ze het dit keer dat Paula geen pottenkijkers in de keuken wilde. Ze bleef wel netjes op afstand in de deuropening staan.

Maar Paula was zelf steeds aan het woord over een politieke kwestie die haar hals rood deed aanlopen. Onbegrijpelijk, vond Silke, dat Paula intussen wel zonder kleerscheuren uisnippers, knoflook, gemberrasp, wortelschijfjes en brokjes sperzieboon in de hete olie kon omscheppen, de kokende rijst temperen, peultjes afhalen, taugé wassen, knotsen van garnalen van harnasjes ontdoen, koriander hakken en de vastzittende dop van een flesje donkere saus met behulp van de notenkraker losdraaien.

Daardoor hield Silke toch maar haar mond. Maar vanaf het moment dat ze proostten met hun glazen bier, begon ze te vertellen. Over groene heuvels, bochtige weggetjes, gehuchten, dorpen, stadjes. Wijngoederen, kastelen, kerken en kathedralen. Over uitbottend groen, een afstervende schaamstreek en autokrakers. Over toerisme, een zon weerspiegelend meer met jachthavens en motorboottochtjes door kanalen en rivieren. Over het netwerk van riviertjes dat met vereende krachten de Seine deed ontspringen, en over champagne natuurlijk, en warme prei in ham met vinaigrette. En toen over Huub. De rode Renault had Paula al gezien. Silke had haar per mobieltje uitgenodigd eerst naar beneden te komen omdat ze iets heel leuks te showen had.

'Huub heet hij dus,' zei Paula.

Silke zag in de roes van haar verhaal niet de grijns op haar gezicht. Ze mengde trouwens ook net het restje rijst op haar bord met de laatste groente uit de wok. 'Lekker, hoor,' zei ze. 'Gezond ook. Ik geloof dat ik zelf wat ouderwets kook. Wat aan de zware kant. Maar mijn andijvieschotel vond Huub heerlijk.'

'Jouw andijvieschotel? Maar kind!' riep Paula vol afgrijzen uit. 'Je kunt in deze tijd toch niet meer met zo'n loodzware vette hap aan komen? We leven in een gemechaniseerde wereld, hoor. We hebben stofzuigers, wasmachines en mixers. We gebruiken onze handjes alleen nog maar om knopjes mee aan te tippen of te applaudisseren, dus verteren we dat zware eten niet meer.'

Silke zei niets.

'Die arme man,' riep Paula uit. 'Zijn gal en bloedvaten zullen het

208

nog steeds zwaar te verduren hebben. Jouw andijvieschotel, er gaat nog roomboter in ook, hoe verzin je het.'

En gebraden saucijzen, room en geraspte kaas, dacht Silke. Ojee, daarom viel Huub in slaap toen ik afwaste. Zelf kon ik trouwens ook geen pap meer zeggen terwijl ik door het opruimen en afwassen nog wat beweging had. Vandaar natuurlijk dat ik de toetjes vergeten was! Terwijl ik eerlijk gezegd na dit wokgedoe nog best een coupe cappuccino van IJsbrand zou lusten.

Ze stelde het voor, die ijscoupe, als sluitstuk van een ritje met de rode schoonheid. Zo had Paula het Renaultje gedoopt en natuurlijk was ze best voor het idee te vinden.

Nu kwamen er vrije avonden om verder te werken aan het verhaal Via Maria Sofia. Silke wilde het voor Pasen af hebben, voor Huub kwam. Nu viel Pasen laat, pas half april, maar de tijd drong toch. Huub en zij mailden trouwens veel korte berichtjes, waarin ze als het ware even een groetend handje uitstaken tussen alle drukte door. Alle berichten van Huub vestigden de indruk dat hij bezig was een soort tussenpersoon te worden tussen Nederlandse bedrijven die producten wilden leveren aan Frankrijk, en omgekeerd. Het was in elk geval iets om flink nieuwsgierig naar te worden, al was het alleen al uit bedrijfsmatig standpunt.

Van Via Maria Sofia schreef ze in ruwe vorm het slotdeel. Het ging er voorlopig om dat het verhaal, behalve een kop en een romp, ook een staart kreeg.

Ze liet Maria Sofia inderdaad van achter een venster in château Beaufôret weemoedig terugblikken op haar leven, terwijl Hendrik in een rijtuig langzaam achter een heuvel verdween. Ze liet Maria Sofia ook haar leven met Hendrik overpeinzen, dat ze beschouwde als haar werkelijke bestaan – en als de basis van haar dromen. Dromen die er een tweede dimensie aan gaven, of een derde of zelfs vierde waardoor het leefbaar werd.

Toen dat laatste hoofdstuk op papier stond, las Silke het hele verhaal in één ruk door. Verrast zag ze hoeveel er van haarzelf in zat. Er was iets als een overeenkomst tussen het leven van Maria Sofia en dat van haarzelf. Maar wat was dat 'iets'? Ze analyseerde het.

Het werkelijke leven van Maria Sofia, dacht ze, heeft dus in mijn schrijversogen bestaan uit hetgeen het huwelijk met Hendrik bood. Dingen als de woonverdiepingen van de verschillende stationsgebouwen, de familiebezoeken, de dagelijkse sleur, de aanspraak aan huishoudelijke hulpen en het opvoeden van het kind. Maar waar ze naar snakte, vrijheid en bewegingsruimte, ontbrak. Als schrijfster heb ik die haar gegund. In Maastricht en later in de Champagne. Daar, in de Champagne, dacht Maria Sofia eindelijk haar vrijheid te vinden. Daar zou ze haar te herwinnen levenskracht gaan uitbuiten! Maar de tragiek was, dat ze er juist mee werd geconfronteerd dat het werkelijke leven zich kwaadaardig in haar had verankerd in de vorm van de dodelijk verlopende tuberculose....

Oké, mooi voor een verhaal, dacht ze verder. Maar als ik nu een overeenkomst voel, hoe zit het dan met mezelf?

Ze maakte er een invuloefening van. Voor Hendrik kwam TipTop-Tekst. Voor woonhuizen Boer Hofmanslaantje. Voor familiebezoek Paula. Voor aanspraak de Ikkanheksen. Voor kind de groep van Hansje.

Grappig vond ze het. Maar nu: waar was háár vrijheid en bewegingsruimte?

In Petit St.Père. Daar had ze vrijheid en bewegingsruimte gevoeld – en als een zegen ervaren. Ze had er nota bene over een keurslijf, háár keurslijf, gesproken door die tegen beschadigingen beschermde eiken! Ze had er zich gegund wat ze haar overgrootmoeder op papier gunde. Spel, vrijheid, vreugde. Ze had er genoten van haar levenskracht.

TipTopTekst was thuisgebleven. Geen micron was meegekomen. Geen tel, geen seconde van haar daagse leven had zich opgedrongen. Opvallend hoe die twee levens van elkaar gescheiden waren. Door de andere omgeving. Door Huub.

Opeens verscheen het kleine zwarte paard in haar gedachten. Als een ontbrekend puzzelstukje stapte het soepel naar zijn plek in haar gevoelens. Naadloos zat hij er, als een organisch geheel, alsof hij er altijd had gezeten. Wat de droomspecialiste had gezegd, klopte. Hoe waar was het dat ze op zoek was naar iets gezamenlijks. Het was nog klein van formaat, maar zeer levenskrachtig. De staart was al blij en trots geheven, het galoppeerde op hartstochtelijke paarse hoefjes rond.

Ze moest er diep van zuchten. Het ging dus helemaal niet om het aardse paardje TipTopTekst. Het ging om datgene wat een extra dimensie aan haar leven kon geven. Dát moest ze een kans geven. TipTopTekst draafde wel lekker verder door het klappen van haar zweep. Dat andere paardje moest ze zien te vangen, het paardje dat partnerschap zou kunnen heten.

Het mocht allemaal opeens overduidelijk zijn, dat wilde nog niet zeggen dat het zomaar te accepteren viel. Dat Huub en ik elkaar leuk vinden, is duidelijk, dacht ze. Dat we dus kennelijk niet los van elkaar moeten blijven rondgalopperen ook. Maar dat maakt het leven er niet gemakkelijker op. Ik heb levenspartner TipTopTekst al, de bron van mijn bestaan! En Huub moet zelfs nog een heel leven op de rails gaan zetten...

Wat er wel gemakkelijker op werd, was het redigeren van Via Maria Sofia. Ze wist nu helemaal zeker wat de rode draad erin werd. Het verlangen om eigen wensen te realiseren, werd de drijvende kracht van het verhaal. Een week later verstuurde ze het.

32

Het was april en daarmee precies vijf jaar geleden dat Ikkanheksen was opgericht. Dit eerste lustrum ging gevierd worden. De vrouwen van het eerste uur hoefden daar geen hand voor uit te steken. De organisatie ervan lag bij de recente aanwas van leden. Zo was dat nu eenmaal bij Ikkanheksen, het estafettestokje werd doorgegeven. Bij je start in de groep mocht je één keer een nieuw lid aanbrengen. Je kreeg meteen een functie binnen de organisatie. Die droeg je weer over aan een volgend nieuw lid als je eigen toekomstplan vorm ging krijgen. Daardoor bleef Ikkanheksen flexibel en bijdetijds.

Op een bepaald moment was het aantal leden enorm gestegen.

Maar het stabiliseerde vlak daarna alweer. Dat kwam ten eerste omdat alle leden een specifieke achtergrond moesten hebben. Er zouden nooit twee tekstschrijfsters, zoals Silke, lid zijn – noch twee beeldhouwsters of schoonheidsspecialisten. Het ging erom een scala aan achtergronden bijeen te brengen. Een tweede reden waarom het ledenaantal stabiliseerde, was de beperkende eis dat je een nieuwe activiteit ging ontplooien. Silke was bijvoorbeeld uit de administratieve sector gestapt en TipTopTekst begonnen. Maud werd doktersassistente af en startte in tuinaanleg en onderhoud.

Het lustrum werd gevierd met vijf speciale thema-avonden, verspreid over een periode van een jaar, telkens met een feestelijke afsluiting. De eerste was vlak voor Pasen. Natuurlijk in het zijzaaltje van IJsbrand, met een bandje en het verzoek je extra feestelijk te kleden. Harde werkers droegen tenslotte anders nauwelijks hun uitgaanstenue...

Thema was 'De verhouding tussen zakelijk en privé'. Er waren een paar workshops over uitdagende onderwerpen. Neem: 'Eindelijk een eigen bedrijf en nu is je man gestopt.' Of 'Vrije ondernemer ook vrije vrouw?'

Natuurlijk was Silke van de partij. Ze droeg de zilvergrijze avondjurk van de decembermodeshow met het paarse Maastrichtse bloesje er losjes over en natuurlijk de pumps met open hiel.

De workshops werden met een knipoog gegeven, maar ontketenden heftige discussies die doodgewoon doorgingen toen de band al speelde en serveersters van IJsbrand met drankjes en hapjes rondgingen. Silke had, net als Hansje, meegedaan met de workshop 'Vrije ondernemer ook vrije vrouw?' Ze hield haar oren goed open om door de muziek en stemmen heen de discussie te kunnen volgen die steeds vuriger werd gevoerd. Op een bepaald moment kwam ze met Hansje wat afzijdig te staan.

'Een onderwerp naar mijn hart,' zei Hansje, met een hoofdbeweging naar het groepje dat discussieerde over het pro en contra van latrelaties.

Silke wees met een bevestigend knikje op zichzelf.

'Weet je,' zei Hansje terwijl ze dichter bij Silke kwam staan, 'bijna twaalf jaar was ik alleen met de kinderen. Nu zijn ze de deur uit. Ik heb weer armslag. Met steun van allerlei instanties ben ik mijn bedrijfje gestart, en wat gebeurt?'

Silke raadde. 'Je loopt een leuke vent tegen het lijf. En hij heeft nog jonge kinderen ook...'

Hansje knikte bevestigend. Ze trok het schouderbandje van haar avondbloesje recht.

'En je bent eigenlijk een beetje verliefd.'

Weer knikte Hansje.

'Wat een ellende...' Ze schaterden.

'En dus loop je te piekeren wat je nu moet doen,' zei Silke. 'Tijd en energie investeren in de liefde? Of voor honderd procent kiezen voor het opbouwen van je bedrijf?'

'Hoe raad je het...'

Dát was Silke wel duidelijk... 'Tja, een mens is natuurlijk ook niet van steen. Er zijn zo van die verleidingen die je je niet wilt ontzeggen.'

'Vertel eens,' moedigde Hansje grinnikend aan.

Een serveerster hield een schotel bitterballen voor. Silke blies hard tegen de hare voor ze zei dat het lastige was dat haar verstand en gevoel over verleidingen zulke uiteenlopende adviezen gaven.

'Hoe heet de jouwe?' vroeg Hansje met volle mond.

Met grote ogen keek Silke haar aan. Wat een vraag voor een timide vrouw als Hansje!

Hansje lachte. 'Je ziet er zo stralend uit. Ik dacht meteen al, we zitten vast in hetzelfde schuitje. De mijne heet Peter.'

Nu nam Silke een hap. 'Huub,' zei ze daarna.

'En wat nu?' vroeg Hansje. Het was niet duidelijk of ze de vraag aan zichzelf of aan Silke stelde. Maar Silkes antwoord schoot er zomaar uit. 'Als het dan toch remise is tussen mijn verstand en mijn gevoel, laat ik het maar gewoon komen zoals het komt. Hij weet als geen ander dat ik TipTopTekst opbouw, en gelukkig moet hij ook met iets nieuws beginnen. Hoe zit dat bij jullie?'

Maar wat Hansje vertelde was nauwelijks te verstaan in de aanzwel-

213

lende muziek. Natuurlijk wel als Silke zich flink had ingespannen, maar dat deed ze niet. Haar uitspraak van daarnet hield haar te veel bezig. Over een paar dagen zou Huub komen. Ging ze het echt op z'n beloop laten? Dat was niets voor haar! Het leek wel of de naam Huub alleen al het frank en vrije gevoel van na-mij-de-zondvloed ontketende. Veel gelegenheid om verder te denken gaf de feestavond natuurlijk niet. Maar ook de resterende dagen voor Pasen boden geen denktijd. Het was druk bij TipTopTekst met – hoe verstandig – de intussen vele zeer kleine klanten. Daarbij moest Silke ook nog tegen heug en meug met de neef van de buurvrouw een paar tweedehands auto's bekijken. Maud had intussen Silkes hele tuin overhoop gehaald om een speels kronkelende heesterhaag aan te planten. Zelf was ze van de weeromstuit de raamkozijnen gaan schilderen omdat die er opeens zo armoedig uitzagen. Intussen overdacht ze of het haalbaar was om via een uitzendbureau een tijdelijke kracht in te huren. Want er stonden opeens drie boekjes voor de TTT-reeks op stapel. Voor de drogist, de slagertraiteur en zijn schoonzus van de crèche. Daarmee kwam de reeks op vijf delen. Wat op zich weer een aanbeveling was voor een zwager van de juwelier die een fitnesscentrum runde waar heel de stadse zakenwereld netwerkte...

Wat een verschil met een halfjaar geleden, toen ze sip bij IJsbrand had gezeten na het debacle met de droomgrote opdrachtgever. Maar inderdaad, hoe combineer je een pril eigen bedrijf met een sluimerende hartsaangelegenheid?

Dat Huub een halve dag later zou arriveren dan ze aanvankelijk hadden afgesproken, kwam eigenlijk erg goed uit. Nu had Silke tenminste tijd voor echte Hollandse paasboodschappen als duivekater en paasbrood. Ze kocht ook een wok, vastbesloten om een paar recepten van Paula te gaan bereiden, vrije ondernemer en vrije vrouw ten spijt.

Ze wilde Huub een paar leuke dagen in Nederland bezorgen. Het was een rommelige periode voor hem. Via de mail wist ze dat zijn woonzolder werd omgebouwd tot het appartement voor het gezin van de manager. Hijzelf woonde zolang in een stacaravan op een camping aan het meer. Intussen was hij bezig met een vakantiehuisje op een park bij de Brabantse vennen. Daarom kwam hij nu ook later, hij wilde er wat dingen vis-à-vis bespreken. Dat sprak hij overigens heel anders uit dan Hollanders. Leuker natuurlijk.

Qua tijd bleek ze nu zelfs nog de rode schoonheid te kunnen wassen. Glimmend stond hij te pronken naast het huis. Ze zeemde net nog eens extra de ruiten, toen er een claxon klonk.

'Huub!' riep ze lachend. '*Bienvenue en Hollande.*'

Ze had geen idee waarom ze hem een Frans welkom toeriep. Hoewel, eigenlijk had ze wel een idee. Het was om te voorkomen dat ze zich met een stralende lach in zijn armen zou storten. Nu was Huub de initiatiefnemer. Ze omhelsden elkaar en lieten net weer los toen 'toevallig' de buurvrouw aan kwam lopen voor een praatje. Achteraf wel nuttig vanwege de auto's en haar garage. Ze bekeken ook maar meteen de achtertuin, die nu klaar was. Eindelijk ging de buurvrouw weg en konden ze naar binnen.

Daar hadden ze van alles te vertellen bij de koffie met duivekater. En bij de wijn met oude Goudse. Huub ging inderdaad bemiddelen tussen Franse en Nederlandse bedrijven. Even had hij nog geaarzeld of hij weer computeronderdelen zou gaan bouwen, maar de investeringen waren hem te hoog, de concurrentie te groot en personeel wilde hij niet meer hebben. Om die reden had hij ook afgezien van de recreatiesector.

Hij was op het idee gekomen door opmerkingen uit zijn relatienetwerk in zowel Nederland als Frankrijk. Zo had een vriend van een vriend een kleine bierbrouwerij in Brabant. Hij wilde best de Franse markt op. En een buurman van een oude relatie had een biologisch aardbeienbedrijf. Hij had wel oren naar levering aan restaurantkeukens in Frankrijk. Het kleine wijngoed van Huubs buren wilde juist best aan een paar Nederlandse restaurants leveren. En een Franse projectontwikkelaar van vakantieparken was op zoek naar Hollandse kopers als mede-investeerders.

Omdat het zulk mooi weer was, wandelden ze voor het avondeten via het Hofmanslaantje een stukje langs het kanaal. Silke wist natuurlijk veel over de omgeving te vertellen. Ze keken naar een sleepbootje dat met flinke snelheid richting brug voer. De boeggolf liep bijna over de keien het fietspad op. Op de terugweg lag Huubs arm over Silkes schouder.

'Weet je...,' zei hij. Hij begon te vertellen dat hij tijdens zijn jaar in Frankrijk had ontdekt wat hij werkelijk wilde. En dat was iets opbouwen. Iets nieuws doen. Losstaan in de maatschappij, bij wijze van spreken. Geen loonslaaf zijn bijvoorbeeld.

Toen volgde er iets dat Silke verraste.

Hij had overeenkomsten ontdekt tussen oncle Henri en zichzelf. In de eeuw van zijn oom werden mensen als zij avonturiers genoemd, daarna pioniers en tegenwoordig waren ze vernieuwers en nog moderner innovators. Dat klonk stukken beter. Maar er was nog een andere overeenkomst, ze hadden allebei een verkeerde vrouw gekozen en hadden daarna een solistisch leven verkozen. Henri had er achteraf spijt van dat hij na zijn Franse verloofde kansen met andere vrouwen had laten schieten. 'Eén mens is geen mens,' had hij gezegd. 'Pas bij twee mens word je echt mens.'

'En dát verhaal vertelde ik mijn vrienden,' zei Huub. 'Vandaar natuurlijk hun oproep op die relatiesite.'

Er kwam een piepklein motorbootje langs met een blaffende hond op de voorplecht.

'Ja, zo zei ik het. Dat ik op den duur wel een levenskameraad wilde, maar pas als mijn leven op orde was,' vervolgde Huub toen ze weer doorliepen. 'En toen ontmoette ik jou in Maastricht. Te vroeg dus. En ook nu nog te vroeg, want ik heb veel te veel te doen.'

De druk van zijn arm om haar schouder vertelde iets anders. Daarna hijzelf ook.

'In termen van oncle Henri: ik wil deze kans niet laten lopen. Vandaar dat ik het je nu allemaal vertel. Met impliciet de vraag of we niet alvast vrienden kunnen zijn. Tot ik niet meer zoveel tijd in mijn eigen bedoening hoef te steken.'

'Want dan moet onze vriendschap weer over zijn...?' vroeg Silke met ingehouden lach. Dat had je er nu van als mensen zich niet gemakkelijk uitdrukten.

Ze schoten allebei in een schaterlach.

Schateren deden ze trouwens ook toen Silke haar roerbakschotel serveerde. Ze had hem bereid terwijl Huub zijn spullen uit de auto haalde en de rode schoonheid weer in de garage van de buurvrouw zette. Ze had toch echt precies zo gedaan als Paula. Maar zo fleurig oranje, groen en wit Paula's schotel was, zo bruin was het spul bij haar, zelfs de garnalen.

'De rijst is wel goed,' stelde ze vast. Ze bekende meteen maar dat ze zich enigszins schaamde voor haar loodzware andijvieschotel. Maar Huub bracht er hikkend van de lach uit dat hij juist gerekend had op een lekkere stevige maaltijd van witlof met kaassaus. Gelukkig waren er voldoende paaseieren in huis voor een forse omelet. Huub maakte hem, terwijl hij intussen de aangebrande wok met water en soda aan de kook bracht en Silke het garantiebewijs van het ding doorlas.

33

Foto's uitzoeken is leuk werk als je het meteen doet. Je moet het niet laten ophopen, dat is het punt. Het is toch enig om alles nog eens de revue te laten passeren? Eigenlijk geldt het voor alles. Je door welke rijstebrijberg dan ook moeten eten is afschuwelijk.

Dat constateerde Silke na de paasdagen, en het woord rijstebrijberg kwam daarbij niet zomaar uit de lucht gevallen. Hij stond op de foto die ze in haar hand had. Een ouderwetse rijstpudding in roomgeel. Met oranje abrikozensaus en knalgele advocaat. Hij kon zo in een culinair tijdschrift. Watertanden deed je ervan, net als van de foto van een glanzend goudbruin gebraden kip met spierwitte manchetten en door felgroene bieslook gestippelde gebakken krieltjes. De bijbehorende appelcompote stond op een andere foto omdat anders het met kaneel geschreven 'fijne Pasen' niet leesbaar was.

Wat een plezier hadden ze gehad in de keuken. Huub had door die niet bereide witlof met kaassaus ontzettend veel zin gekregen in een ouderwetse Hollandse maaltijd. Vandaar die paaskip. Het was er trouwens goed weer voor. Na een dag met zon was het grauw en koud geworden. Je kon de regen grijpen.

'Normaal gesproken prima dagen voor een zelfstandig ondernemer om klusjes te doen,' had Silke gezegd. Waardoor Huub de cd-brander, die al bijna een jaar in huis was, in haar computer installeerde, cd's kopieerde, een paar computerprogramma's versnelde en nog een paar grapjes uithaalde waardoor ze nu zonder problemen alle mogelijke grafische bestanden kon ontvangen.

Terwijl ze met de foto's bezig was, draaide ze het Franse cd'tje dat hij had meegebracht – verpakt in haar eigen meest favoriete maar in Frankrijk achtergelaten sjaaltje. Ze kon de liedjes al aardig meeneuriën. Dat deed ze graag, want de cd was van een, voor haar volslagen onbekende, oudere zangeres van wat je in Nederland ondeugende liefdesliedjes noemde. Ondeugend, ja, maar ze waren niet grof. Ze hadden humor, je moest er om lachen. Als je tenminste de tekst verstond. En dat deed Huub. Een paar liedjes wist hij op gehoor te vertalen via de door Agnès verworven woordenschat. Dat had er weer toe geleid dat ze voor de grap een rijtje liefdeswoorden gingen opdreunen alsof het de onregelmatige werkwoorden waren.

Silke deed dezelfde ontdekking als Huub indertijd: al vrijend zei je in die woordjes veel makkelijker wat je wilde dan in het directe Nederlands. En bij het *plaisir d'amour* hoort babbelen. Net als eten, drinken en lachen. Vrijen als vroeger, toen je jong was, was niet aantrekkelijk meer. Dat leek op prestaties leveren, dit op plezier hebben. Wat leidt tot zin, wat eigenlijk niets anders is dan dat ook het lichaam zelf plezier begint te krijgen. Want éérst de geest en dan het lichaam, was vrij vertaald de mening van Agnès.

Simpel misschien, dacht Silke toen ze het album sloot. Maar bij twee echtgenoten, een stuk of wat vriendjes en een minnaar heb ik dat niet eerder mogen ervaren...

Ze schoot opeens in de lach. Omdat ze bij hen aan een rijstebrijberg moest denken...

Het was juni toen ze het fotoalbum weer doorneusde, en het was een stralende ochtend. De dakramen stonden open, de zon viel samen naar binnen met de zang van een roodborstje en het liedje van een koolmees. Dat was nieuw verworven kennis, door Huub. Ook dat er in de haag die Maud had aangelegd een heggenmus had gebroed, en dat een heggenmus ('iets heel anders dan een huismus of ringmus!') een bescheiden rondscharrelend donkerbruin met leigrijs vogeltje was dat brutaal luid maar ook heel mooi kon fluiten.

Dit is nu zo'n extra dimensie die de liefde aan het leven geeft, dacht ze. Een positieve bijdrage aan je leven door je geliefde. Zo kun je het ook noemen.

Opeens herinnerde ze zich weer dat ze daar met Paula een gesprek over had gehad. Alleen stond het toen in een heel ander licht. Over veinzen van belangstelling ging het toen. Over in hockey geïnteresseerd zijn omdat Eelco eraan deed. De vraag was drieledig. Deed je alsof? Wekte de ander bij jou die belangstelling? Of kwam de belangstelling van binnenuit?

Wat kun je het moeilijk maken als je het theoretisch benadert, dacht ze nu. Gewoon, ieder mens heeft zijn eigen wereld. En als je daar even deelgenoot van bent, doe je nieuwe dingen op. Zo moeilijk is dat toch niet?

Dat zijn nu precies de woorden van iemand die het leven van de zonzijde ziet. En dat zag ze, dat bleek uit wat ze even later insprak op Huubs voice mail.

'*Mon amour*, ik keek nog eens naar de paasfoto's. Ze zijn zo leuk! Maar wat ik je wilde zeggen, mijn spullen zijn gepakt. Gisteravond had ik alles voor de zaak wel zo'n beetje klaar. Straks alleen nog wat telefoontjes en voor de laatste keer de mail checken. Dat zal niet veel zijn, half Nederland is al vanaf hemelvaartdag vrij. Ik wil om twee uur wegrijden. Files zijn er niet volgens de radio. Ze hebben het alleen over de pinksterdrukte, overmorgen. Ik zal dus zo'n beetje om vier uur bij je zijn. Als ik het tenminste kan vinden, daar in die Brabantse bossen. Nou ja, dan gids je me maar telefonisch, zoals ik hier doe. O ja, de foto's neem ik natuurlijk mee. Tot straks!'

Dus checkte ze de mail, die inderdaad geen verrassingen bracht.

Maar Paula, Hansje en Wouter kostten flink veel tijd. Net als Ingrid, die op Silkes gsm had ingesproken dat ze nergens in haar computer het document kon vinden met het adres van iemand die ze per se wilden uitnodigen voor de laatste lustrumlezing, en of Silke dat document soms had en kon doormailen.

'Had me dat nu even gemaild,' mopperde ze. 'Nu moet ik de computer weer opstarten.'

Omdat ze nu toch al venijnig was, belde ze meteen maar de advocaat van Eelco. Die had verdorie nóg niet gereageerd op haar keurige, systematisch opgebouwde brief met onweerlegbare feiten. Terwijl zijzelf nota bene per omgaande had gereageerd op de zijne vol onnozele dreigementen.

Maar dát telefoontje duurde amper twee minuten. Excuses, of de kwestie bij deze kon worden vergeten. Het was inderdaad beschamend dat die betreffende brief de deur was uitgegaan. Excuses, nogmaals. Ja, en ze stuurden zo spoedig mogelijk een schriftelijke bevestiging. Daar kon ze op rekenen, ja.

Dat maakte dat ze ook nog maar voor de zekerheid checkte of de koeriersdienst de dozen met nummer drie van de TTT-reeks had afgeleverd bij de slager. Dat was gelukkig het geval.

'En nu pinkstervakantie,' mompelde ze terwijl ze de ramen sloot en tegen beter weten in controleerde of de gaskachel wel uit stond.

Buiten bij het Renaultje maakte de buurvrouw, die natuurlijk net langsfietste, nog een praatje.

'Ga je weg?'

'Een paar dagen.'

'Maar je planten dan?'

'Van luis geen last meer,' zei ze.

'Maar die nieuwe, in de achtertuin. Die moeten elke avond water krijgen.'

'O, natuurlijk...'

'Ik wil het best doen, hoor.'

'Nou, graag. Hartstikke fijn, zeg.'

'Heb je dan even de huissleutel?

'Tja, de huissleutel...'

Uiteindelijk was die natuurlijk daar waar hij hoorde, in de keuken, in de honingpot waarin nog nooit honing had gezeten. Het tijdverlies leverde wel weer op dat ze nu de post kon meenemen die de postbode net door de brievenbus mikte.

Toen was het twintig minuten over twee. De buurvrouw wierp kushandjes naar de uit zijn plek naast het huis manoeuvrerende Renault. Want de rode schoonheid zou bij Huub in Brabant achterblijven. Hij had voor een klein prijsje een keurige burgermansauto voor haar op de kop getikt. Daarmee zou ze terug naar huis rijden, als ze naar de officiële opening van Petit St. Père waren geweest. Er zouden daar nogal wat vip's komen. Een hoge piet van het ministerie van toerisme, vertegenwoordigers van natuur- en sportbonden en een filmproducent die in de vroegere ruïnes scènes had opgenomen van een film die in Frankrijk nogal populair was geweest.

Uitstekend voor de pr van het gehucht was dat, maar Silke kon zich er nog geen voorstelling van maken toen ze na een extra tik op de claxon voor de buurvrouw eindelijk van huis wegreed. Het Hofmanslaantje zag er extra vriendelijk uit in de stralende junizon. Bij de kinderboerderij stond een bus, waar net een schoolklas kindertjes uitstapte. De dikke groene takken van de knotwilgen wuifden in de wind. Het slootwater ernaast vuurde briljantjes van zonlicht af. De bomen op de erven wierpen hun schaduwen het laantje in en bij bijna elk huis wapperde wasgoed aan de lijn.

Wat hield Silke van het laantje. Wat hoorde ze er thuis. En wat was ze dankbaar met een vriend die dat begreep. Nu voelde ze zich een echte Hollandse op weg naar het vrije zuiden. Een beetje zenuwachtig vanwege de te verwachten drukte op de wegen, maar ook lekker wuft, alsof het Renaultje paarse hoefjes had die straks gingen galopperen.

En galopperen deden ze! Het was gelukkig alleen rondom de grote steden druk, maar zodra de laatste afrit naar zo'n stad gepasseerd was, leek de weg er alleen voor rode schoonheden te zijn aangelegd. Zo was autorijden ontspannen en genieten. Wat een verschil met de terugrit in de oktoberregen vanuit Maastricht. Of met het beginstuk van die herfstvakantie, toen ze vol angstige gedachten op weg was naar de Afsluitdijk....

En hoe anders was het om in een van plezier snorrend sportwagentje te rijden of in een dieselende kampeerbus. Laat staan in een oud stotterend kavalje met een blauwe rookpluim achter zich aan.

Weer besefte ze hoe rijk ze was. Met de kansen die haar werden geboden. Met mensen in haar omgeving als Maud, die zomaar een bus uitleende. Of een vriend als Huub, die voor haar op pad ging voor een nieuwe auto, en die haar later via de mobieltjes van zijweggetje naar zijweggetje door het vakantiepark loodste.

In de voortuin van zijn voorlopige onderkomen stond hij op de uitkijk. '*Mon amour!*'

Ze omhelsden elkaar en lachten. Zijn bagage was al in zijn fonkelnieuwe auto. Hij showde het huis terwijl de koffie doorliep. En terwijl hij haar bagage overlaadde, trok Silke de post uit haar schoudertas. Die hoefde niet mee naar Frankrijk.

Er zat een grote envelop bij. 'O jee, van het historische tijdschrift...', zei ze hardop. 'Dat betekent een afwijzing...'

Inderdaad, Via Maria Sofia werd geretourneerd. Er zat een brief bij. Huub kwam net weer binnen toen ze hem las.

'Jammer...', zei ze. 'Een afwijzing...'

Ze vouwde de brief op. 'Tja, zo gaat dat. Een afwijzing. En een standaardbriefje.'

Ze dronken nog maar een kop koffie.

'Sneu voor je', zei Huub.

Silke keek op van haar koffie.

'Weet je dat ik het eigenlijk het meest sneu vind voor Maria Sofia?'

'Omdat haar verhaal onbekend blijft?'

Silke knikte nadenkend. 'Ja. Daardoor blijft ze verborgen. Net zo verborgen als ze hoorde te zijn als burgervrouw. Terwijl ze naar buiten wou. Naar buiten!'

Huub pakte de stapel tekst van het aanrecht.

'Ik wil het graag lezen. Een leuke titelpagina maakte je.'

Silke keek ernaar. 'Ik vond het tamelijk symbolisch zo, in die paarse schaduwletter.'

'Via Maria Sofia,' las ze.

Opeens zag ze wát er stond. Ze zei het. 'Huub, via Maria Sofia heb ik jou gevonden. Want als ik haar niet was gevolgd naar de Champagne... Dat is toch veel belangrijker dan een publicatie, dat ik jou gevonden heb?'

Hij sloeg met een lach zijn armen om haar heen.

'Jij spreekt van fantasie en werkelijkheid,' zei hij, 'en ik alleen van werkelijkheid. En die is dat ik in elk geval wel jóú gevonden had.'

'Mij gevonden had...?'

'Ik was je gewoon gaan opzoeken. Dat had ik me in Maastricht al voorgenomen, weet je. Ik vond je een leuk mens, dat opging in haar werk. Dat stond me nogal aan. Maar zoals je weet wilde ik eerst mijn zaakjes op orde hebben.'

'Ik had in die tijd wel een ander kunnen hebben,' zei Silke nuffig.

'Goeie hemel, ja! Want je zocht partners op internet...'

'Dat leg ik je nog wel eens uit!' riep ze. 'Het is trouwens de hoogste tijd.'

'Om naar ons logeeradres te rijden,' vulde Huub aan. 'Enig idee waar dat is?'

'Natuurlijk weet ik dat niet. Zo goed ken ik de omgeving van Petit St. Père nu ook weer niet.'

'Gok eens.'

'Château Beaufôret is absurd duur. Dat leuke hotelletje soms met die mooie tuin aan het meer?'

'Was een goed idee geweest.'

'Ik geef het op.'

'We gaan logeren in ons eigen appartement.'

'In ons eigen appartement...?!'

'Ja, in ons eigen appartement in Petit St. Père. Dat waarin jij logeer-de. Het kroonjuweeltje in jouw woorden. Dat appartement is mijn pri-vé-bezit. Ik wilde er namelijk beslist een pied à terre hebben.'

Silke keek hem met grote ogen aan. 'Maar toen de manager op je

223

zolder kwam wonen, huurde je een stacaravan aan het meer!'

'Omdat ik er een echte keuken in wilde hebben. Die kitchenette vond ik veel te klein voor twee mensen. Eh... voor jou en mij dus. Want we moeten voorlopig toch ergens een gezamenlijke plek hebben? Een plek waar we ons onafhankelijk van elkaar, maar ook sámen thuis voelen. Als je dat wilt, tenminste...'

Hij keek haar met net iets te veel zelfvertrouwen aan.

'Vooruit dan maar...,' zei Silke.

Ze schaterlachten.